D1163202

LE PRIX D'UNE PASSION

Denise
Lu

Julia Cleaver Smith

Le prix
d'une passion

TRADUIT DE L'AMÉRICAIN
PAR
AGNÈS GATTEGNO

UNE ÉDITION SPÉCIALE DE LAFFONT CANADA LTÉE,
EN ACCORD AVEC LES ÉDITIONS STOCK

Titre original :

MORNING GLORY
(Pocket Books, New York, 1983.)

Ce roman est une œuvre de fiction. Les noms, les person-
nages, les lieux et les événements sont le fruit de l'imagination de l'auteur ou sont présentés dans le cadre de la fiction.
Toute ressemblance avec des lieux ou des événements
contemporains ou des personnes existant ou ayant existé ne
serait que pure coïncidence.

© 1983, par Julia Cleaver Smith.
© 1984, Éditions Stock pour la traduction française.

ISBN 2-89149-297-8

*A Deborah et à Sabrina,
et à mes amis texans.*

Prologue

Au Texas, le soleil d'août s'élève très vite à l'horizon et devient aussitôt brûlant, écrasant l'air sec alors que le ciel est encore coloré d'aurore rougeoyante. Dans le nord-est de l'État, dès sept heures du matin, la poussière des collines plantées de pinèdes s'élève dans l'atmosphère et flotte au-dessus des vallées, une poussière fine et pâle qui accentue la canicule, semblant plonger la nouvelle journée dans une fournaise aussi étouffante que l'intérieur d'un four hermétiquement clos.

Lorsqu'elle quitta la grande maison blanche située aux abords de la ville, il était presque huit heures en ce premier dimanche d'août. La porte se referma derrière elle et elle resta un moment dans l'ombre du porche. Le ciel était si bleu et la lumière si aveuglante que les collines qui se profilaient au loin semblaient danser comme un mirage.

D'une main gracieuse et dorée, elle saisit ses lunettes de soleil enfoncées dans sa chevelure blonde et les posa sur son nez. Elle était contente de se rendre au cimetière de bonne heure cette année. A midi, il ferait plus de quarante à l'ombre.

On avait laissé la portière de la Lincoln entrouverte et le moteur tournait depuis assez longtemps pour que l'air conditionné eût pu rafraîchir les sièges en cuir. A la place du passager, on avait déposé un bouquet de fleurs estivales cueillies ce matin dans les jardins du fond; on apercevait des lis sauvages, des œillets de montagne, des lupins [1] et des marguerites dont le cœur d'un jaune éclatant contrastait avec la blancheur des pétales. Elle passa la première et sentit le gravier crisser sous les roues lorsque la Lincoln

1. Fleur-emblème du Texas. (N.d.T.)

blanche et rutilante s'engagea sur le chemin en pente douce qui menait vers l'épais bosquet de peupliers. La voiture franchit les imposantes grilles de fer forgé, traversa l'ancienne ligne de chemin de fer et déboucha dans Main Street. Sur la droite, un panneau annonçait le nom de la ville : Earth, 2 523 habitants.

Un vieil homme, vêtu d'une salopette élimée, émergea de la station d'essence qu'elle laissa sur sa gauche, porta la main à son chapeau de paille défoncé et disparut aussitôt dans l'ombre. Hormis les deux vieux camions de chez Ford, carcasses aussi inébranlables que le sol sur lequel ils étaient ancrés, les rues étaient désertes : les habitants de Earth se préparaient pour la messe de onze heures et pour les pantagruéliques repas de famille servis à une heure. Les escaliers de bois menant aux trottoirs couverts étaient abandonnés et les stores des magasins, dont les noms lui étaient si familiers, étaient tirés. Il y avait Chez Irma, le salon de beauté, Chez Trixie, la boutique de cadeaux et Chez Carr, le magasin de tissus et nouveautés qui faisait aussi drugstore; tous étaient vides et silencieux en ces premières heures de la matinée déjà dévorée par le soleil.

La Lincoln blanche poursuivit sa route, passa devant le temple en pierre du culte méthodiste et l'église baptiste construite en bardeaux blancs; leurs portails symétriques, qui menaient au salut, semblaient attendre patiemment l'arrivée des fidèles. Puis elle longea la banque — superbe bâtisse neuve et sans âme qui se dressait au milieu des vieilles maisons en bois dont les vérandas couraient tout le long des façades — et l'immeuble en brique rouge du journal qui comptait huit étages; le bâtiment était plongé dans l'obscurité : des stores de toile blanche cachaient les baies vitrées. Devant elle se dressait le palais de justice du comté, bâtiment désolé à cette heure; d'imposants escaliers en granit conduisaient à cet édifice néo-gothique dont les voûtes sur croisée d'ogives s'élevaient vers l'unique clocher. Très haut dans le ciel, elle perçut le timbre clair et mélodieux du carillon qui sonnaient les derniers coups de huit heures.

Au carrefour, elle ralentit et jeta un coup d'œil dans le rétroviseur. La propriété ceinte de murs blancs, qu'elle avait quittée quelques instants auparavant, s'y reflétait et les grilles en fer ressemblaient à un ouvrage miniature en filigrane. Vus d'ici, les murs surmontés d'une couronne de peupliers dominaient la ville.

Elle s'enfonça dans le siège enveloppant recouvert d'un cuir raffiné et appuya sur l'accélérateur. Sur sa droite, la tour de trente mètres de haut de la station de radio s'élevait dans le ciel, les lumières rouges clignotant faiblement dans cette clarté aveuglante. Au loin, elle apercevait la voie express qui menait à Dallas situé à quatre-vingts kilomètres au sud-ouest. Elle tourna à gauche et s'enfonça dans les collines.

Elle connaissait cette route à deux voies depuis toujours; ses courbes lui étaient familières et elle savait exactement où elle se trouvait rien qu'en sentant le bitume défiler sous ses roues. Un jour, son frère lui avait lancé un défi et ils avaient fait la course jusque chez eux en suivant cette route. Elle avait gagné et, encore aujourd'hui, ce souvenir lui faisait plaisir. Elle sourit et alluma la radio qui était branchée sur KLIP. Les chants d'un chœur religieux retentirent, les voix vibrantes des ténors glorifiaient ce jour.

Elle ne vit pas le camion.

Descendant pesamment la côte, il s'engagea dans le léger virage boisé qu'elle attaquait à toute allure. Le pied à fond sur l'accélérateur, elle frôlait les cent trente kilomètres à l'heure; il lui restait encore un long chemin à parcourir. Lorsqu'elle heurta le camion, sa dernière pensée fut de laisser ses mains sur le volant pour garder le contrôle de son véhicule.

En un ballet macabre, le ciel d'un bleu éclatant et les pins d'un vert profond se reflétèrent sur la carrosserie d'un blanc étincelant de la Lincoln. Le pare-brise vola en éclats, le verre brisé et les fleurs déchiquetées jaillissant de la carcasse en un fracas retentissant. Dans un vacarme épouvantable, la voiture quitta la route, heurta le bord du revêtement et fit un tonneau dans le champ de blé mûr qu'on allait moissonner. Puis on ne perçut plus que le léger grincement des roues qui tournaient dans le vide en cette radieuse matinée ensoleillée.

La nuit descendit sur Earth; l'air lourd et étouffant
annonçait un orage. Il était presque minuit lorsque la pluie
se mit enfin à tomber; et à cette heure-là, on avait refermé
les grilles de fer de la propriété située aux abords de la ville.

Vers trois heures du matin, Amelia Harlow sortit d'un
sommeil agité. Elle resta un moment dans l'obscurité,
écoutant le ruissellement de la pluie, puis elle perçut la
mélodie très discrète, presque imperceptible, qu'on jouait au
piano. Elle se leva, se drapa dans un châle en soie et, d'un
pas traînant, suivit le long couloir qui menait à l'escalier à
vis. La lumière jaune d'une veilleuse éclairait faiblement les
marches tandis qu'une autre lampe, plus puissante, faisait
briller le parquet parfaitement ciré du rez-de-chaussée. La
musique était plus présente maintenant; elle descendit
l'escalier et se dirigea vers une pièce sombre située sur
l'arrière de la maison.

Une jeune femme était assise au piano; le visage penché
vers le clavier, elle jouait une douce mélodie de ses doigts
graciles. Lorsque Amelia entra dans la pièce, elle leva les
yeux vers elle et la musique cessa.

« Je t'ai réveillée? lui demanda-t-elle.

— Non, ce n'est pas toi. C'est sans doute la pluie. Continue
à jouer. »

Sa petite-fille se concentra de nouveau sur les touches et
entama un autre air tandis qu'Amelia s'approchait des baies
vitrées donnant sur la terrasse.

Très haut dans le ciel, les lumières rouges de la tour de la
station de radio clignotaient dans l'obscurité où baignait la
ville et la bruine, qui dégoulinait sur les vitres, se colorait de
rouge. Amelia Harlow était une vieille femme, pourtant elle
formula un vœu en s'adressant au carreau comme un enfant
supplie les étoiles : dans un sentiment de colère mêlée de
rage et de douleur, elle souhaitait que la fin de ce jour eût
marqué sa propre fin et que demain n'arrivât jamais.

Mais, de Dallas à San Francisco, de New York à Londres,
et plus loin encore, les dépêches annonçant la mort de sa
fille crépitaient déjà dans toutes les salles de rédaction. Les
lumières rouges scintillaient toujours, la rapprochant du
matin où tout recommencerait de nouveau.

« Dites-moi, demanda le reporter du *Texan*, est-il vrai qu'au Texas... »
« Oui, c'est vrai, mon garçon, répondit le Texan. Quoi que ce soit, c'est exact. C'est arrivé quelque part au Texas. Quelque part. Un jour. »

Première Partie

A la frontière de la Louisiane
et du Texas

Janvier 1917

1

Il était encore tôt ce matin-là, lorsqu'ils franchirent la frontière de l'État dans le roadster vert flambant neuf de Will Harlow. Elle se souviendrait toujours de cet instant qui resterait précis dans sa mémoire et y garderait une place toute particulière. Pourtant, aucun événement marquant ne le distinguait des autres; simplement Will criait à tue-tête : « On y est. »

Elle leva les yeux et réalisa aussitôt qu'elle avait quitté le Sud pour se diriger vers l'Ouest. Elle en était sûre. Le ciel semblait soudain plus grand et plus limpide; c'était un ciel du Texas désormais d'un bleu plus profond et plus cuivré. Elle porta la main à son chapeau de voyage pour le maintenir en place et se retourna pour jeter un dernier regard en arrière. Des mèches lui fouettèrent le visage et une épingle à cheveux glissa dans son cou.

La Louisiane, délicate et luxuriante, qui flamboyait comme un mirage dans la lumière du petit matin, s'effaçait déjà derrière elle. Et devant elle, au bout d'une longue route poussiéreuse qui s'enfonçait dans une vallée plantée de pins, se dressait sa nouvelle maison. Elle se dirigeait vers l'Ouest au même rythme que le soleil.

Elle prit Will par le bras et lui sourit.

« Tu es surexcitée, Amelia?

— Je ne peux plus attendre. Raconte-moi encore, Will, juste pour que je me souvienne de tout. Parle-moi encore de ta mère, de la maison et de la ville. Et aussi des garçons, du journal et de... »

Il éclata d'un grand rire franc. « Je t'aime, Amelia Harlow », hurla-t-il pour couvrir le bruit du vent et le grondement du moteur. « Je t'aime », répéta-t-il et, le regard brillant, il se tourna vers elle et lui sourit.

« Ne plaisante pas, répliqua-t-elle. Je veux tout savoir, absolument tout. Le nom du journal de ton père...

— Le *Bugle-Times* de Earth, Texas.

— Et tes petits frères s'appellent...

— Rob et...

— Non, attends. Je m'en souviens. Il y a Rob et Joey, l'un a douze ans et l'autre dix. Et ta mère s'appelle Evangeline. Elle s'occupe du jardin et prépare des gâteaux à la pomme et à la rhubarbe. Et ton père fume le cigare.

— Oui, c'est juste, acquiesça Will en riant. Et il te fera des ronds de fumée fantastiques si tu le lui demandes. »

Il changea de vitesse et appuya sur l'accélérateur; c'était un homme fringant qui cherchait à éblouir sa jeune épouse installée à son côté. Ses cheveux clairs et son grand chapeau de paille encadraient son visage ovale et délicat. Elle avait les yeux gris et sa main, qu'elle avait laissée sur le bras de son mari, était petite et gracieuse. Ses ongles paraissaient si fragiles qu'il retenait parfois son souffle pour marquer son admiration.

Il l'avait prévenue que Earth n'était pas une ville excitante et raffinée comme La Nouvelle-Orléans, mais elle lui avait répliqué dans un sourire : « Et maintenant, dites-moi une chose, docteur Harlow. Qu'imaginez-vous de si excitant dans la vie au couvent? » Puis, soudain, son regard était devenu grave et son visage sérieux. « Je crois que je vais m'y plaire. Je pense que j'aimerai beaucoup ta petite ville.

— Je voudrais tant que tu l'aimes, Amelia, avait-il répondu. Je veux te rendre heureuse.

— Je le serai », lui avait-elle assuré ce jour-là dans le jardin du couvent. « Tu verras, je ferai tout pour que tu sois fier de moi, toi aussi », avait-elle ajouté en glissant sa main dans la sienne.

Il rétrograda et la Chevrolet décapotable arriva en haut d'une autre colline, filant tranquillement dans la quiétude de ce matin texan. A cinq cents kilomètres plus au sud, la plus terrible sécheresse que personne n'eût jamais connue avait dévasté le centre de l'État. D'ores et déjà, les premières récoltes étaient brûlées et les élevages de bœufs et de moutons commençaient à souffrir de déshydratation. A Austin, le gouverneur démocrate avait été pris en flagrant délit et les politiciens avaient entamé une procédure d'impeachment contre lui. Et en Europe, la guerre faisait rage.

Mais tout cela semblait très loin et étranger à leur monde. La sécheresse n'avait pas touché le nord-est du Texas et ici, les premiers bourgeons annonçaient le printemps. Les pins s'enorgueillissaient de nouvelles pousses, les collines ombragées étaient pleines de promesses et le Dr Will Harlow rentrait chez lui. Il allait retrouver sa famille et la ville où il avait été élevé et il allait leur présenter la jeune fille qu'il avait épousée, une jeune fille qu'il avait rencontrée à La Nouvelle-Orléans.

On était fin novembre. C'était une de ces journées où le ciel est si bas qu'il semble qu'aucun autre monde n'existe plus. Will Harlow enfonça ses mains dans ses poches et se dirigea vers l'Esplanade. Il était épuisé et se sentait très seul; il ne prêtait aucune attention aux chênes couverts de mousse qui se balançaient doucement sous la brise ni aux sirènes des bateaux qui glissaient au loin sur les eaux boueuses du Mississippi.

Ce Texan de vingt-six ans avait un teint lisse et une haute stature. Après trois ans d'études à Princeton, il avait suivi les cours de la Tulane Medical School et fait son internat à l'hôpital de La Nouvelle-Orléans. Il était impatient de tout découvrir : les blessures par balle, les balafres et les mutilations, la grippe et la vérole, la typhoïde et la fièvre jaune. Les cas de fièvre jaune ne se comptaient plus; elle florissait dans ce port infesté de rats comme la violence sur les quais et la syphilis dans ce ghetto baptisé Storyville où les prostituées faisaient commerce de leurs charmes. Il croyait avoir appris à se protéger de la souffrance humaine qui était pain quotidien à l'hôpital; pourtant ce matin, les hurlements de la petite créole qui était entrée en urgence l'avaient bouleversé. Elle avait accouché d'un bébé mort-né et ils l'avaient observée, impuissants, alors que la fièvre consumant ses dernières forces s'était soudain doublée d'une hémorragie qui l'avait emportée. Will avait demandé à un confrère de le remplacer et il était sorti faire un tour; il était heureux de rentrer bientôt chez lui au Texas pour s'occuper de chevilles foulées, d'amygdales enflammées et de femmes texanes qui, comme sa mère, récuraient leurs maisons à fond et mettaient au monde des enfants robustes et braillards.

Il tourna au coin de la rue et se dirigea vers Lafayette Street; lorsqu'il traversa la place et pénétra dans le Quartier français, il accéléra le pas. L'arôme de la chicorée, de l'anisette et du café grillé se mêlait dans l'air qui semblait vibrer du bruit de ferraille des tramways et des cris gutturaux et lancinants des camelots. Dans les rues étroites, les uniformes très colorés de marins grecs et les soutanes noires des prêtres ressortaient dans cette foule bigarrée. Les balcons en fer forgé dessinaient des ombres ouvragées sur les trottoirs bordés de façades en stuc délavé. Un peu plus au nord, un saxophoniste jouait un air légèrement exaspérant de cette musique qu'on a baptisée le jazz. Il erra au hasard dans l'est de la ville, puis retourna vers le sud, et il était presque arrivé à Canal Street lorsqu'il aperçut son visage dans une vitrine.

Le reflet de son petit profil délicat paraissait un peu flou à travers la vitre. Sur la porte, un panonceau indiquait : « Madame Boniface. Chapeaux de Paris. »

Will Harlow se faufila pour traverser la rue et un conducteur de tramway lança un juron à son adresse. La sonnette de la porte d'entrée tintinnabula; de la vitrine, la jeune fille jeta un coup d'œil sur lui. Sa longue silhouette dégingandée se glissa maladroitement dans l'embrasure de la porte et il entra dans une pièce minuscule envahie de plumes, de dentelles et de rayonnages remplis de chapeaux qui s'échelonnaient jusqu'au plafond.

Une femme d'un certain âge, qui était très probablement Mme Boniface, pensa-t-il, sortit soudain d'un réduit aménagé au fond de la boutique. Elle était mince et ses cheveux noirs et brillants étaient relevés en un chignon sévère.

« Que puis-je faire pour vous, monsieur ? » lui demanda-t-elle tout en tripotant les chapeaux d'un air contrarié comme si sa seule présence avait soudain jeté une certaine confusion dans le magasin.

« Eh bien... » Il ramena ses cheveux en arrière et rectifia son nœud de cravate. « Je voudrais un chapeau. » Il entendit la fille glousser dans son dos. « Pour ma mère », ajouta-t-il d'un ton décidé.

Mme Boniface lui vanta plusieurs modèles que la jeune fille sortait des cartons pour les lui présenter tout en observant un silence timide. Will ne prêtait guère attention aux chapeaux : il était plus intéressé par la jeune fille. Il finit par choisir une toque de feutre gris garnie d'une voilette de dentelle noire. « C'est la dernière mode à Paris, lui assura Mme Boniface. C'est un article facile à porter. Votre choix est parfait, monsieur », ajouta-t-elle. Il ne savait pas très bien ce qu'elle avait voulu dire par « facile à porter » et pensait que sa mère ne le mettrait probablement jamais, mais il était convaincu qu'elle serait ravie de ce cadeau.

Quelques instants plus tard, il quitta la boutique. Le grand carton à chapeaux rose ballottait contre ses jambes. Il traversa la rue, entra dans un petit bar, commanda un café noir et attendit. A six heures, Mme Boniface sortit du magasin et se perdit dans la foule. Un quart d'heure plus tard, la jeune fille sortit à son tour.

Will se leva et jeta quelques pièces sur la table tout en l'observant. Elle lança un coup d'œil vers l'établissement, puis se détourna et tira le store de bois qu'elle ferma avec une grande clé en fer. Elle mit le trousseau dans son sac, rajusta son corsage blanc à l'ancienne et se dirigea vers Royale Street.

Il était presque certain qu'elle l'avait vu. Elle marchait comme si elle l'attendait, tout comme il l'avait guettée. Il saisit le carton à chapeaux et se mit à courir.

« Mademoiselle! Excusez-moi, mademoiselle. »

Lorsqu'elle entendit le son de sa voix, elle s'arrêta aussitôt. Soudain trop timide pour parler, il fixa son regard profond ombré de longs cils noirs.

« C'est à propos du chapeau, monsieur? lui demanda-t-elle enfin. Quelque chose ne va pas?

— Non, non. Tout va bien. » Le timbre de sa voix lui plut beaucoup. En fait, elle n'était pas française; elle avait une voix douce teintée d'un accent du Sud et son débit, qui trahissait une certaine impatience, le séduisit aussitôt. « Je vous ai attendue pour vous proposer de vous raccompagner, lui dit-il. Cela me ferait grand plaisir », ajouta-t-il.

Tout en rougissant, elle acquiesça d'un signe et ils poursuivirent leur chemin. Ils descendirent Royale Street puis s'engagèrent dans St. Charles Avenue. Cette longue promenade les mena jusqu'aux abords du Garden District et enfin au couvent des Sœurs de la Charité. Elle lui apprit qu'elle était orpheline et qu'elle vivait là depuis toujours.

« A qui dois-je m'adresser si je veux venir vous voir? » lui demanda-t-il.

Elle lui promit qu'elle parlerait à la mère supérieure pour s'assurer qu'il serait attendu.

Lorsqu'elle pénétra dans le couvent, elle se sentait très troublée. Elle s'appuya contre la lourde porte, écouta le pêne se refermer et une violente émotion l'envahit. Elle accrocha sa veste à l'un des portemanteaux en chêne et longea les corridors dallés de marbre. Elle avait pris l'habitude de marcher d'un pas régulier et pondéré après toutes ces longues années ponctuées de semonces.

Elle trouva la sœur Mary Theresa dans son bureau. La religieuse lisait à la lueur conjuguée d'une lampe à alcool et du feu qui crépitait dans la cheminée. Elle était installée dans un fauteuil près de l'âtre, les pieds posés sur un coussin, un livre de prières sur les genoux et portait une tasse de thé à ses lèvres. Quand Amelia entra, elle reposa la tasse. Son large visage aux joues rebondies resta impassible. « Nous étions inquiètes, mon enfant. Vous êtes en retard.

— Je le sais, ma sœur. Je suis désolée. Je n'ai pas pris le tramway. Je suis rentrée à pied... avec un jeune homme. Il aimerait venir me rendre visite, ma sœur. Il est du Texas... Il est très grand. Il est médecin. »

Son débit précipité et l'émotion qui se lisait sur son visage firent sourire sœur Mary Theresa. « Et vous souhaitez qu'il vienne vous voir, mon enfant?

— Oh oui, ma sœur. Il viendra vous voir demain. Je le lui ai conseillé. Ai-je eu raison d'agir ainsi? Devais-je dire cela?

— Mais oui, bien sûr. Si c'est un jeune homme charmant, et je suis certaine que c'est le cas, il me semble tout à fait justifié qu'il vienne vous rendre visite. » Sœur Mary Theresa adressa un nouveau sourire à la jeune fille dont la silhouette se profilait dans la pénombre agréable du bureau. Elle devrait avoir une vie plus ouverte au monde et donner à un homme tout l'amour que sœur Mary Theresa avait offert à Dieu, songea la religieuse. Elle retira ses pieds du coussin et le tapota. « Venez vous asseoir un instant, Amelia. »

La jeune fille s'installa à ses pieds et tira sur sa jupe. Sœur Mary Theresa tendit la main vers les flammes.

« Il y a juste le problème de votre mère, ma chère enfant. Dois-je aborder ce sujet? Ou préférez-vous lui en parler vous-même? »

Le petit visage de la jeune fille devint blême. « Non, pas maintenant, ma sœur. Une autre fois peut-être. De toute façon, il n'est même pas encore venu. » Pourtant, elle sourit, car elle était certaine qu'il viendrait la voir.

2

A dix-sept ans, Amelia était devenue experte dans l'art d'oublier le passé. Quand elle était arrivée dans ce couvent situé aux abords du Garden District, elle venait d'une maison de Storyville où elle était née « par hasard » et de père inconnu, comme on dit. Elle n'était que le fruit d'une erreur commise par une jeune femme qui n'était autre que sa mère.

Bonnie Bliss était venue au monde dans la même maison de Storyville. Sa mère était morte des suites de l'accouchement et Bonnie avait été élevée par la servante noire et les « filles » de la maison, mais aussi par « Madame ». Elles croyaient que l'enfant chéri de le maison, cet adorable bébé aux cheveux de lin qui gazouillait gaiement, deviendrait un jour une superbe amazone aux formes sculpturales vu

qu'elle pesait cinq kilos à la naissance. Mais Bonnie s'arrêta
de grandir à douze ans. A l'époque, elle mesurait un mètre
cinquante-huit, avait des taches de rousseur sur le nez et
deux petits tétons roses lui tenaient lieu de poitrine. Mais la
toison blonde qui se dessinait entre ses jambes était si douce
et si épaisse que miss Lucy, cette femme de cinquante ans
qui s'était brillamment distinguée dans ce commerce depuis
près de trente années, estima que tout ce qu'elle pouvait
espérer résidait sans doute dans le spectacle qu'elle avait
aperçu à travers son monocle émaillé d'émeraudes : cette
enfant était prête.

Miss Lucy exerçait son activité depuis toujours; elle
connaissait bien La Nouvelle-Orléans et connaissait aussi ses
filles et ses clients. La paisible maison qu'elle dirigeait dans
Bienville Street était fréquentée par les hommes aisés des
environs. Elle la menait de main de maître pour le plus
grand plaisir du préfet de police : ce gentleman avait un
faible pour les soirées en tête à tête ou à trois partenaires.
Homme de haute stature et de forte constitution, il était
presque chauve et avait un accent très marqué de La
Nouvelle-Orléans. Dernièrement, il avait laissé entendre à
miss Lucy qu'il commençait à s'ennuyer chez elle et elle
avait interprété cette allusion comme une menace. Il ne
dansait plus et ne chantait plus les airs qui s'échappaient du
piano mécanique qu'elle avait commandé en ville chez
W. B. Ringrose Furniture Emporium et qui lui avait coûté
fort cher sans compter les frais de livraison. Le plaisir
gourmand avec lequel il dégustait les mets de miss Lucy, son
champagne et les sept jeunes femmes destinées à le distraire
s'était émoussé.

Ce fut par une douce soirée d'été baignée des parfums de
laurier-rose et de magnolia que l'on conduisit le préfet à la
chambre turque située au deuxième étage de la maison de
Bienville Street en lui promettant une soirée exceptionnelle.
Miss Lucy se trouvait dans la pièce voisine, l'œil collé contre
le trou de la serrure. Le crâne chauve du préfet brillait sous
les reflets rougeoyants des bougies qui dessinaient des
ombres ambrées sur les tapis de style oriental. On entendit
une porte s'ouvrir, puis se refermer et Bonnie Bliss fit son
apparition.

Après des heures de réflexion, miss Lucy avait décidé qu'elle n'aurait aucun maquillage; elle n'avait même pas mis un nuage de poudre pour cacher ses taches de rousseur et portait une chemise d'enfant d'un blanc immaculé retenue par des rubans pastel qui cachait juste son petit ventre rond. Miss Lucy avait conçu ce costume elle-même et ce choix, qui allait à l'encontre de tout ce que Bonnie avait appris au cours des années, n'émoussait guère la curiosité dévorante qui démangeait la jeune fille, chose que miss Lucy n'ignorait pas. Elle regarda Bonnie s'avancer vers le centre de la pièce. L'instant que miss Lucy lui avait fait répéter une bonne douzaine de fois et même plus allait enfin devenir réalité : un léger tremblement, un pas en arrière, un mouvement brusque vers la porte et, si elle pouvait y arriver, quelques larmes; les pleurs étant le clou de cette scène de viol imaginée par miss Lucy dans le plus pur style de « La Vierge terrorisée ».

Pourtant, Bonnie ne frissonna pas et ne se détourna pas davantage. Elle sourit au préfet, lui fit un petit signe de la main et franchit joyeusement les quelques pas qui la séparaient du lit. Plus étonnant encore aux yeux de miss Lucy, son client n'entreprit pas aussitôt de déflorer le plus jeune membre de son cheptel. A dire vrai, lorsque miss Lucy finit par quitter son poste de guet, le préfet était toujours habillé et faisait preuve d'une imagination débordante pour satisfaire le petit corps affamé qui se vautrait sur ses genoux en gémissant de plaisir.

Miss Lucy en conclut qu'il s'agissait d'un cas extrêmement rare, leurs appétits sexuels se complétant à merveille, et que ce coup du destin était certainement le plus heureux de sa vie même si elle avait toujours eu la chance de son côté. Désormais, non seulement les visites hebdomadaires du préfet lui assuraient sa position dans Bienville Street, mais elles apportaient aussi à sa maison une réputation de stabilité qui commençait à attirer une clientèle toujours plus nombreuse et plus fortunée, de cette clientèle qui pouvait lui permettre d'envisager de remplacer les copies de la chambre turque par de vrais tapis persans.

Hélas, un an et demi plus tard, le préfet succomba à une crise cardiaque en montant l'escalier qui menait au second étage. Bonnie, qui avait alors quatorze ans, le pleura pendant des semaines. Miss Lucy, quant à elle, s'en remit pour ainsi dire du jour au lendemain.

Ce fut Sidney Story, un conseiller municipal sans envergure de La Nouvelle-Orléans qui prit la place du préfet dans l'estime de miss Lucy. Le décret local qu'il avait rédigé et fait passer faisait preuve de réalisme et de bon sens. Cette loi, qui reconnaissait la prostitution à La Nouvelle-Orléans sans toutefois lui donner ouvertement droit de cité, prit effet le 1ᵉʳ janvier 1898. « Toute femme qui s'adonnait de façon notoire à la luxure » était désormais cantonnée au nord du Quartier français; or cette zone incluait Bienville Street. Le soir du réveillon, alors que Bonnie boudait dans sa petite chambre du quatrième étage, miss Lucy, qui arborait un collier en diamants et son monocle piqué d'émeraudes, jouait la parfaite hôtesse au milieu d'une assemblée choisie constituée de patronnes de bordel, de prostituées, de proxénètes et de musiciens de renom. L'un des invités s'installa devant le piano mécanique et commença à chanter les premières mesures de *Auld Lang Syne* lorsque la voix enjouée d'une putain s'éleva parmi la foule : « Oh non! Ne buvons pas au passé, chéri! Mais à l'avenir! A l'avenir!

— A Story, le conseiller municipal », lança un souteneur vêtu d'un costume à rayures.

« A Storyville », déclara miss Lucy. Et c'est ainsi, qu'au milieu des sifflets, des acclamations, des bouchons de champagne qui sautaient et des pieds qui battaient la mesure, elle baptisa ce lieu qui allait devenir le quartier chaud le plus célèbre de toute l'Amérique.

Le ghetto où naquit la fille de Bonnie Bliss était délimité à l'est par St. Louis Street et à l'ouest par Canal Street. Au nord, le quartier s'arrêtait à Clairborne Street et au sud, à Basin Street. Les trente-huit pâtés de maisons compris entre ces lignes de démarcation formaient un monde à part. Les rues n'étaient pas pavées et on déversait les excréments dans les caniveaux infestés de rats crevés, mais le commerce des principales « maisons closes » — on en dénombrait quarante en tout — était florissant. Pour la première fois depuis le début de sa carrière, miss Lucy engagea un comptable; tous les soirs, ce nain, en queue-de-pie et cravate blanche, fouinait dans la maison pour surveiller les énormes sommes d'argent qui y circulaient. Ses costumes miniatures et ses chaussures soigneusement cirées s'alignaient dans le placard de la petite chambre qu'il occupait à l'écart des appartements réservés aux domestiques. Tous les dimanches après-midi, « Captain Jack » montait, clopin-clopant, l'escalier qui menait au bureau de miss Lucy situé au second étage, pour examiner les livres de compte avec elle.

Une douzaine de caisses de champagne et une douzaine de caisses de Raleigh Rye : prix d'achat 500 dollars, prix de vente 400 p. 100 de plus, bénéfice net 1 500 dollars par semaine.

Les filles, qui étaient au nombre de huit en comptant Bonnie, partageaient les recettes-clients avec la maison sur la base de 80 p. 100/20 p. 100. Rapport brut pour miss Lucy : 8 400 dollars par semaine.

Les jeux, qui incluaient le blackjack et le poker, plus un peu de revente de cocaïne représentaient un apport de 5 000 dollars.

On arrivait donc à un total de 14 900 dollars dont il fallait déduire les frais qui atteignaient environ 3 500 dollars par semaine. Cela comprenait l'amortissement du mobilier et des installations, les notes de gaz et de téléphone, les salaires des employés, les frais médicaux, les pots-de-vin en tout genre et la nourriture; miss Lucy n'achetant que des produits de tout premier choix, sa table avait la réputation d'être la meilleure de toute la région. Toutefois, il lui restait encore un bénéfice net de 11 400 dollars par semaine. Elle commanda deux tapis d'Orient à New York et s'offrit le luxe d'engager un vrai pianiste professionnel. Une seule tache assombrissait ce tableau idyllique et ce problème n'était autre que Bonnie.

Lorsqu'elle fut complètement remise des suites de son accouchement, Bonnie reprit son travail. Tous les soirs, elle revêtait des bas à rayures rouge et blanc et une robe impeccablement repassée et descendait au salon avec les autres filles. Mais, alors que ses compagnes riaient, chantaient et prenaient ces messieurs par le cou, Bonnie s'asseyait dans un coin sur un canapé recouvert de soie et se lamentait sur son sort en songeant à son avenir brisé.

Elle se souvenait à peine du gros visage bouffi du préfet, mais elle était convaincue qu'il l'aurait épousée. Absolument certaine. Il aurait divorcé et l'aurait installée dans une grande maison blanche bâtie dans le Delta où des serviteurs noirs se seraient précipités pour aller lui chercher des chocolats rien que pour elle. Et ainsi, il aurait fait d'elle une vraie dame. Mais il était mort : le souffle court et le visage en feu, il s'était affalé dans l'escalier d'une façon affreusement gênante. Et maintenant, elle se retrouvait affublée d'un bébé qui n'était peut-être même pas le sien et sans aucun projet d'avenir hormis le spectacle de ces hommes qui se vautraient sur elle sans prendre la peine d'enlever leurs chaussures. La frustration et un violent sentiment d'injustice lui arrachaient une larme qui coulait sur son petit visage piqué de taches de rousseur alors qu'elle sirotait son champagne.

Son bébé grandissait loin d'elle. Miss Lucy l'avait baptisé Amelia, lui avait donné une lingère noire pour nourrice et surveillait son développement. Nourrisson chétif, elle était devenue une petite fille assez fluette mais d'une beauté exceptionnelle et ses cheveux blonds comme les blés étaient légèrement plus foncés que ceux de Bonnie. Lorsqu'elle fut sevrée, on la confia aux domestiques de la maison et elle vivait au même rythme qu'eux : ses journées commençaient à midi. L'arôme du café à la chicorée et des saucisses chaudes s'échappait de la cuisine et envahissait sa chambre lorsqu'elle s'éveillait au milieu de l'agitation familière des personnes qui, à ses yeux, faisaient partie des gens qui vivaient le jour. Il y avait le marchand de glaces et le chiffonnier, mais aussi Zozo, l'adepte du vaudou qui venait frotter la véranda avec de la poussière d'argile pour chasser les mauvais esprits. Ses journées se terminaient peu après minuit lorsque le cuisinier l'entraînait à l'office, l'installait sur le bar et la prenait par les sentiments pour lui faire déguster les meilleurs morceaux du banquet qui clôturerait la soirée vers trois heures du matin. Il lui donnait du jambon, du poulet et des crevettes froides sans oublier une gorgée de vin rouge chaud pour la faire dormir.

Amelia éprouvait une tendresse toute particulière pour Eulalie, une servante noire qui avait rassemblé un gri-gri et des os de chat dans un petit sachet en soie qu'elle lui avait accroché autour du cou pour la préserver du mauvais œil. Le samedi, Amelia pouvait déchirer de longues bandes de papier journal et les plonger, une par une, dans du vinaigre blanc pendant qu'Eulalie, perchée sur une échelle, nettoyait les pendeloques en cristal du lustre imposant qui ornait le grand salon. Amelia attendait toujours le dimanche après-midi avec impatience, car ce jour-là elles « avaient cinéma ». Elles prenaient le tramway jusqu'au quartier noir, s'asseyaient dans les salles obscures et pleuraient à chaudes larmes en regardant des histoires tristes ponctuées par les notes du pianiste.

Elle adorait Eulalie, mais aussi Captain Jack. Comme elle, il était petit et il lui donnait une pièce de cinq cents quand Sam Le Gaufrier Au Clairon débarquait dans Storyville et dévalait les rues dans sa grosse carriole rouge. Lorsqu'elle entendait au loin les notes vibrantes et mélancoliques qui s'échappaient de son vieux clairon de l'armée et résonnaient jusque dans Bienville Street et dès qu'elle reconnaissait le bruit des sabots du cheval piétinant la boue, Amelia partait à la recherche de Captain Jack. « Une pièce », lui demandait-elle et elle descendait les escaliers quatre à quatre pour se délecter d'une orgie de gaufres.

Parfois, Captain Jack l'emmenait avec lui quand il allait faire sa tournée pour régler ses affaires. Ils partaient, main dans la main, le nain dans son costume à rayures et ses chaussures à guêtres et Amelia dans sa robe fraîchement repassée. Ils marchaient à travers la ville baignant dans une chaleur moite et leur route les menait au nord de Bienville jusqu'à Conti où ils s'arrêtaient chez le marchand de spiritueux puis jusqu'au drugstore de Villere où Captain Jack faisait ses achats de cocaïne. Amelia se promenait dans les allées du magasin, fascinée par les flasques de toutes les couleurs et les étiquettes des flacons alignés sur les étagères où des lettres scintillantes indiquaient :

POUDRE D'APHRODITE
POMMADE ÉRECTRICE
VASELINE D'AMOUR

De là, ils se rendaient à la banque où Amelia attendait patiemment, l'œil rivé aux vitres teintées, tout en observant les trains qui entraient dans la gare de Basin Street. Dans un grondement infernal et au milieu d'épais nuages de fumée, les trains, qui venaient de très loin, déversaient leurs flots de voyageurs qu'elle avait appris à regarder avec la même perspicacité que Captain Jack.

Certaines personnes avaient vraiment de la classe : des femmes raffinées accompagnées d'hommes séduisants qui les entouraient d'attentions. Lançant des ordres secs aux porteurs pour qu'ils s'empressent de transporter les piles de malles et de valises, ils traversaient la gare comme si la foule grouillante qui les entourait n'existait pas. Puis ils se retrouvaient dans la fournaise de la rue et disparaissaient aussitôt dans les voitures de maître qui les attendaient pour les emmener loin de cette cohue. Amelia regardait ces femmes élégantes et observait les tissus luxueux de leurs vêtements aux couleurs délicates et le teint laiteux de leurs visages qu'elles protégeaient du soleil sous leurs chapeaux. Elle rêvait qu'un jour elle traverserait une gare, drapée dans une robe longue, et monterait dans une voiture qui l'entraînerait au loin.

Elle repérait aussi la racaille. « Ces gens-là, disait Captain Jack avec une moue dédaigneuse, il vaut mieux éviter de plonger dans leur passé. » C'étaient des joueurs et des femmes vêtues de robes trop voyantes qui venaient de nulle part et arboraient des noms de rouge à lèvres comme Cherry Red, Scratch, Flamin' Mamie ou Bang Zang. Elles établissaient leurs quartiers dans les bordels de Basin Street qui n'étaient que de minuscules cabanes où il y avait juste la place du lit et du lavabo. Elles lançaient des baisers aux passants dans la rue et n'avaient vraiment aucune classe.

Le vendredi, les trains déversaient leur flot de touristes et, d'après miss Lucy, c'étaient les pires de tous. « Jamais », l'avait-elle entendu dire de sa voix la plus grandiloquente,

« jamais, au grand jamais, je ne dirigerai une boîte à touristes miteuse pour des étrangers pouilleux. »

Pourtant, les touristes fréquentaient la maison de miss Lucy. Lorsqu'ils sortaient de la gare de Basin Street, leur guide rouge à la main, ils étaient sûrs d'aller jusqu'à Bienville Street. Captain Jack lui avait dit que le Livre rouge décrivait la maison de miss Lucy comme « la plus raffinée de tout le Quartier rouge où les vins et la bonne musique règnent en maître ».

Amelia était heureuse de vivre dans la maison la plus raffinée de tout le quartier. Et le Professeur disait qu'il ne voudrait jamais travailler ailleurs que dans une charmante demeure où le piano était toujours parfaitement accordé. Or c'était l'homme qu'Amelia aimait le plus au monde.

Le Professeur était le pianiste attitré de miss Lucy. Tous les soirs à sept heures, il montait l'escalier en sifflotant, traversait la grande entrée et entrait au salon où l'attendait le piano. Il portait toujours un costume gris, un canotier et des chaussures en vernis noir rehaussées de guêtres d'un blanc éclatant. Des diamants scintillaient à ses doigts et dans sa mâchoire, et il était noir. « Aussi noir que le péché, ma puce, disait-il en riant. Aussi noir que le *péché*! Allez, monte là-dessus et frappe bien fort sur cette touche. »

Pendant que les filles prenaient leurs bains et que Captain Jack se préparait dans sa chambre, ajustant sa queue-de-pie et sa cravate blanche, Amelia jouait un ragtime endiablé en tapant frénétiquement sur le *do* et le Professeur l'accompagnait, ses longues mains noires se déchaînant sur le clavier. Ils chantaient *Alexander's Ragtime Band* et *Baby, Won't You Please Come Home*. Ils s'époumonaient, entonnant des chansons très rythmées et d'autres plus lentes et, entre chaque mélodie, ils discutaient. Le Professeur laissait le choix du sujet du jour à Amelia; elle pouvait opter entre trois types de propos qui, aux yeux du pianiste, étaient les seuls qui fussent dignes de leur époque : la Vie, la Liberté et la Recherche du Bonheur. Ils avaient des conversations à bâtons rompus et le babillage de la petite fille aux cheveux blonds se mêlait aux paroles du grand pianiste noir vêtu de son éternel costume gris.

A huit heures, la sonnette de la porte d'entrée retentissait et les filles, ravissantes dans leurs jolies robes et leurs bas à rayures, descendaient le grand escalier. Les voix enjouées des hommes, les rires des filles et le tintement des verres envahissaient alors la maison. Pendant toute la soirée, Amelia veillait personnellement sur le verre du Professeur : elle lui versait régulièrement une dose de Raleigh Rye avec quelques glaçons. Puis, lorsque le cuisinier la mettait au lit, elle restait allongée à écouter les bruits assourdis de la rue et les dernières mesures d'une berceuse qu'il jouait spéciale-ment pour elle. Elle l'entendait fredonner : *Basin Street*, *Basin Street*... Douces et tendres, les paroles lui parvenaient dans l'obscurité comme un murmure fantomatique, la ber-çant au cœur de la nuit de Storyville. « *Basin Street*... Pays des Rêves. »

Amelia avait presque six ans lorsqu'elle réalisa vraiment que Bonnie Bliss était sa mère et elle en avait sept quand celle-ci l'arracha à la maison de Bienville Street.

Dans les années qui avaient suivi la naissance d'Amelia, Bonnie avait considérablement changé. Elle s'était mise à travailler d'arrache-pied et, sous la houlette de miss Lucy, ses efforts avaient été couronnés de succès. Elle avait presque réussi à mettre de côté tout l'argent qu'il lui faudrait pour assumer les frais de scolarité de sa fille et pour leur permettre de quitter La Nouvelle-Orléans et d'abandonner « cette vie-là ».

« Tu comprends, ma chérie, avait-elle dit à Amelia. Tu vas aller à l'école juste pendant quelque temps pour apprendre le calcul et tous ces trucs-là et je viendrai te voir tous les samedis. Je te le jure, c'est promis. Et dans un an... enfin à peu près, je viendrai te rechercher pour toujours et nous partirons toutes les deux... à Chicago peut-être ou à New York. Tu comprends?

— Non », répliquait Amelia.

Sa réponse était inébranlable et, plus les jours passaient, plus le non se faisait plus fort, plus violent et plus intransi-geant. Tous les soirs, elle s'asseyait au piano à côté du Professeur et les larmes coulaient sur son visage : elle sanglotait en pensant à sa liberté perdue. Pourtant, le grand jour arriva enfin : sous le regard ému des pensionnaires de la maison, sa mère l'arracha à Bienville Street et l'emmena en tramway jusqu'au couvent des Sœurs de la Charité. Bonnie retourna aux lumières scintillantes et aux flots de musique de Storyville et laissa Amelia, toute seule, dans le hall sombre et paisible du couvent.

Les premiers temps, Bonnie venait voir sa fille tous les samedis matin, mais l'écho des gloussements des élèves qui se répercutaient dans les couloirs dallés de marbre saluait immanquablement son arrivée. Un jour, une fille scruta les abords de la salle d'attente et jeta un coup d'œil furtif par la porte pour voir si la mère d'Amelia Bliss avait vraiment l'air d'une putain de Storyville. Après cet épisode, Bonnie espaça ses visites. Deux samedis de suite, elle ne vint pas et lorsque Amelia l'attendit en vain trois semaines consécutives, elle se contenta de hausser les épaules et en fut finalement plutôt soulagée. Puis, un dimanche soir, Captain Jack et le Professeur vinrent lui annoncer la mort de Bonnie. D'après le diagnostic du médecin, elle avait été emportée par la fièvre, mais le Professeur pensait que la vie était seule responsable.

« Elle finit toujours par nous avoir, d'une façon ou d'une autre », dit Captain Jack en hochant la tête.

Assise sur le banc en bois inconfortable du parloir du couvent, pièce haute de plafond où régnait une odeur de renfermé, Amelia hocha la tête à son tour en observant le grand pianiste noir au regard mélancolique et le nain vêtu de son éternel costume à rayures et de ses chaussures à guêtres. Ses cheveux étaient rassemblés en une longue tresse qui lui tombait jusqu'au bas du dos comme un point d'exclamation d'un jaune éclatant qui tranchait avec la gabardine noire de son uniforme. Le visage pâle et les yeux écarquillés, son regard allait du pianiste de jazz au comptable, les observant tour à tour. Ces deux visages lui étaient plus familiers et plus réels que celui de Bonnie ne l'avait jamais été. Elle n'éprouvait rien. Absolument rien.

« Très bien, dit-elle. Je vais chercher mes affaires et on rentre à la maison.

— Non, ma chérie. » Le ton de la voix était doux, mais ces mots la frappèrent comme un coup de poignard et la clouèrent sur place.

« Le Professeur veut dire que... » Captain Jack avait repris la parole. Il parlait d'une voix claire, précise et saccadée qui était plus aiguë que celle du pianiste. « Le Professeur veut dire que désormais, ta maison c'est ici. On a envoyé l'argent de Bonnie à l'école. Ainsi, selon son vœu, les sœurs feront de toi une vraie dame. » Bien que Bonnie n'eût pas laissé assez d'argent pour concrétiser ce projet, Captain Jack avait veillé à ce que miss Lucy payât la différence de sa poche : elle avait versé la totalité des frais de scolarité d'Amelia à la mère supérieure pour subvenir à ses besoins jusqu'à ses seize ans.

Toutes les conséquences impliquées par ces paroles parvinrent lentement à son cerveau, mais, lorsque Amelia comprit soudain tout leur poids, elle fut saisie de panique. Secoué de mouvements convulsifs, son corps fluet glissa à terre et elle s'agrippa à la main du pianiste.

« S'il te plaît, ne m'oblige pas à rester ici », lui dit-elle d'une voix qui n'était qu'un gémissement. « S'il te plaît? S'il te plaît, laisse-moi rentrer à la maison. Je serai gentille, je te le promets. »

Mais le pianiste secoua la tête et se tourna vers Captain Jack. « S'il vous plaît? les supplia-t-elle. Tout le monde me déteste ici. Les bonnes sœurs, les élèves, tout le monde. Les filles se moquent de moi et je me sens si seule. S'il vous plaît, laissez-moi rentrer à la maison.

— C'est impossible », soupira le nain et il sourit tendrement à la petite fille qui était presque aussi grande que lui maintenant. « Les autres petites filles oublieront et toi aussi. Ta mère a eu raison de t'amener ici, Amelia, pour que tu puisses oublier tout le reste. Oublie-moi, oublie le Professeur et Bienville Street. Oublie le Quartier rouge et la vie là-bas.

—·C'est vrai, ma chérie », ajouta le pianiste; il lui serra la main puis la relâcha. « Captain Jack a raison.

— Mais vous reviendrez? leur demanda-t-elle. Vous reviendrez me voir, n'est-ce pas? »

Ils échangèrent un regard furtif et le silence se fit soudain plus pesant dans la pièce. Puis le Professeur reprit enfin la parole.

« Je veux que tu te souviennes que nous t'aimons beaucoup, ma chérie. Je veux vraiment que tu t'en souviennes. Rappelle-toi que pour nous tu étais le petit bout de chou le plus adorable de tout Storyville. Quand la nuit tombera et que je commencerai à jouer, quand je m'installerai au piano et que je me mettrai à taper sur ce bon vieux *do*, je veux que tu saches que je penserai toujours à toi, où que je sois. Mais, toi ma chérie, tu dois m'oublier. Moi, Captain Jack et tous les autres. Nous ne pouvons rien de bon pour toi maintenant. Rien du tout. »

Le nain se pencha vers elle pour l'embrasser sur la joue. Il avait un pauvre sourire et sa voix était brisée par l'émotion.

« Oublie-nous, Amelia. Nous n'avons aucune classe. Vraiment aucune. »

Le grand pianiste noir et le nain traversèrent la salle au sol nu et froid, ouvrirent la porte et disparurent. Elle entendit l'écho de leurs pas résonner dans le couloir dallé de marbre, puis elle perçut les bruits lointains de la ville grouillant d'agitation qui se mêlèrent un instant au silence du couvent.

Cette nuit-là et toutes les nuits suivantes, elle dormit d'un sommeil de plomb. Petit animal trempé de sueur, roulé en boule et muré dans son silence, elle dormait longtemps et d'un sommeil profond. Au début, ce fut le seul symptôme visible qui trahit son chagrin; en effet, durant les premiers mois qu'elle avait passés au couvent, il lui était difficile, voire impossible de trouver le sommeil quand la nuit venait. Lorsque sa peine finit par s'estomper, elle redevint comme avant : enfant colérique et indisciplinée, elle était pratiquement analphabète et constamment en proie à une énergie débordante qui contrariait fort son entourage. Bien que personne ne l'eût remarqué dans le monde trouble de Storyville, cela avait déconcerté les religieuses dès son arrivée au couvent et aujourd'hui encore, elles en restaient décontenancées. Toutefois, maintenant qu'Amelia n'était pas chez elles pour un an mais pour longtemps, elles estimèrent qu'il était grand temps de la dompter, prestement et définitivement.

Elles lui donnaient un petit coup sec sur les articulations quand elle se remettait à manger avec les doigts et l'obligeaient à se tenir droite en lui attachant une règle dans le dos. Elles lui inculquèrent un langage châtié et une syntaxe correcte pour acquérir un parfait parler du Sud et sévissaient de façon très expéditive quand Amelia piquait une colère : elles l'enfermaient seule dans une pièce vide pendant une heure. Elles n'étaient pas cruelles, mais intraitables. Elles ne lui passaient rien, ni faute ni erreur, et récompensaient ses efforts et non ses progrès en matière de connaissances ou de bonnes manières. Leurs récompenses étaient d'un genre assez austère : Amelia avait droit à un oreiller pour son lit au dortoir ou à un ruban en gros-grain noir pour sa longue tresse blonde ou encore à faire partie du chœur pour chanter matines tous les jours à l'aube dans la chapelle.

Elles ne tentèrent pas de l'entourer de tendresse pour compenser son isolement au sein du couvent parmi les externes ou les quelques élèves qui étaient internes comme elle. Elles reconnaissaient qu'elle était seule, mais elles l'étaient aussi à leur façon et, après tout, la solitude n'était pas un péché. La paresse et l'indiscipline étaient des péchés tout comme ses origines, son passé qu'il valait mieux passer sous silence et qui conduisait sans conteste aux portes de l'Enfer.

La mère supérieure lui en parlait souvent dans son bureau; elle rappelait à Amelia avec véhémence que tout le munde devait désormais dire qu'elle était orpheline et qu'elle n'était encore qu'un nourrisson lorsqu'on l'avait confiée au couvent. Amelia ne devait pas donner une autre version de sa vie, elle ne devrait jamais dire autre chose, il lui fallait tout oublier. Amelia acquiesçait toujours et la mère supérieure la laissait partir.

Mais Amelia n'oubliait rien. Le soir, dans la paisible obscurité du dortoir troublée seulement par la respiration calme et régulière de ses compagnes, elle se souvenait des lumières, des bruits et des couleurs de Storyville, du cri du Gaufrier Au Clairon et des rires des filles si charmantes dans leurs jolies robes. Elle s'efforçait de se rappeler les mélodies que jouait le pianiste et sa farouche haine pour Bonnie. Mais petit à petit, tout cela s'effaça de sa mémoire. Les filles, qui s'étaient moquées d'elle avec mépris, quittèrent l'école et d'autres pensionnaires les remplacèrent. Sa colère se flétrit et ses souvenirs liés au piano se firent plus flous. Et arriva enfin le jour où son passé devint à l'image des conseils de la mère supérieure : il valait mieux le taire à tous. L'enfant sauvage semblait désormais appartenir au passé, l'algèbre et la géographie avaient eu raison de sa vitalité déconcertante et elle avait appris à faire des ourlets impeccables avec des points invisibles. Pour une enfant du Sud, elle parlait un peu trop vite, mais c'était la seule trace de son passé.

A l'époque où sœur Mary Theresa arriva de la côte Est pour prendre ses fonctions de mère supérieure à l'école religieuse de La Nouvelle-Orléans, Amelia Bliss, qui avait alors seize ans, était devenue la fierté des sœurs du couvent qui avaient consacré tout leur temps et toute leur énergie à son éducation. Peut-être s'étaient-elles montrées plus fermes que Mary Theresa ne l'aurait été pour juger du péché mortel qu'avait commis sa mère mais, en tant que membre de l'ordre des Sœurs de la Charité, Mary Theresa céda à la miséricorde qui parlait en son cœur et n'aborda pas le sujet.

Lorsque Mme Boniface contacta le couvent pour proposer une place d'apprentie dans sa boutique de modes, sœur Mary Theresa lui conseilla d'engager Amelia Bliss. Elle faisait preuve de bonne volonté, était efficace, bien élevée et ne rechignait pas à la tâche : c'était donc une postulante parfaite pour ce poste. Un an et demi plus tard, elle s'exprima à peu près dans les mêmes termes lorsque le Dr Will Harlow vint la voir dans son bureau, l'ombre de sa silhouette dégingandée de Texan bon teint se profilant dans la pièce.

« Elle est la fierté de mes compagnes, lui dit-elle. Et elle est ravissante. Vraiment très jolie. » Elle sourit au jeune homme assis en face d'elle. « Mais cela justifie votre présence en ces lieux, je suppose.

— Je voudrais m'occuper d'elle, lui répondit-il. Elle est si seule, si vulnérable. » Puis, gêné à l'idée de penser que sœur Mary Theresa aurait pu croire qu'il n'appréciait pas à leur juste valeur les attentions des religieuses à l'égard d'Amelia, il ajouta : « Je veux dire... Elle n'a aucune famille, personne qui lui soit vraiment proche.

— Elle est jeune, docteur Harlow, et seule au monde, comme vous l'avez dit. Mais ne confondez pas la jeunesse et le manque d'expérience avec la vulnérabilité. Amelia Bliss a beaucoup de ressources en elle. C'est une jeune fille assez exceptionnelle, vous verrez. »

Elle l'interrogea ensuite sur sa vie et apprécia la franchise avec laquelle il lui parla de sa situation et de ses projets. Elle lui donna la permission de venir voir Amelia et n'ajouta rien de plus. Le passé, c'était le passé, et il valait mieux le laisser derrière soi. Désormais, c'était l'avenir qui illuminait le visage d'Amelia Bliss.

En décembre, sœur Mary Theresa lui donna son consentement pour qu'elle se mariât en janvier et elle veilla personnellement aux préparatifs de la cérémonie dans la chapelle. Elle lui offrit un petit sac de voyage en osier avec des poignées en tissu et l'aida à faire ses bagages. Après la messe, elle l'embrassa pour lui dire au revoir et lui offrit tous ses vœux de bonheur. Elle souhaitait sincèrement qu'elle fût heureuse, cette jeune femme qui, trois jours plus tard, franchit la frontière de la Louisiane dans un superbe roadster vert et qui, au crépuscule, déboucha des collines couvertes de pinèdes et arriva dans la vallée où se nichait la ville de Earth, Texas.

« Voilà Earth, Amelia. Nous sommes arrivés », hurla Will et, pour la première fois, Amelia Harlow découvrit la petite ville texane balayée par la poussière. A l'ouest, se dressait le palais de justice du comté dont le clocher s'élevait vers le ciel rougeoyant dans toute sa magnificence gothique. A l'autre bout de l'agglomération, sur la colline surplombant la voie ferrée, on apercevait à peine la maison des Harlow cachée derrière la haie de peupliers. Main Street reliait ces deux points. D'un côté de la rue principale, s'alignaient une série de magasins à l'ombre du trottoir couvert et, de l'autre côté, étaient disséminés de petits édifices à l'architecture massive.

Un instant plus tard, ils débouchèrent dans Main Street. Amelia riait aux éclats tandis que Will Harlow, au volant de son rutilant roadster vert, faisait des zigzags, soulevant la poussière de la rue plongée dans les pastels violines du coucher de soleil.

3

Les conquistadores étaient arrivés les premiers : cinq cents hommes robustes qui venaient de Mexico et avaient traversé le Rio Grande pour se diriger vers le nord. En 1540, ils franchirent la ligne supérieure de la forêt et un corps expéditionnaire qui était composé de trente hommes, avec à sa tête un guide pawnee, partit à la recherche des cités fabuleuses de Cibola. L'Indien leur jura que sept villes étaient enfouies quelque part au milieu de ces herbes folles qui s'étendaient à perte de vue. Elles étaient toutes plus grandes que Mexico et regorgeaient d'or, de perles et de turquoises. Des mois plus tard, ceux qui ne s'étaient pas perdus à tout jamais revinrent étrangler le guide. Un chroniqueur, Castañeda, fit le récit de l'expédition. Le Pawnee avait menti, écrivit-il à son roi. Il n'y avait ni or ni eau. Il n'y avait rien du tout. Il nous a conduits à la mort.

Castañeda avait tort. D'énormes réserves d'eau se cachaient sous les Hautes Plaines du Texas, mais les conquistadores rebroussèrent chemin car le spectacle des terres arides qui s'étendaient au-delà de la forêt les avait marqués d'une manière indélébile et indéfinissable. Trois cent vingt-cinq ans plus tard, au cours de l'été 1865, trois hommes, originaires d'Atlanta, arrêtèrent leur modeste chariot tiré par deux mules à la limite des Hautes Plaines puis, comme les conquistadores, prirent le chemin du retour.

Ils avaient combattu ensemble pendant la guerre de Sécession et rentraient chez eux maintenant que la bataille avait pris fin. Noah Carr et son cousin Perryman allaient retrouver leurs épouses qu'ils avaient quittées quatre ans auparavant et Justiss Harlow retournait chez lui où l'attendait sa femme et son fils né pendant son absence. Une semaine plus tard, les trois soldats, qui avaient combattu du côté des vaincus, leurs femmes et le garçonnet quittèrent Atlanta, qui n'était plus que cendres et poussière, et le Sud, ravagé par la guerre, pour se diriger vers l'Ouest. Ils passèrent devant les anciennes plantations où les propriétés réduites en cendres fumaient encore et où les champs de coton pourrissaient au soleil; puis ils poursuivirent leur chemin et traversèrent les villes d'Alabama, du Mississippi et de l'Arkansas où les enfants, postés devant les barrières, regardaient passer le convoi.

Ils allaient à Dallas. D'après leurs informations, il n'y avait pas grand-chose à en dire : c'était juste une grande ville boueuse du Texas bâtie sur les rives du fleuve Trinity. Mais la guerre avait épargné Dallas et là-bas, l'avenir n'était pas bouché : il y avait des terres à cultiver et de l'argent à gagner dans cette grande ville ouverte à tous où on pouvait rapidement faire fortune.

Le convoi continua sa route et, fin juillet 1865, coupa vers le sud en traversant les collines boisées du nord-est du Texas. Et là, au bord de la limite supérieure de la forêt, ils s'arrêtèrent, épuisés.

Le ciel. Des broussailles.

Encore et toujours des broussailles et, à perte de vue, le ciel.

Un océan sans fin, indifférent, paralysant, d'herbes brûlées sous le ciel d'été.

De tout le petit groupe, ce fut la femme de Justiss Harlow qui fut la plus soulagée lorsqu'ils rebroussèrent chemin et reprirent la route vers les collines couvertes de pinèdes. C'est là, dans une vallée, qu'ils fondèrent leur ville et la baptisèrent, selon son vœu, Earth [1]. L'épouse de Justiss Harlow était une femme spirituelle et ce nom lui plaisait. A ses yeux, il ne s'agissait pas de glorifier la richesse de cette terre mais plutôt d'apprécier la pauvreté totale qui leur était épargnée. Ce n'étaient pas des broussailles.

La ville se développa et devint un petit centre commercial où se fournissaient les fermiers qui habitaient les ranches disséminés dans les collines. Le tracé longiligne de Main Street s'étira d'est en ouest. Noah Carr et le colonel Harlow fondèrent une banque et Perryman Carr érigea un magasin de tissus et de nouveautés et, juste à côté, un drugstore. Une

---

1. Earth signifie Terre. *(N.d.T.).*

famille noire débarqua dans la ville et s'installa à l'ouest sur la colline qu'on baptisa bientôt Sugar Hill [1]. Puis arrivèrent des gens d'Alabama, suivis d'une famille de Virginie et enfin d'une autre de Caroline du Sud. Ils se sentaient chez eux ici; quelque chose leur rappelait le Sud d'autrefois. Ils firent l'élevage de vaches et de moutons, cultivèrent le blé et bâtirent des maisons en ville et des ranches sur les collines.

Dans les années 1870, Justiss Harlow quitta la banque et entra dans la politique. Son but était de faire passer la ligne de chemin de fer par sa ville pour qu'elle devînt le siège du comté, puis il poursuivit son action et réussit à rassembler l'argent nécessaire pour construire le palais de justice dans Main Street. A la mort de Justiss Harlow, l'édifice n'était pas encore terminé, mais, en cette soirée de 1917, lorsque son petit-fils arriva dans Main Street avec sa jeune épouse, le bâtiment se dressait fièrement, la façade orientée à l'est.

Tout d'abord, Amelia n'aperçut que la propriété, bâtisse solitaire sur la colline à l'est de la ville. C'était une maison à charpente de bois construite sur deux étages. De chaque côté du toit en pente se dressait une cheminée couverte de lierre. Il y avait une large véranda à l'arrière de la maison et un passage couvert séparait le premier étage en deux. C'était la marquise qui permettait de profiter des brises estivales dont Will lui avait parlé.

Elle découvrit ensuite un homme, une femme et deux petits garçons qui se tenaient sous le porche. Trapu et large d'épaules, l'homme avait un visage carré et arrogant. La femme était grande et dégingandée comme Will. Elle portait une robe en vichy et tenait par les épaules ses deux fils aux cheveux filasse parfaitement brossés.

Soudain, l'angoisse qui s'était infiltrée dans le subconscient d'Amelia depuis des semaines lui sauta au visage. Je vous en prie, souhaitait-elle de tout son cœur, faites qu'ils m'aiment. Ne serait-ce qu'un tout petit peu. Je vous en prie, faites que je sois bien.

---

1. C'est un quartier réservé avec des boîtes à Noirs. *(N.d.T.)*

Will klaxonna une fois, puis une seconde. Les enfants dévalèrent les marches en poussant des cris de joie et traversèrent la cour en trombe. Will pila net et courut à leur rencontre. Il les prit dans ses bras et, un instant plus tard, la famille Harlow au grand complet l'entourait, leurs rires et leurs étreintes marquant le bonheur des retrouvailles.

Amelia, toute à sa solitude dans le roadster vert, observait la scène. Will se retourna, lui ouvrit la portière et l'entraîna jusqu'à la grille. Sur ses instances, elle avança de quelques pas pour que chacun pût l'admirer tout à loisir et la mère de Will la serra dans ses bras. « Quel long voyage, dit Evangeline Harlow. Nous sommes si heureux que vous soyez enfin arrivés.

— Maman, l'interrompit Will, j'ai un cadeau pour toi. »

Petite tache rose et brillante, le carton à chapeaux, qui pendait à son bras, tranchait dans ce paysage composé d'une mosaïque de bruns.

« Ouvre-le », l'exhorta Will dans un sourire. « Il vient du magasin de La Nouvelle-Orléans où j'ai rencontré ma femme. »

Evangeline lança un coup d'œil à Amelia puis son regard se posa sur le carton à chapeaux. Amelia aurait préféré qu'il se tût et, découvrant Evangeline, elle songea qu'il aurait mieux fait de choisir un autre modèle. « Allez, vas-y, l'encouragea-t-il. Ouvre-le. »

Evangeline ouvrit le paquet et mit le chapeau sur sa tête. « C'est bien comme ça ? demanda-t-elle en riant. C'est comme ça que ça se porte ? » Elle s'approcha du roadster pour regarder son reflet dans la vitre. Elle avait une allure curieuse avec ce chapeau haut perché sur ses tresses disposées en couronne et la fine voilette noire qui soulignait son visage carré.

« C'est parfait, dit Will, n'est-ce pas, Amelia ? », ajouta-t-il en lui tendant la main. « Je savais que tu ne le porterais jamais, mais...

— Le porter ! Mais, mon chéri, je ne pourrai même pas l'enlever. Toute la ville est en émoi avec l'arrivée de ta jeune épouse. Nous ne comptons plus les invitations pour le thé, pour des soirées. Et tu verras... je devrais le mettre à chaque occasion. » Elle prit Amelia par le bras. « Je suis si heureuse que vous soyez là... tous les deux », dit-elle en l'entraînant vers la maison tout en tapotant la dentelle noire de sa large main tannée par le soleil.

Le plancher était composé de larges lattes de pin sombre et l'odeur du linge propre et de la cire parfumée au citron embaumait toutes les pièces, baignant dans une agréable fraîcheur. Les lourdes portes en pin se fermaient avec un bruit rassurant quand le pêne retombait. Sur tous les meubles, on reconnaissait les ouvrages au crochet d'Evangeline Harlow; elle avait disposé des napperons raffinés aux couleurs subtiles sur les tables et les commodes, et des appuis-tête ravissants sur les dossiers des gros fauteuils victoriens et des sofas. Dans le salon du devant, les murs étaient décorés de gravures à motif floral et, dans celui du fond, un mousquet et le drapeau de la Confédération [1] trônaient à la place d'honneur au-dessus de l'imposante cheminée en pierre.

Les derniers rayons du soleil envahissaient la cuisine qui se trouvait de l'autre côté du passage couvert. D'un pas alerte, Evangeline s'approcha de l'immense table en chêne qui occupait tout un côté de la pièce et souleva les serviettes de lin blanc qui protégeaient les mets du fastueux dîner qu'elle leur avait préparé. Il y avait des poulets froids, des jambons aux épices, des salades de haricots, de betteraves et de pommes de terre et des monceaux de pain frais. Elle avait dressé le couvert et disposé six assiettes à motif chinois, l'une étant destinée à Amelia.

« C'est pour vous souhaiter la bienvenue », dit Evangeline Harlow en remettant les serviettes sur les plats. « Pour vous accueillir à la maison.

— Merci, murmura Amelia d'une petite voix. Je ne pourrai jamais vous remercier assez. »

Evangeline Harlow lui lança un coup d'œil, puis laissa retomber le dernier tissu de lin. Elle s'approcha d'Amelia, la prit par le menton et l'embrassa sur la joue. « Vous ne voulez pas monter au second avec moi? J'ai fait refaire la chambre de Will pour vous et je voudrais vous la montrer. »

On avait transformé une petite chambre du deuxième

1. La Confédération des onze États sécessionnistes du Sud. *(N.d.T.)*

étage et on a rangé tous les trésors d'enfance de Will dans une malle qu'on avait remisée au grenier.

« C'est ravissant », s'exclama Amelia lorsqu'elle la découvrit. La pièce était toute propre et il y régnait une odeur de neuf. On avait changé le papier peint dont le motif représentait des fleurs jaunes sur fond bleu. Le lit aussi était neuf; Evangeline lui dit qu'elle l'avait fait venir exprès de Dallas. Les montants en bois de rose arrivaient presque jusqu'au plafond et le rideau en voile blanc tombait délicatement sur le couvre-lit en patchwork qu'elle avait fait elle-même. Les carpettes mexicaines bariolées contrastaient violemment avec les tons pastel de la couette et des draps.

« Je sais que vous ne resterez pas longtemps ici, dit Evangeline. Vous vous ferez construire une maison tous les deux pour avoir un endroit bien à vous. Mais, moi aussi, j'ai été jeune mariée et je me souviens qu'au début je me sentais comme une étrangère... On se sent toujours un peu comme une étrangère dans sa nouvelle belle-famille. Au début, on a l'impression qu'on ne fera jamais partie de la famille et je voudrais que vous sachiez... Eh bien, je ne sais pas comment dire ça... Je voudrais que vous sachiez que c'est votre chambre et que vous êtes ici chez vous. Je vous souhaite la bienvenue dans cette maison, mon petit. Vous êtes ici chez vous et j'espère que, très bientôt, vous vous y sentirez complètement à l'aise. »

L'angoisse qui l'avait étreinte dans la voiture avait tout à fait disparu. Amelia leva les yeux vers Evangeline et lui sourit. « Je vous remercie, dit-elle. Je crois que je vais me mettre à pleurer. »

Un doux sourire se dessina sur sa bouche. « Eh bien, c'est parfait. Allez-y, pleurez un bon coup », dit Evangeline.

Le pêne de la porte retomba et un bruit de bottes lui parvint du vestibule. Puis elle perçut la voix d'Evangeline : « Laissez vos sacs en haut des marches, les garçons, et allez vite vous laver les mains pour dîner. » Elle entendit une cavalcade dans l'escalier et ses larmes commencèrent à couler, jouant avec les couleurs de la chambre.

Des années plus tard, lorsque Amelia repensait aux premières semaines de son mariage, elle éprouvait toujours une immense gratitude pour Evangeline Harlow et se souvenait des pleurs brûlant son visage. Le temps n'effaça jamais la force de cette impression et cela resta plus que le simple souvenir d'une sensation. Quand elle se replongeait dans son passé et songeait à Evangeline, elle revoyait toujours le chapeau de La Nouvelle-Orléans fermement enfoncé sur la couronne de tresses un peu démodée, le regard doux et le visage carré, ouvert et si bienveillant de sa belle-mère. Elle se revoyait à dix-huit ans avec son alliance toute neuve au doigt et entendait résonner la voix d'Evangeline après tant d'années : « Je vous souhaite la bienvenue. Vous êtes ici chez vous. Soyez la bienvenue dans votre nouvelle maison. » Toutes ces images lui revenaient en mémoire comme un ruban enlaçant les tous premiers jours de son mariage.

Une demi-heure plus tard, Amelia descendit dîner. Elle s'était rafraîchie et avait revêtu l'une de ses plus belles robes, un vêtement bleu pâle à col marin.

« Tout est prêt », dit Evangeline dans un sourire et elle appela les autres : « Le dîner est servi. A table. » Dans un brouhaha de portes claquées, les membres masculins de la tribu Harlow se précipitèrent vers ce festin. Les deux garçonnets se ruèrent sur leurs chaises et elle fut aussitôt noyée sous un flot de paroles : c'était à qui se présenterait le premier.

« Lui, c'est Joey et moi, c'est Rob.

— J'ai pas besoin de toi, je peux le dire tout seul. Je m'appelle Joey et lui, c'est Rob, mademoiselle Bliss, et...

— Mademoiselle Bliss! hurla Will. Elle s'appelle madame Harlow maintenant, Joey.

— Oui, m'dame. Excusez-moi, m'dame », bredouilla le jeune garçon en rougissant.

« Tu ne dois pas m'appeler m'dame, Joey, sinon je devrai te dire monsieur. Tu te rends compte où ça nous mènerait. Alors essaie Amelia... juste une fois, pour voir.

— Amelia, murmura Joey. C'est joli. »

Carter Harlow écrasa son cigare et la salua d'un signe de tête. Il présidait l'imposante table en chêne. C'était un bel homme; le visage buriné par le soleil, il avait des rides très marquées qui soulignaient l'éclat de ses yeux bleus. Il était plus petit que Will, mais paraissait tout de même plus costaud. Il avait un visage très carré et sa veste en cuir, très bien coupée, lui donnait une carrure encore plus impressionnante.

Il la salua de nouveau et s'éclaircit la gorge. « Will nous a dit que vous viviez au couvent, Amelia. Vous n'avez aucune famille ? »

Amelia baissa les yeux et fixa l'assiette à motif chinois posée devant elle en rougissant.

« Ça a pas dû être facile pour vous d'être comme ça. J'veux juste vous dire que maintenant vous avez un chez-vous. Votre maison maintenant, c'est ici avec nous. »

Derrière sa belle voix grave, elle entendait d'autres mots qui résonnaient en elle et lui soufflaient la vérité qui allait enfin éclater au grand jour : « Je ne suis pas celle que vous croyez. Ma mère était... » Mais il lui était impossible de prononcer ces phrases devant une telle assemblée. Elle le dirait à Will en particulier. D'ailleurs, elle voulait lui en parler depuis le début, mais tout s'était passé si vite. Elle était bien décidée à tout lui dire et ensuite, ils pourraient peut-être en parler ensemble à ses parents. Mais le moment n'était pas encore venu.

Carter Harlow poursuivit : « Eh bien, nous vous souhaitons la bienvenue ici, Amelia. J'espère que nous arriverons à faire de vous une vraie Texane. »

Elle releva les yeux et lui sourit. « Oui, monsieur. Le plus vite possible, j'espère. »

Chacun avait mis sa serviette sur ses genoux et les assiettes regorgeaient de jambon, de poulet et de pain. De sa voix traînante qui semblait résonner dans toute la pièce, Carter Harlow reprit son propos.

Il fallait que Will ait un grand cabinet, disait-il. Oui, un très grand cabinet. Le médecin le plus proche habitait à Daingerfield, à vingt-quatre kilomètres de là, et ça faisait vingt-quatre kilomètres trop loin. Il y avait des problèmes avec la poussière des plantations de coton du côté de Mount Pleasant et à Sugar Hill, il y avait deux types qui s'étaient estropié la main et qui attendaient le retour de Will.

Tandis qu'on se passait les plats, des noms et des lieux inconnus se mêlaient en un bourdonnement auquel elle ne prêtait guère attention. Les deux petits garçons dardaient vers elle des regards intrigués et brillants de curiosité, mais, dès qu'elle leur souriait, ils rougissaient et fixaient le plafond. La conversation tournait autour des problèmes politiques du Texas et des ragots du coin, puis on en revint à Will.

« Excusez-moi », finit-elle par dire d'un air timide, puis elle s'enhardit quand Will la pressa de s'exprimer. « Je peux très bien l'aider. Cela coûterait affreusement cher d'engager quelqu'un, surtout au début. Je peux l'aider pour commencer. »

Carter Harlow ne put retenir un sourire. « Une petite chose comme vous ? Qui pataugerait dans tout ce sang ?

— Je ne parlais pas de soigner les malades, répliqua-t-elle aussitôt. Je pensais au carnet de rendez-vous, aux fiches des patients à tenir en ordre, aux factures, aux lettres à envoyer et aux...

— Vous allez avoir une maison à tenir très bientôt et vous aurez plein de choses à faire, mais j'vous propose une solution pour vous occuper. Quand Will aura trouvé son cabinet, vous pourrez l'installer, poser les rideaux et tous ces trucs-là. Et après, p't-être que j'vous donnerai une machine à écrire pour jouer avec et tapoter quelques factures. Ça vous plairait comme ça ? »

Ses yeux brillaient d'excitation. « Cela me ferait grand plaisir.

— Eh bien, c'est parfait alors. Mais laissez Will s'occuper de sa femme comme il l'entend et mener les choses à son idée. Comme tous les hommes de la famille l'ont toujours fait. Pas vrai, Will ? »

Ils s'installèrent ensuite sous la véranda pour prendre le café et Amelia s'assit à côté de Will. L'air avait fraîchi à la faveur de la nuit et elle se réchauffait les mains contre sa tasse de café chaud. On entendait les voix des petits garçons dans l'obscurité et le grincement de la balançoire à l'autre bout de la véranda. Elle se serra contre Will.

« J'ai été à la hauteur, Will ? Tu crois que ça s'est bien passé ?

— Tu as été merveilleuse. Et je suis ravi que tu veuilles m'aider. Je trouve ça très gentil. »

Plus tard, dans la chambre de son enfance, ils firent

l'amour. Maintenant les choses étaient plus faciles pour elle et Will lui avait promis que cela n'irait qu'en s'améliorant. La honte qu'elle avait éprouvée la première fois qu'il l'avait déshabillée et l'effroyable crainte qui l'avait envahie à l'idée qu'il eût quelque chose à lui reprocher, tout cela désormais faisait partie du passé. A la lueur des reflets de la lune filtrés par le voile blanc du baldaquin, elle lui ouvrit les bras et l'attira contre elle. Ses lèvres saisirent les siennes et elle sentit son sexe enfler et durcir, durcir encore. Sûre de son désir, elle lui sourit et le serra dans ses bras quand il la pénétra. L'impression de ce corps étranger qui entrait en elle lui semblait encore singulière, mais elle savait qu'après il la bercerait tendrement et fredonnerait une mélodie qu'elle reprendrait à son tour dans un murmure.

Cette nuit-là, au cœur du Texas, elle s'endormit paisiblement. Elle avait enfin tout ce qu'elle avait toujours souhaité. Un homme qui l'aimait et une famille.

4

Le matin, lorsqu'elle se réveillait, elle était toujours surprise de ne plus être une petite vendeuse. Pourtant, c'était vrai. Désormais, elle était la jeune Mrs. Harlow de Earth, Texas. Par moments, au cours de la journée, au milieu de son incessante activité — il fallait écosser les haricots ou courir en ville acheter un baume pour soigner les garçons qui s'étaient écorché les genoux ou encore apprendre à faire cuire le pain avec Evangeline — tout à coup, elle oubliait un instant son travail et se mettait à sourire.

Carter Harlow avait raison. Elle avait suffisamment à faire. Il lui fallait songer à la maison qu'ils allaient faire construire au fond de la propriété des Harlow, elle devait aussi entretenir la maison d'Evangeline et apprendre à connaître son jardin. C'était un jardin à l'anglaise comme on en faisait autrefois. Le matin, Evangeline mettait un vieux chapeau de paille et un tablier en coton brun avec d'énormes poches et, le déplantoir dans une main, s'activait dans les plants.

Le père d'Evangeline, originaire du Massachusetts, était capitaine au long cours. Il avait rencontré sa mère en Angleterre, à Portsmouth, et l'avait ramenée en Amérique. Ils s'étaient installés dans l'Ohio et la mère d'Evangeline y avait créé un jardin pour se rappeler la maison de son enfance. « Après, nous sommes allés à Mount Pleasant. C'est là que j'ai grandi et que j'ai connu le père de Will. » Evangeline avait deux sœurs, Emily et Ellen, qui étaient mariées et vivaient toujours dans le comté de Titus.

« Et elles ont aussi des jardins à l'anglaise? » lui demanda Amelia, piquée par la curiosité.

Evangeline secoua la tête. « Non, pas elles. Oh, elles trouvent ça joli à regarder, mais elles n'éprouvent pas ce sentiment de paix que je ressens en faisant pousser les plantes. »

Amelia voulait avoir un jardin lorsqu'elle aurait sa maisoin et elle regardait Evangeline retourner la terre dans les plants de roses jaunes et mettre de l'engrais dans le jardin de rocaille caché à l'autre bout qui risquait de s'effondrer sous les racines des bougainvillées. Elles nettoyèrent la petite mare à l'ombre du saule et décidèrent d'y planter quelques nénuphars pour les laisser paresser au soleil.

Amelia devait aussi apprendre à connaître les deux garçonnets. Joey, qui avait dix ans, était un enfant calme et sérieux; toujours plongé dans ses livres, il s'intéressait aux pierres et et à la botanique, et s'énorgueillissait d'une belle collection de papillons. Rob, qui avait douze ans, était plus turbulent et plus casse-cou; il n'arrêtait pas d'aller et venir en faisant claquer les portes et s'amusait à donner des coups de pied dans les boîtes de conserve du côté de la voie de chemin de fer. Amelia devait aussi faire la cuisine, laver la vaisselle et apprendre à connaître sa nouvelle ville.

De prime abord, il n'y avait pas grand-chose à en dire. En ce printemps de 1917, Earth n'était qu'une petite ville de 3 020 habitants dont la rue principale, balayée par la poussière, était toujours déserte l'après-midi. Elle ressemblait à des milliers d'autres petites bourgades disséminées dans les vallons de l'Ouest. Pourtant, Amelia s'y sentait de plus en plus chez elle grâce à la gentillesse de tous ces gens cachés derrière les devantures de leur magasin.

Le vieux Perryman Carr, qui tenait le drugstore et le magasin de tissus et nouveautés, faisait les meilleures glaces maison qu'elle ait jamais mangées. Le jeune Noah Carr, qui dirigeait la banque, lui faisait toujours un petit signe à travers les vitres teintées de son bureau lorsqu'elle passait et, un autre membre de la famille Carr, qui vendait les billets à la caisse du cinéma, lui adressait toujours un charmant sourire. Quand le shérif la croisait à l'ombre du trottoir couvert, il portait toujours la main à son chapeau tout comme le directeur de la Colonel Justiss Harlow Public School. Le receveur des postes lui gardait des timbres de collection qu'elle triait avec Joey et Mary Cherry, qui travaillait au bureau voisin du téléphone et du télégraphe, la saluait gentiment quand elle la voyait : « Bonjour, quelle charmante journée. Vous ne trouvez pas? »

Les bureaux du journal de Carter Harlow se trouvaient juste au milieu de la rue principale, à l'ombre d'un grand gommier noir. Quand il l'interpellait pour lui dire qu'il n'aurait pas le temps de rentrer déjeuner, elle lui préparait un panier-repas composé de poulet froid et de tarte aux pommes et le lui apportait elle-même. Il lui inspirait toujours un certain respect mêlé de crainte, mais elle ne voulait pas le laisser paraître.

Le nom du journal, *Earth Bugle-Times*, s'étalait en lettres noires sur l'enseigne blanche accrochée sur la façade de brique rouge. Un escalier étroit menait à la salle de rédaction qui sentait l'encre et la poussière; les hommes et les gamins qui y travaillaient portaient des visières vertes et des manchettes en papier pour protéger les poignets de leurs chemises blanches. Un gros homme qui chiquait semblait être le patron des lieux; tout en mâchonnant allègrement son tabac, il couvrait le bruit des machines de sa voix tonitruante. Au fond de la pièce, de grandes lettres en cuivre gravées sur une lourde porte annonçaient : « Carter Harlow, Éditeur ».

Carter Harlow avait passé quatre années à Princeton qui

ne furent pas désagréables au demeurant; il ne s'épuisa pas à la tâche, mais obtint des notes honorables à ses examens de littérature anglaise. Lorsqu'il rentra chez lui, le colonel Harlow lui demanda quels étaient ses projets et il lui répondit : « Il m'semble qu'on pourrait créer un journal dans cette ville. J'crois que j'vais faire ça. » Et aujourd'hui, près de trente ans plus tard, il était assis à son bureau, son Stetson rejeté en arrière et ses bottes sur la table où s'entassaient des monceaux d'annuaires et de feuilles de journaux. Il était au téléphone, mais il salua Amelia d'un signe de tête et elle s'approcha pour poser le panier-repas sur le bureau. Il lui désigna une chaise et elle s'y assit.

Il écoutait son interlocuteur qui parlait au bout du fil et, plus consciente que jamais du regard qu'il posait sur elle et qui la mettait toujours mal à l'aise, elle eut un sourire gêné. Ses yeux portaient en eux une question qui restait informulée. Mais à l'époque, avant de rencontrer Will, les seuls hommes qu'elle avait approchés étaient tous des prêtres. Et ils étaient fort différents. Carter Harlow était un personnage important et elle pensait qu'elle finirait par s'habituer à lui.

Il se mit à tapoter le bras de son fauteuil et soudain, sa voix cassante brisa le silence. « J'vais vous dire une chose, Mary Cherry. Vous leur donnez cinq minutes et pas plus. Après, vous coupez la ligne. Purement et simplement. Nous, on a un journal à sortir. Et aujourd'hui. Pas demain. » L'employée des postes tapa du pied et raccrocha brutalement le combiné.

« Ça te plaît, Amelia? » Il la prit par le bras et l'entraîna vers la salle de rédaction. « Quand j'ai commencé, on utilisait des pigeons voyageurs pour colporter les nouvelles du coin jusqu'à Tyler et Daingerfield et même jusqu'à Dallas. Et maintenant, on a les meilleures machines qu'on puisse se payer avec ces bons vieux dollars américains. » Il porta la main à son chapeau. « Les gars, dit-il d'une voix forte qui couvrit les bruits de l'immense pièce, j'voudrais que vous disiez bonjour à la femme de Will. J' vous présente la nouvelle Mrs. Harlow. » Ils relevèrent la tête de leur travail et lui sourirent. Amelia sourit à son tour et suivit son beau-père dans les allées.

« Fred Billings, mon rédacteur en chef. » L'homme rondouillard qui mâchonnait sa chique la salua d'un signe de tête. « Lui, c'est Eb Graves qui travaille sur la Mergenthaler [1]. » Tout en continuant à agiter ses longs doigts maigres sur le grand clavier, le vieil homme leva un instant les yeux vers elle et esquissa un large sourire qui découvrit sa mâchoire édentée. Dans un fracas de ferraille, des moules en métal s'encastraient et Amelia était fascinée par la rapidité avec laquelle les mots et les phrases se formaient comme par magie.

« Ça compose cinq lignes à la minute », hurla Carter Harlow pour couvrir le bruit. « Avant, ce bon vieux Eb le faisait à la main et il mettait deux jours pour imprimer deux pages. » Il eut un large sourire et l'entraîna plus loin, caressant l'impressionnante machine en acier au passage. « Tu vois ce téléscripteur là-bas. Eh bien, il est relié à l'Associated Press depuis un an et toutes les nouvelles nationales passent par là. Ça, j'vais t'dire, il coûte une véritable fortune. Mais c'est le meilleur investissement que j'ai jamais fait. Ça, c'est l'avaleur de papier de chez Harris, c'est leur modèle de pointe. Et là, t'as cette bonne vieille Cincinnati. On actionne la manivelle à la main. Elle a un plieur Dexter et un plateau de chargement en dessous. On imprime, on plie, on fait des liasses et hop, on les envoie en bas et ça t'donne l'hebdo le mieux fait de tout le Texas. »

« Téléphone, Mr. Harlow! » brailla un gamin, les mains pleines d'encre, de l'autre bout de l'allée. « On vous demande d'Austin, Mr. Harlow. » Carter Harlow lui déposa un petit baiser sur la joue, lui montra la porte d'un signe et disparut dans son bureau.

Soudain seule au milieu de la salle de rédaction, elle trouva son chemin jusqu'à l'escalier plongé dans l'obscurité et se retrouva dans Main Street. Toute à sa joie, la jeune femme s'engouffra dans la rue qui semblait baignée dans une auréole de lumière et dans un silence presque étourdissant.

Tout était follement excitant : cette nouvelle ville, ces gens qu'elle découvrait et cette sensation qu'elle éprouvait parfois

---

1. En 1886, Mergenthaler présenta à New York la première machine linotype qui fondait en un bloc la ligne complète. (*N. d. T.*)

d'avoir débarqué dans un pays inconnu. Le Texas n'était pas seulement un État différent. On y avait une vision particulière du ciel, de l'espace qui vous entourait et il y régnait une forme d'esprit spécifique.

Le Texas, c'était le concept même de l'immensité. Les prospecteurs téméraires s'aventuraient vers le sud pour aller faire des forages dans leur folle quête du pétrole. Mais le Texas, c'était aussi les collines plantées de pins qui miroitaient au soleil et le parler si séduisant de ses habitants. Les gens ne disaient pas : « Entre. » Ils disaient : « Descends, chérie, descends », car le Texan vit à cheval. Ils ne disaient pas non plus : « Au revoir », mais : « Rentre vite maintenant, d'accord ? » Le Texas, c'était encore l'horizon qu'on embrassait à perte de vue et ces plats si particuliers : le chili et le steak de poulet rôti qu'on plongeait dans une préparation composée de farine, de lait et d'œufs avant de le jeter dans un poêlon plein de graisse brûlante. Et le Texas, c'était aussi les barbecues.

« Alors, on fait comme chez moi là-bas dans le Tennessee d'où ma mère était originaire ? » C'était un dimanche après-midi. Amelia et Mrs. Claude Pack, la femme du pasteur, disposaient des nappes à carreaux rouge et blanc sur les longues tables installées sous la véranda des Pack.

« Eh bien, là-bas, chez moi », poursuivit Mrs. Pack tout en lissant un pli imaginaire sur la nappe de sa main potelée, « dans le Tennessee d'où ma mère était originaire, on organisait toujours un barbecue pour souhaiter la bienvenue à la jeune mariée. Nous n'avons pas eu de jeune mariée dans cette ville depuis si longtemps », ajouta-t-elle en pressant la main d'Amelia.

Elle découvrit que des gens parfaitement normaux par ailleurs pouvaient devenir complètement stupides quand il s'agissait du Texas. Les dimensions impressionnantes de cet État leur tournaient la tête. « C'est plus grand que la France entière », répéta-t-elle avec conviction lorsqu'on aborda le sujet, ce qui ne manquait jamais. Ils étaient aussi très fiers des cataclysmes légendaires. Les grêlons y étaient aussi gros que des poignées de porte. Des pluies torrentielles dévastaient Sugar Creek. Le vent du nord soufflant des Plaines centrales déferlait en bourrasques et leur amenait la neige en juillet. Et des ouragans, dont les origines restaient mystérieuses, s'y déchaînaient brusquement.

« Je me souviens du cyclone de 89, dit le receveur des postes. Il a surpris ma mère sur la route là-haut avec la vache laitière et elles s'sont retrouvées vingt mètres plus bas. La vache s'est écroulée, mais pas ma mère. Elle avait même pas un cheveu de travers et elle est retournée aussi sec écosser ses petits pois. Dites-moi, ma jeune dame, demanda-t-il à Amelia en lui donnant les timbres qu'elle était venue chercher, vous croyez un seul mot de toute cette histoire?

— Oui, Mr. Farrier, répliqua-t-elle. Je crois que oui.

— Eh bien, c'est parfait. J'suis ravi de l'apprendre. » Ses yeux gris paraissaient immenses derrière ses lunettes à monture de fer. « C'est pas vrai évidemment, mais ça m'fait plaisir d'y croire. Et j'suis heureux que vous y croyiez aussi. »

Fin janvier, Will avait trouvé un local pour son cabinet. Il s'agissait de trois pièces situées derrière l'église du révérend Pack. On allait les repeindre du sol au plafond et elles seraient prêtes d'ici à la mi-février. Pour fêter l'événement, ils s'offrirent un pique-nique en tête à tête à l'endroit même où ils allaient bientôt faire construire leur maison et partirent ensuite faire le tour du comté dans leur roadster vert. La voiture décapotable caracolait sur les routes poussiéreuses, montant et redescendant les collines boisées. Ils venaient de s'arrêter près du cimetière à l'ombre des pins pour qu'Amelia pût jouir d'une vue superbe sur Earth, lorsqu'une idée lui traversa soudain la tête.

« Apprends-moi à conduire, Will. Sois gentil. Je suis sûre que c'est *merveilleux*! »

Aussitôt dit, aussitôt fait. Le roadster avançait en cahotant sur la route boueuse qui entourait les tombes parfaitement alignées. « Débraye, hurlait-il. Débraye! Tu ne peux pas changer de vitesse sans débrayer. Et ralentis. Tu conduis comme une folle. »

Quand elle eut enfin réussi à maîtriser la situation, ils prirent le chemin du retour. Will arborait un large sourire et il salua joyeusement un fermier qui, les yeux ronds, regarda passer le fol équipage.

Le cabinet de Will ouvrit comme prévu et, tous les matins à neuf heures, ils se rendaient en ville en voiture. Will avait de plus en plus de patients. Amelia, quant à elle, s'occupait des rendez-vous et tapait les fiches des malades sur la Remington noire que Carter Harlow leur avait donnée. Tous les soirs, après le dîner, ils prenaient du papier et des crayons et dessinaient les plans de leur future maison. Ils discutaient de son architecture et de l'orientation à lui donner en fonction du terrain.

« Amelia aimerait peut-être avoir une maison qui lui rappelle La Nouvelle-Orléans, avait émis un soir Evangeline. Avec un balcon en fer forgé au second étage? Vous ne trouvez pas que ce serait charmant derrière la haie de peupliers?

— Non », avait répliqué Amelia.

Elle n'avait pas pensé une seule fois à La Nouvelle-Orléans depuis toutes ces semaines, mais soudain ses souvenirs l'envahirent et ses mains devinrent moites. Elle avait voulu parler à Will, mais elle avait été si occupée et tout cela n'avait pas d'importance. Pas vraiment. Désormais, sa vie, c'était ici. La Nouvelle-Orléans, c'était le passé.

« Non », répéta-t-elle. Son ton s'était fait plus cassant qu'elle ne l'aurait voulu et elle tenta de noyer cet effet sous un flot de paroles.

La Nouvelle-Orléans n'était qu'une vieille ville sale grouillant d'étrangers. Humide et froide l'hiver, il y régnait une chaleur tropicale l'été et c'est pourquoi elle était infestée de rats. A dire vrai, survivre là-bas tenait du miracle. Elle chercha l'appui de Will : « C'est vrai, n'est-ce pas? » Et elle ajouta : « De toute façon, je suis une Texane maintenant. Et je veux une maison texane, Evangeline, comme la vôtre. Avec un passage couvert et une mare dans le jardin du fond. » Elle serra nerveusement son crayon et se plongea dans les croquis et les différentes questions à résoudre. Combien de pièces devait-on prévoir, quelles seraient leurs dimensions respectives, quelle était la meilleure orientation pour profiter du soleil tout en préservant une certaine fraîcheur? Les travaux allaient bientôt débuter. Avril n'était plus très loin et ils allaient pouvoir commencer les fondations.

Puis le 1er mars arriva. Il tomba un jeudi cette année-là. C'était une belle journée ensoleillée.

Carter Harlow était devant la porte de son bureau. Il s'apprêtait à rentrer déjeuner chez lui et remettait sa veste quand le téléscripteur se mit soudain en marche, brisant le silence de la salle de rédaction presque déserte à cette heure.

Il se retourna, aperçut Fred Billings qui s'approchait tranquillement de la machine et vit soudain le rédacteur en chef arracher le papier qui se déroulait devant lui.

« Carter! Vous n'êtes pas encore parti? Vous feriez bien de venir lire ça. » Puis il ajouta : « Mon Dieu! »

Evangeline Harlow épluchait des haricots dans la cuisine quand le téléphone sonna. C'était son mari qui l'appelait. Elle reposa son couteau pointu et s'essuya les mains sur un torchon, puis elle passa devant le four et le fumet du jambon qui cuisait lui mit l'eau à la bouche et aiguisa son appétit.

Will se lavait les mains et s'apprêtait à examiner le révérend qui souffrait du dos lorsqu'il perçut une soudaine agitation dans la salle d'attente.

Amelia venait juste de taper « Veuillez agréer, monsieur, l'assurance de ma considération distinguée » au bas d'une lettre destinée à une société pharmaceutique de New York, quand Dotty Pack, le visage blême et les mains chargées de paquets, fit irruption dans son bureau.

Rob et Joey se disputaient un ballon dans la cour de récréation. Ils ne virent pas le garçon qui sortit précipitamment du journal et se rua dans Main Street et ils étaient trop loin pour l'entendre.

Mais le vieux Perryman Carr, lui, l'entendit. Il refaisait sa vitrine et y disposait des binettes, des déplantoirs et des graines. Il releva les yeux de son travail et, à travers la vitre, fixa la silhouette du gamin qui descendait la rue en courant. Et tout à coup, ce qui était assez cruel, Perryman Carr retrouva ses dix-neuf ans. Il redevint un jeune homme vêtu de l'uniforme gris des sudistes. Les détonations se déchaînaient autour de lui dans les bois de Géorgie et les mousquets dégageaient une odeur âcre et pénétrante. Il entendait les cris des hommes agonisants et les râles d'un cheval qui se mourait quelque part, puis il perçut la voix bouleversée de

Justiss Harlow : « Par ici, Carr, par ici! » Et il se mit à courir dans le sous-bois en sanglotant.

Perryman Carr avança lentement jusqu'à la porte de son magasin. La clochette tintinnabula et il se retrouva sur le trottoir poussiéreux. Le garçon avait maintenant presque dépassé le pâté de maisons et il montait à toute allure les quelques marches qui menaient au bureau du shérif.

« C'est la guerre! » hurlait-il de sa voix fluette et charmante.

« C'est la guerre! »

5

La nouvelle se répandit de maison en maison et de ferme en ferme. Dans le milieu de l'après-midi, la moitié des trois mille habitants de Earth s'était rassemblée dans Main Street. Les maris serraient leurs femmes contre eux, les mères tenaient leurs enfants qui avaient déserté la cour de l'école et les voisins parlaient d'une voix brisée par l'émotion. Ils étaient venus à pied, à cheval, en carriole ou en voiture. Dans un fracas de ferraille et de bruits de moteur, les automobiles avaient parcouru les rues de la ville. Cette foule abattue s'était attroupée devant les bureaux du *Bugle* et attendait patiemment l'édition spéciale d'un feuillet unique que Carter Harlow préparait. A trois heures, la rotative de la presse de chez Harris se mit en marche et le lent clap, clap, clap commença à résonner au-dessus de leurs têtes, puis se perdit en un ronflement plus régulier. Une demi-heure plus tard, les bras chargés des cent premiers exemplaires encore humides d'encre, Carter Harlow apparut en haut des marches.

Une foule compacte déferla vers l'escalier en réclamant les journaux. Amelia, qui tenait Will par le bras, se pencha pour lire.

Un gros titre s'étalait sur huit colonnes : L'ODIEUX COM-
PLOT RÉVÉLÉ AU GRAND JOUR. En lettres rouge sang, il
semblait marcher vers la bataille. Amelia poursuivit sa
lecture, tentant de comprendre la portée de ces lignes qui
sonnaient le glas du haut en bas de la page.

L'ALLEMAGNE EN GUERRE CHERCHE À S'ALLIER AU MEXIQUE
LE TEXAS EST OFFERT EN PÂTURE POUR
UNE ATTAQUE SURPRISE SUR LE SOL DES U.S.A.
LE TEXAS SOUS LE JOUG DU DRAPEAU MEXICAIN?
L'ALLEMAGNE RECHERCHE L'ALLIANCE DU JAPON :
LES JAPS FERAIENT MAIN BASSE SUR LA CALIFORNIE.

1er mars 1917 : L'Associated Press peut aujourd'hui
révéler que le président Woodrow Wilson détient en sa
possession des preuves irréfutables démontrant que le
secrétaire allemand aux Affaires étrangères, Arthur
Zimmermann, a donné des instructions formelles pour
qu'on donne au Mexique les États souverains du Texas,
du Nouveau-Mexique et de l'Arizona, pour sanctionner
leur victoire au sein de ce combat commun. Maintenant,
la question se déplace : les forces allemandes ne sont
plus en lutte contre la Grande-Bretagne mais contre les
États-Unis.

On craignait que les forces allemandes qui dévastaient
l'Europe ne franchissent soudain l'Atlantique et ne déferlent
sur les États-Unis. La menace de la guerre se faisait plus
pressante, provoquant une véritable hystérie collective.
L'ombre du péril jaune envahissant la Californie et de
l'armée mexicano-allemande mettant l'Amérique à feu et à
sang planait sur le pays. Des milliers de journaux propagè-
rent cette rumeur à travers toute l'Amérique, mais aucun
éditorialiste ne se fit l'écho du défi que Carter Harlow lança
ce jour-là dans le *Bugle-Times*. L'éditeur du journal de Earth
avait conclu en ces termes : « Nous pouvons aujourd'hui
déclarer, en toute modestie et par simple respect de la
vérité, que si les Mexicains tentent de réduire notre grand
État en esclavage, il ne restera pas un seul Texan vivant qui
n'ait franchi le Rio Grande et résisté jusqu'à son dernier
souffle. » Carter Harlow se rangeait ensuite aux côtés du

Congrès des États-Unis « pour saluer le commandant en chef Woodrow Wilson dont on attend qu'il déclare la guerre à l'Allemagne dans les heures qui viennent ».

Sur ce point, Carter avait tort. En fait, il faudrait un mois et demi au président des États-Unis, que Carter désignait désormais dans ses éditoriaux sous le sobriquet de « Papy Wilson le froussard », pour déclarer la guerre aux Puissances centrales. Mais rien, pas même le temps, n'allait émousser la terrible colère qui parcourait la foule réunie sur les marches du *Bugle* en ce premier jour de mars 1917.

« Personne ici ne saluera le foutu drapeau des *wetbacks* [1] », hurla le shérif en fendant la foule. « Pas un seul homme, pas une seule femme, ni même un enfant. » La colère des citoyens se déchaîna soudain alors qu'il se frayait un chemin pour arriver en haut des marches. « Personne ne laissera les *wetbacks* nous voler cette terre que nous avons gagnée honnêtement! On va leur en donner pour leur argent! »

Les habitants de Earth étaient au bord de l'hystérie. La voix perçante d'un vieil homme s'éleva parmi la foule : « Souvenez-vous de Fort Alamo [2]! » Ce cri sembla soudain détendre l'atmosphère et on entendit les rires sarcastiques des Texans.

Amelia, qui serrait toujours le journal dans sa main, se sentait gagnée par l'excitation et la fierté en entendant ces hommes lancer un appel aux armes et au devoir. Les hurlements fusaient de toutes parts. « On va dire aux fritz qu'ils trouveront à qui parler! » lança quelqu'un. « On va rayer le Kaiser de la carte! » hurla un autre. Des cris d'approbation saluèrent ces menaces qui furent suivies d'autres clameurs puis le révérend Pack leur donna sa bénédiction. Il éleva son bras long et mince en un geste de prière, imposant ainsi silence à la foule. Maintenant, tout était terminé. Les femmes rentrèrent à la maison pour calmer les enfants qui avaient les yeux écarquillés de

1. Les *wetbacks* sont les ouvriers mexicains qui s'introduisent de façon illégale aux États-Unis, généralement en traversant le Rio Grande de nuit à la nage; d'où leur nom de « dos mouillés ». *(N.d.T.)*
2. C'était le cri de ralliement des habitants du Texas pendant leur guerre d'indépendance contre le Mexique qui rappelait le sauvage massacre de la petite mais héroïque garnison d'Alamo perpétré par les cruels soldats de l'armée mexicaine. *(N.d.T.)*

stupeur et pour se rassembler devant leurs barrières en attendant le retour des hommes.

Will passa en troisième et le roadster vert poursuivit son chemin dans le crépuscule. La voiture montait la route qui menait à Sugar Hill. Un des types installés sur la banquette arrière avait emporté une flasque de whisky et, au moment où ils arrivèrent dans le vallon où se trouvait le bar de Sugar Hill, ils entamèrent tous les huit le dernier refrain de *Dixie* [1] sous la conduite de ·Carter Harlow. Le roadster s'arrêta en cahotant et, bras dessus bras dessous, tout en chantant en chœur, visiblement inspirés par le bourbon qu'ils avaient déjà ingurgité, ils traversèrent les quelques mètres qui les séparaient du bar et s'y engouffrèrent.

La grande salle était bondée. Les bouteilles scintillaient sous la lumière et se reflétaient dans les glaces biseautés et très travaillées dominant le bar qui avait quinze mètres de long. Ce soir-là, trois filles accortes et le propriétaire, Jack Matthews, se partageaient le travail derrière le comptoir. C'était la mère de Jack qui avait créé ce bar. Son mari l'avait abandonnée avec son nouveau-né dans une pension de famille de Tyler en lui promettant qu'une fois fortune faite en Californie, il reviendrait les chercher et les emménerait dans l'Ouest. Mais la mère de Jack n'avait pas attendu son retour.

Elle avait commencé par trouver un emploi de serveuse dans un saloon du coin et mis de l'argent de côté. Puis elle avait fait construire un bar dans un endroit complètement désert de Sugar Hill et avait appris à son fils tout ce qu'il fallait savoir sur l'alcool et les hommes. Jack avait engagé un videur, pour que les soirées ne dégénèrent pas, et deux entraîneuses, pour faire boire les clients et éventuellement pour tout autre chose si elles le souhaitaient. Jack ne buvait jamais une goutte d'alcool. Et, en ce 1er mars 1917, le saloon de Sugar Hill existait depuis vingt-sept ans.

Quand Carter Harlow et ses compagnons débarquèrent ce soir-là, les conversations sur la guerre allaient bon train dans la salle enfumée et les clients se pressaient contre le

---

1. Chant national pendant la guerre de Sécession. *(N.d.T.)*

long comptoir en cuivre. Carter se fraya un chemin jusque-
là tout en serrant des mains et en saluant gaiement ses
amis.

« On les aura, Carter, lança quelqu'un. On les aura pour de
bon.

— Pardon monsieur, vous êtes Monsieur Harlow? » Un
gamin, qui n'avait pas plus de seize ans, le tirait par la
manche. « Quand recevrons-nous nos ordres de mobilisation
d'après vous, Monsieur Harlow? » Son regard trahissait son
impatience.

« Bon Dieu, ça va leur prendre des semaines, p't-être des
mois avant d'appeler tout le monde sous les drapeaux. » Il
prit le garçon par l'épaule. « Maintenant j'vais t'dire, si
j'étais un jeune gars comme toi, j' me porterais sûrement
tout de suite volontaire.

— Il a bougrement raison », renchérit un fermier en
avalant une nouvelle rasade de bourbon. « Faut faire vite
sinon on risque d'arriver quand tout sera fini »

Un homme trapu au visage buriné s'interposa et tira son
jeune fils vers lui. « Il va aller nulle part, le gamin. Il reste à
la maison. La guerre, c'est pour les hommes, pas pour les
enfants. » Il poussa son fils devant lui, fendit la foule et sortit
du bar. Carter Harlow hurlait dans son dos : « Merde alors!
Bon Dieu, comment ils vont devenir des hommes les gamins
si on les laisse pas aller se battre! » Il se tourna vers Will qui
était tranquillement accoudé au bar. « Moi, mon fils, il y va.
N'est-ce pas, mon garçon? »

Will leva les yeux vers lui. Son visage trahissait une
certaine hésitation mêlée de désarroi. Carter Harlow rayonnait de joie; il leva son verre pour porter un toast à son fils et
le jeune homme blond au doux regard bleu finit par lever le
sien pour trinquer avec son père.

Et Jack Matthews, qui savait manier la clientèle quand les
hommes avaient bu un coup de trop, proposa une tournée
générale sur le compte de la maison.

Le train qui emmena Will Harlow à la guerre par un
matin de mai était pavoisé de drapeaux rouge, blanc et bleu
comme les boutiques de Main Street et les tambours de
l'orchestre du lycée. C'était une journée splendide. Les

cultures du nord-est du Texas étaient plus prolifiques que jamais, le paysage plus verdoyant que jamais, le ciel plus immense que jamais et les lupins, d'un bleu plus éclatant que jamais, qui couvraient la colline où se dressait la maison des Harlow étaient plus denses que jamais en ce jour.

Amelia conduisit Will à la gare juste après le lever du soleil. Elle arrêta le moteur et ils restèrent un moment dans le roadster vert, entourés du seul silence de la ville encore endormie.

« Tu m'écriras tous les jours? »

Will acquiesça d'un signe. « Toi aussi? »

Elle posa la tête contre son épaule. « Oui, tous les jours. Et j'irai au bureau une fois par semaine. Tu verras, lui dit-elle dans un sourire, ce sera tout propre et tout blanc quand tu rentreras. Comme si tu n'étais pas parti.

— Ce ne sera pas long. Deux mois. Six au plus. »

Elle hocha la tête et leurs mains s'enlacèrent : ils n'étaient plus que deux amants qui s'étaient tout dit.

Il était presque huit heures lorsqu'ils entendirent le train qui arrivait de Texarkana. Ils regardèrent les lumières qui se firent plus brillantes et les banderoles à la gloire de ce jour qui rougeoyaient dans la clarté du matin tandis que le train ralentissait et se rapprochait de la gare. Puis il s'arrêta, les portières s'ouvrirent et, derrière eux, ils entendirent le tam-tam de l'orchestre du lycée qui s'était mis à jouer.

Marchant au pas, la fanfare remontait Main Street. Les drapeaux rouge, blanc et bleu claquaient au vent ainsi que les fanions des tambours. Les douze volontaires, qui allaient prendre le même train que Will ce jour-là, les suivaient en ordre dispersé. Ils étaient grands et bien bâtis; c'étaient de robustes gaillards de vingt ou vingt et un ans qui avaient grandi sur le sol du Texas. Ils souriaient et saluaient la foule qui les entourait, soulevant dans leur marche la poussière qui collait au visage des amis et des familles postées au bord de la rue. Ils avancèrent au pas cadencé jusqu'à la gare et, un instant plus tard, foule bruyante, ils passèrent devant le roadster et, dans une effusion de baisers, d'étreintes et de « On va mettre le paquet », ils montèrent dans le train.

Will sortit de la voiture et tomba dans les bras d'Evangeline. Puis il se dégagea et serra une derrière fois la main de son père. Les petits garçons étaient toujours agrippés à ses jambes, lorsqu'il enfouit son visage dans les cheveux d'Amelia. « Je reviendrai, tu verras, murmura-t-il. Je t'aime, Amelia. »

Elle voulut dire quelque chose. Elle voulait tout à la fois dire oui et non. Ne pars pas. Sois prudent. Ne m'oublie pas. Mais elle était submergée par un sentiment muet de peur mêlé de fierté et ne put prononcer une parole.

Il la quitta et monta dans le train. Il s'ébranla et déjà, il s'éloignait.

« Je t'aime, Will, hurla-t-elle soudain. Je t'aime. »

Mais ces mots se perdirent dans le fracas des roues et le sifflement des jets de vapeur tandis que le train prenait de la vitesse, emportant Will au loin, toujours plus loin, et bientôt elle ne distingua plus que les drapeaux rouge, blanc et bleu et les rails vides.

6

Et pour Amelia, l'attente commençait.

Elle lisait le *Bugle* pour se tenir au courant de l'évolution de la situation au front. Elle dévorait tous les quotidiens qui échouaient dans la maison des abords de la ville : le *Morning News* de Dallas, le *News* de Galveston, les journaux du groupe Hearst de Chicago et une fois, elle trouva même un exemplaire du *New York Times*. Il datait d'il y a trois semaines, mais elle le parcourut quand même. Elle étudiait toutes les cartes de près pour localiser les champs de bataille qu'on citait dans les communiqués de guerre et elle acquit une espèce de sixième sens pour repérer de très loin le moindre vrombissement qui venait troubler le ciel au-dessus des collines de Earth. Elle s'arrêtait aussitôt pour écouter le vent bruisser dans les pins et, tandis que le bruit du

ronronnement du moteur s'intensifiait, le pépiement des
oiseaux faisait place à un brusque silence. L'air semblait
soudain glacial, le point sombre à l'horizon se rapprochait et
la minuscule libellule qui, un instant auparavant, voltigeait
sous la brise devenait alors un monomoteur de chasse,
sombre carcasse se dirigeant vers la piste d'atterrissage de
Love Field située plus au sud.

Elle reçut plusieurs lettres de Will. Il avait envoyé les
premières du port de Galveston, puis du cuirassé *Texas* sur
lequel il avait embarqué en juin et enfin, de quelque part
« là-bas ». Ces dernières étaient arrivées dans d'épaisses
enveloppes bleues et carrées, adressées à Mrs. Will Harlow,
Earth, Texas, qui portaient, en bas à gauche, le cachet du
censeur représentant huit étoiles minuscules dans un cercle
rehaussé d'un aigle pourpre et juste en dessous, en caractères
d'imprimerie, on lisait « B.W. Kiley Lieut. 2nd Cl. Inf. U.S. »

Elle gardait les lettres de Will dans un panier en osier posé
à côté de la table de nuit dans leur chambre et lui répondait
longuement. Elle le tenait au courant des nouvelles. Polly
Carr va avoir un bébé. Joey a obtenu un A en arithmétique.
Evangeline et moi nous sommes inscrites à la Ligue pour la
Liberté créée par Dotty Pack. Maintenant, tous les mercre-
dis, nous tricotons des chaussettes et des écharpes et nous
préparons des bandages pour les unités médicales. On a
passé *Great Expectations* avec Louise Huff et Jack Pickford
au cinéma. C'était merveilleux. Y a-t-il encore quelques villes
debout en Europe? As-tu eu des permissions? As-tu pu voir
Great Expectations toi aussi? lui demandait-elle. Mais ses
questions restaient généralement sans réponse car les enveloppes bleues se faisaient rares et leur courrier se croisait le
plus souvent.

Elle lui écrivait tous les jours; ce monologue semblait
plongé dans un tunnel dont elle ne voyait pas le bout. Elle lui
dit qu'elle s'entraînait avec Robby pour le concours d'ortho-
graphe où ils défendraient les couleurs du comté en septembre et qu'elle organisait un service d'approvisionnement
pour les trains militaires qui transitaient par Earth. Les
lupins étaient fanés maintenant et les lis tigrés commençaient à fleurir. Tout le monde disait que l'automne serait
sûrement assez frais.

Elle ne lui écrivit pas que Polly Carr avait perdu son bébé et qu'elle était morte deux jours plus tard car le médecin de Daingerfield n'avait pu venir à temps. Elle ne lui dit pas qu'il avait fait une canicule effroyable en juillet et qu'en août la chaleur était devenue si insupportable qu'elle prenait toujours des sels avec elle lorsqu'elle sortait car elle craignait à tout moment de s'évanouir. Elle ne lui écrivit pas non plus que toute la région était maintenant en proie à une si violente germanophobie que ce sentiment semblait encore plus brûlant et plus inquiétant que la fournaise du mois d'août.

Elle ne lui parla pas davantage du typographe qui était arrivé en ville dans l'espoir de trouver du travail au *Bugle*. Il avait appris que l'un des employés de Carter Harlow devait rejoindre le contingent et il espérait prendre sa place, mais il n'avait même pas réussi à gagner les bureaux du *Bugle*.

Ce soir-là, Carter Harlow leur raconta toute l'histoire après le dîner. Cet homme s'appelait Ernst Liepman et il avait l'accent allemand. Il était descendu du train et était allé demander son chemin au guichet de la gare. Et aussitôt, une foule compacte avait entouré l'intrus.

« Il s' serait fait tuer sur place. On l'aurait mis en pièces si le shérif était pas venu pour le remettre aussi sec dans le train de San Antonio.

— Tu veux dire qu'il est *parti*? » Robby s'apprêtait à se servir une cuisse de poulet; sa fourchette heurta son assiette et le morceau de volaille s'en alla rouler sur la table en chêne.

« Robert!

— Papa! s'exclama-t-il. Il était *allemand*. On aurait pu le pendre devant le palais de justice et on serait allés voir ça avec tous les copains! Ou p't-être qu'on aurait pu organiser un vrai peloton d'exécution et comme ça j'aurais pu plomber sa sale carcasse puante de vieux fritz avec mon pistolet à air comprimé. Sauf que maintenant il est *parti*.

— Non, Robby. »

La main d'Evangeline fendit l'air et laissa une marque rouge sur la joue de Robby. Elle était droite comme un I et observait un silence menaçant. Lorsqu'elle se décida enfin à parler, sa voix se fit dure et cinglante. « Cette guerre nous perdra tous », dit-elle, puis elle s'agenouilla devant son jeune fils, le prit dans ses bras et se mit à pleurer.

Amelia cacha cet épisode à Will. Elle trouvait inutile de l'accabler avec les problèmes de la maison et, d'autre part, il lui semblait impossible de décrire ce sentiment qui l'oppressait chaque jour davantage : le monde était arrivé à un point de non-retour. Le monde changeait et elle aussi changeait. Elle tenta de lui reparler du service d'approvisionnement pour les militaires dont elle s'était occupée à la mi-septembre, mais le sujet avait créé des tensions dans la maison des Harlow et les quelques une ou deux pages qu'elle réussit à écrire avaient un ton agressif comme si elle avait le sentiment de devoir se justifier. Et elle les déchira. Elle lui en parlerait en tête à tête, lorsqu'il serait de retour.

Des soldats débarquaient par wagons entiers dans la petite ville de Earth cet automne-là. Ils arrivaient du nord par convois militaires et les sirènes des locomotives retentissaient jour et nuit. Les trains les déversaient dans les campements établis à cinq kilomètres de là.

Tout d'abord, les lettres adressées au rédacteur en chef que Carter Harlow fit paraître en première page arborait un ton qui se voulait d'un optimisme prudent. Mais bientôt, elles tournèrent à l'aigre : on accusait l'armée de manquer d'organisation et on s'interrogeait sur la menace que faisait peser sur la ville ce cantonnement qui avait tout du camp de réfugiés. La réaction du major Fitzsimmons ne tarda pas : il se rendit aux bureaux du *Bugle* et, un soir d'août, il fut invité à dîner chez les Harlow. Après qu'on eut servi du thé glacé et du café sous la véranda, les Harlow l'écoutèrent exposer ses problèmes. Il lui était pratiquement impossible de répondre aux besoins des milliers d'hommes qui transitaient par ses services et il lui était quasiment impossible de les nourrir. Le temps que l'approvisionnement arrive, la plupart des denrées étaient bonnes à jeter à cause de la chaleur. « Mais c'est un problème aussi pour vous, ajouta-t-il en haussant les épaules. Il n'y a aucun moyen de s'en sortir avant que l'hiver ne vienne calmer un peu les choses. »

Amelia replia son éventail en papier, le posa sur ses genoux et leva les yeux vers le major.

« Mais pourquoi devez-vous la faire venir ? lui demanda-t-elle.

— Devons-nous faire venir quoi, m'dame?

— Votre nourriture, répondit Amelia. Pourquoi n'allez-vous pas vous fournir chez les fermiers du coin?

— On peut pas faire ça, ma jeune dame, rétorqua le major. Il va y avoir des milliers de bouches à nourrir dans les mois à venir. Non, faut faire venir l'approvisionnement. C'est le seul moyen.

— Mais vous êtes au cœur d'une région très fertile. Si l'armée accepte de payer les agriculteurs au cours du jour, ils pourront vous vendre leur production en direct.

— Peut-être, dit-il. Peut-être. Mais j'ai ni le temps ni le pouvoir d'organiser une chose pareille.

— Alors, laissez-moi faire. » Sa voix s'éteignit soudain, mais elle ne le remarqua même pas. Elle était déjà debout et son débit se fit précipité. « J'ai besoin de faire quelque chose. J'ai besoin de me rendre utile. Laissez-moi m'en occuper, major. Nous sommes tout un groupe de femmes, n'est-ce pas Evangeline? Et nous sommes toutes d'excellentes cuisinières. On fait de fantastiques barbecues et du poulet, du jambon, du... »

Carter Harlow éclata de rire. « Amelia, ma chérie, le major doit s'occuper de milliers d'hommes. Il faut lui fournir des milliers de kilos de vivres. Il s'agit pas de faire une soupe pour les pauvres de l'église. »

Elle s'adressa de nouveau à Fitzsimmons.

« Dites-moi ce qu'il vous faut et quand, et laissez-moi essayer. Si ça ne marche pas, vous n'y perdrez rien. C'est vrai, non? » Elle lui sourit.

Cette fois-ci, Carter Harlow ne put réprimer sa colère. « Amelia... » Mais Fitzsimmons intervint : « Ne vous inquiétez pas, monsieur Harlow. Et vous, jeune dame, venez voir mon intendant demain matin. A neuf heures juste. »

A six heures, Amelia était déjà debout. A onze heures, elle savait à peu près quelle quantité de vivres il fallait prévoir pour nourrir une armée. Et vers une heure, elle quittait Mount Pleasant dans son roadster vert et se dirigeait vers le sud en suivant la route poussiéreuse et défoncée qui menait à la ferme d'Eustice Jarvis qui ne comptait pas moins d'un millier d'acres. Trapu et court sur pattes, cet homme, que tout le monde appelait « Papy » et qui était le plus gros fermier de la région, avait un visage carré et de longs cheveux blancs bouclés. Il cultivait principalement du blé et élevait du bétail, mais aussi des porcs et des dindes. Quand Amelia ouvrit la porte de derrière, il l'accueillit très gentiment.

« Voilà l' plus joli petit lot de tout l'est du Texas », s'exclama-t-il de sa voix grave marquée d'un fort accent texan. Papy rayonnait de joie. « T'es arrivée juste à temps pour manger un ou deux steaks. Descends, mon chou. Descends. »

Vers six heures, elle était de retour. Les employés de Jarvis allaient abattre une centaine de têtes de bétail et une cinquantaine de porcs et Papy en personne lui préparerait quatre-vingt-dix dindes pour Thanksgiving [1].

« Plumées? lui avait-elle demandé.

— Prêtes à cuire », lui avait-il promis.

« Je crois que ça va marcher », annonça-t-elle ce soir-là pendant le dîner. « Je crois vraiment que ça va marcher. »

Carter Harlow jeta sa serviette sur la table et repoussa violemment sa chaise. « Ça s'appelle faire la mouche du coche, voilà comment ça s'appelle. Aller embêter les gens et s' mêler de tout. Et j'aime pas les femmes qui jouent à ça, Amelia. Ça m'a jamais plu.

— Nous sommes en guerre », répliqua Amelia d'une voix tremblante d'émotion. « Je veux me rendre utile. Ce n'est pas seulement la guerre de Will. C'est aussi la mienne. » Mais Carter Harlow avait déjà quitté la pièce furieux.

Elle ne reparla plus jamais de son travail à Carter Harlow et il ne lui posa plus aucune question. Par égard pour son mari, Evangeline resta en dehors de tout cela, mais elle était très fière d'Amelia et Mrs. Claude Pack, la femme du révérend, en était folle de joie. Le lendemain matin, Dotty tendit ses petites mains potelées vers celles d'Amelia par-dessus la table de la cuisine et les serra très fort. « Ma chérie, c'est la meilleure idée qu'on ait jamais eue. L'autre jour, je me disais que si je devais avoir une chaussette de plus sous les yeux, j'allais en tomber *malade* sur-le-champ. »

---

1. Aux U.S.A., le quatrième jeudi de novembre, on célèbre la première moisson des émigrants du *Mayflower* et on mange traditionnellement une dinde. *(N.d.T.)*

Et c'est ainsi que la Ligue pour la Liberté se lança dans un autre bénévolat : l'approvisionnement du camp militaire. Les vivres arrivaient en masse : Papy Jarvis leur fournit des quartiers de bœufs et des porcs, le moulin de Mount Pleasant des sacs de cinquante kilos de farine, et toutes les fermes des environs des sacs de vingt-cinq kilos de pommes de terre, de carottes, de maïs et de petits pois. Au cours des mois de septembre, octobre et novembre, les femmes assurèrent leur service. Les bureaucrates militaires étaient stupéfaits et les services de secrétariat pratiquement débordés, mais la nourriture ne cessait d'arriver. On leur livrait d'énormes marmites de ragoût et de soupe, des auges entières de travers de porc, des miches de pain impressionnantes et des casseroles de vingt kilos de légumes verts.

Le jour de Thanksgiving, les dindes de Jarvis accompagnées de pommes de terre et de carottes au beurre et suivies d'un gâteau au maïs firent un triomphe. Pour Noël, ils eurent droit à du rôti de bœuf avec des haricots et à deux cents tourtes aux patates douces. Pour fêter le jour de Pâques de 1918, on leur servit du jambon avec une sauce aux pommes, du chou vert et les fameux pois au beurre noir de Dotty Pack. Et Amelia Harlow, qui venait d'avoir vingt ans ce printemps-là, s'appuya contre l'un des montants de la tente qui abritait le mess des officiers le long de la voie ferrée aux abords de la ville. Elle rêvait de boire enfin une tasse de café mais elle était trop épuisée pour aller la chercher : elle était en sueur, elle avait mal aux pieds et tout son corps était courbatu. Lorsqu'elle songeait à tout cela parfois, elle en restait stupéfaite. Elle avait parcouru un si long chemin ces derniers mois et elle avait tant changé. Désormais, elle avait l'impression d'être une vraie femme; elle n'était plus cette jeune mariée qui regardait le monde avec des yeux innocents. Et elle était heureuse de cette évolution. Elle se sentait beaucoup plus sûre d'elle maintenant et il lui semblait qu'elle existait vraiment.

Elle frotta son épaule endolorie puis se tourna vers les quinze membres de la Ligue pour la Liberté qui s'étaient occupés de ce repas pascal. Ses compagnes sortaient de la cuisine et un sourire illumina leurs visages devant les acclamations des jeunes recrues qui attendaient leur tour.

« Merci, m'dames », lançaient-ils chaleureusement. La file s'étirait tout autour de la tente et bien d'autres soldats attendaient dans la fraîcheur de cette soirée printanière. Ils lui paraissaient si jeunes, beaucoup plus jeunes que les volontaires qui avaient traversé la ville au pas cadencé un an plus tôt. Ce n'étaient encore que des enfants, cinq cents gamins, avec leur calot sous le bras et leurs lourdes bottes, qui avaient l'estomac vide. Cinq cents garçons qui allaient creuser leurs tombes sur les champs de bataille de l'Europe.

Amelia secoua la tête pour chasser ses idées noires. On ne doit pas penser à ces choses-là, sinon il devient impossible de continuer. Or il faut poursuivre sa tâche. Tout le monde le sait bien.

Le major Fitzsimmons, qui se trouvait deux allées plus loin, lui fit un signe et leva sa tasse de café pour lui porter un toast. Elle lui sourit et le salua d'un geste, puis redressa brusquement la tête. Une légère pluie printanière s'était mise à tomber et résonnait sur la toile de tente. Les cheveux coupés en brosse des soldats qui entraient en file indienne étaient trempés et quelque part dans l'obscurité quelques garçons se mirent à chanter :

> *Oui, nous pendrons le Kaiser*
> *A un pommier qui donne des fruits acides...*

On était en mai lorsque Mary Cherry, du bureau du téléphone et du télégraphe, apporta l'enveloppe jaune à Amelia. Elle s'était dérangée elle-même, mais aucun des Harlow attablés devant le petit déjeuner n'osa y toucher. Elle la déposa donc parmi les assiettes à motif chinois et s'en alla. La lettre resta là, sur la table en chêne bien cirée, jusqu'à ce que Carter Harlow se décidât enfin à l'ouvrir. Il la contempla un long moment, puis la passa à Amelia. Le ministère de la Guerre était au regret de devoir l'informer que le capitaine Will Harlow, docteur en médecine, de la quarante-deuxième division du corps médical, était porté disparu et présumé mort.

Amelia ne pleura pas. Les larmes lui vinrent plus tard lorsqu'elle se retrouva seule dans sa chambre qui avait été la leur. Elle serra l'oreiller de Will entre ses bras et se mit à sangloter. Puis elle s'arracha à son chagrin complaisant et jeta l'oreiller à travers la pièce; il heurta le vase posé sur la table près de la fenêtre et la porcelaine vola en éclats.

L'automne suivant, les derniers éléments de son univers s'écroulèrent.

L'épidémie de grippe toucha d'abord Fort Riley au Kansas, à six cent cinquante kilomètres plus au nord. Elle se propagea de base en base, les convois militaires drainant les germes microbiens, et s'infiltra autour du globe, les navires et les vedettes de guerre semant la contagion. Au Texas, elle se manifesta dans le port de Galveston sur le *Hiram Walker*, un paquebot ancré au large de la rade de Tampico Bay, et arriva à Earth par un train de nuit en septembre 1918. On mit aussitôt le campement militaire des abords de la ville en quarantaine, mais cela resta vain.

Deux jours plus tard, Evangeline se plaignit d'un vague mal de tête. Le lendemain matin, Amelia la découvrit écroulée dans le parterre de chrysanthèmes du jardin de rocaille; elle avait le regard vitreux et son déplantoir lui avait presque échappé des mains. Amelia le lui prit et l'aida à se relever, puis elles se dirigèrent ensemble vers la maison.

La guerre avait profondément marqué Evangeline, sans doute plus qu'aucun d'entre eux. Elle avait continué à préparer les repas, à s'occuper de ses fils et de son jardin et demandait toujours à son mari s'il avait passé une bonne journée quand il rentrait le soir. Mais elle ne riait jamais, souriait rarement et son visage, qui était si ouvert autrefois, était maintenant fermé et dur. Elle n'avait jamais parlé de Will depuis l'arrivée du télégramme. Pourtant, ce matin-là, allongée sur le sofa victorien du salon de devant, la tête contre un oreiller et tenant les mains d'Amelia, elle aborda le sujet. « Il était si joyeux quand il était petit, murmura-t-elle. Je me souviens principalement de ça quand je pense à lui. »

La pièce était plongée dans l'obscurité; on avait tiré les rideaux pour se protéger de la chaleur et de l'éclat du soleil et, dans la pénombre, on distinguait à peine les gravures florales accrochées au mur. Une porte claqua, on entendit des pieds nus qui marchaient sur le parquet. Puis une autre porte claqua et tout fut silencieux.

« Je me rappelle qu'il chantait le matin en se réveillant », poursuivit-elle. Un pâle sourire se dessina sur ses lèvres. « L'année de ses trois ans, il adorait *Old Black Joe* et je me disais que ça allait me rendre folle avant qu'il n'ait le temps d'en apprendre une autre. » Elle serra la main d'Amelia. « C'était un petit garçon si gai. Et tu as fait de mon fils un homme heureux et je t'en remercie. »

Amelia avait la gorge nouée et elle murmura d'une voix étranglée : « Il reviendra. Vous verrez. »

Evangeline tourna la tête vers elle, ses yeux étaient baignés de larmes. « Non, il ne reviendra pas, dit-elle. Je croyais que tu le savais, mon enfant. »

Elles se regardèrent un moment, droit dans les yeux, puis Evangeline sourit. Son visage ruisselait de sueur.

Amelia n'attendit pas l'arrivée du médecin. Elle se rendit directement chez lui à Daingerfield et cogna à sa porte de toute la force de ses poings. Il la suivit jusqu'à la maison et, cet après-midi-là, il l'aida à monter Evangeline dans sa chambre.

Les deux jours suivants, Amelia et Carter Harlow se relayèrent à son chevet. Au soir du troisième jour, à minuit, Carter frappa à la porte d'Amelia. Il avait les yeux creusés et le teint gris et il avait ouvert le bouton de son col de chemise.

« Elle est morte. »

Amelia le fixa intensément. Il lui sembla que le sol s'ouvrait en un gouffre béant et l'entraînait au fond d'un long tunnel qui n'était que le néant. « Elle est morte, Amelia », répéta-t-il. Elle tenta de se concentrer sur l'image de son beau-père et finit par le voir : cet homme si fort n'était plus soudain qu'un être perdu. Son âme s'en était allée, leur âme à tous s'en était allée.

Comme une somnambule, elle suivit Carter Harlow le long du couloir; à l'autre bout, une faible lumière filtrait par la porte ouverte.

Ils enterrèrent Evangeline au cimetière qui dominait la ville sur les collines boisées. Entre-temps, plus de six cents personnes du voisinage avaient succombé à la grippe et

Carter Harlow, ses deux jeunes fils et sa belle-fille étaient seuls devant la tombe qu'ils avaient creusée eux-mêmes.

Le lendemain, le conseil municipal décida d'évacuer les malades et les agonisants dans le palais de justice. Des familles entières s'y installèrent; le médecin revint, mais il ignorait d'où venait la maladie et quand elle s'arrêterait enfin. Personne ne savait rien, avoua-t-il à Amelia Harlow. On savait seulement que cette grippe était mortelle pour les personnes âgées, les enfants, les femmes enceintes et les gens qui souffraient de faiblesse cardiaque ou de troubles rénaux. Son inutile trousse de soins à la main, il secoua la tête.

« J'ai appelé Dallas », lui dit-il alors qu'elle le suivait sur les marches du palais de justice, espérant qu'il lui dirait au moins quelque chose, ne serait-ce qu'une toute petite chose. « J'ai téléphoné deux fois. Et j'ai contacté aussi San Francisco. Mais dans les grandes villes, c'est encore pire qu'ici. Ils n'arrivent même plus à trouver assez de volontaires pour enterrer leurs morts.

— Mais il y a des spécialistes, insista-t-elle. Avez-vous...?

— Je sais bien qu'il y a des spécialistes, Mrs. Harlow. Je le sais. » Il la regarda droit dans les yeux et découvrit que son regard s'était durci et rétréci sous l'effet de la colère et de la douleur. « Quelqu'un m'a dit qu'un type de l'Est avait une théorie : il prétend que la maladie se propage la nuit. Peut-être que la lumière du jour favoriserait les guérisons... Si ça peut vous aider d'y croire. » Il haussa les épaules, se dirigea vers sa voiture et démarra.

Elle voulait y croire. C'était le seul espoir qu'on lui laissait entrevoir, et tous les matins, elle se levait à l'aube, s'habillait aussitôt et se rendait au palais de justice pour ouvrir les volets et laisser le soleil entrer à flots.

Le matin, elle traversait une ville déserte, et le soir elle retournait chez elle par des rues tout aussi désertes. Le journal avait fermé ses portes tout comme les magasins et la banque. On avait interrompu les services de la messe du dimanche et l'école n'acceptait plus les élèves. Tous les habitants de Earth, Texas, les hommes, les femmes et les enfants, étaient alités au palais de justice. On les avait répartis partout : dans le grand hall d'entrée, dans tous les bureaux, dans les cabinets des juges et jusque sur les bancs le long de la galerie.

Dotty Pack, les yeux agrandis par la surprise, mourut en tendant les mains vers Amelia. Le révérend succomba à son tour le lendemain. Jack Matthews abandonna son bar de Sugar Hill pour le palais de justice, mais il ne survécut pas à sa première nuit. Samuel Farrier, le receveur des postes, ne tarda pas à s'éteindre et il fut suivi de près par Eb Graves, le vieux typographe, qui mourut en accusant ses fils de l'avoir abandonné dans le grand hall d'entrée du palais de justice avant de quitter tranquillement la ville.

Il restait encore des douzaines de malades et d'autres personnes touchées par l'épidémie affluaient sans cesse. Ils n'avaient nul autre endroit où aller. Perryman Carr se réfugia dans son cabanon de chasse dans les collines, mais il revint dès le lendemain car il était terrifié à l'idée de mourir tout seul. De tous les gens qu'Amelia connaissait bien, c'était la seule personne qui avait survécu à ce terrible fléau et elle le soigna elle-même. Toutes les nuits, elle restait à son chevet, tentant de se raccrocher au monde d'autrefois, un monde où tout était harmonie. Elle s'asseyait à ses côtés et écoutait sa respiration haletante, ses quintes de toux et ses hurlements de terreur. Elle essuyait la salive qui dégoulinait sur ses lèvres, lavait inlassablement le corps de cet homme vieillissant et dévoré par la fièvre et lui maintenait la tête lorsqu'il recrachait de la bile verte. Son état d'extrême faiblesse la répugnait et elle semblait entraînée dans son agonie mais, curieusement, les cauchemars qui peuplaient ses rares heures de sommeil la réconfortaient. Ces horribles rêves étaient parfaitement normaux et ainsi, d'une certaine façon, cet autre cauchemar, celui qu'elle vivait jour et nuit, lui paraissait moins aliénant.

La troisième nuit, il était plus calme, et pour la première fois depuis plusieurs jours, il tint un propos cohérent. « Je crois que c'est fini, Amelia. Je crois que je vais m'en sortir. » Une heure plus tard, il était mort.

Ce jour-là, à l'aube, Carter Harlow lui amena ses fils. Ils ne la reconnurent même pas et s'éteignirent à quelques heures de différence. Amelia était roulée en boule par terre entre les deux corps; lorsque le soleil pénétra dans la pièce à travers les hautes fenêtres et inonda le couloir, elle eut un sourire mélancolique.

Il n'y avait plus aucun cercueil en ville. Amelia et son beau-père enveloppèrent les petits corps dans des draps propres puis escortèrent le chariot qui les conduisit jusqu'à la voie ferrée. Ils hissèrent les dépouilles eux-mêmes et les déposèrent délicatement sur les autres cadavres qu'on avait placés là en attendant la prochaine livraison de bières qui devait arriver de Dallas la semaine suivante.

Cela commença dès le lendemain. Désormais, elle était seule dans la maison avec son beau-père. Amelia s'en aperçut tout d'abord à ses yeux et aux tressautements qui agitaient son corps lorsqu'il se penchait vers elle. Il se désintégrait littéralement et Amelia en était effrayée, mais elle le laissa broyer du noir dans le salon du fond, ressassant les drames de ces derniers jours en buvant force bourbon et en fumant moult cigares.

Mais Carter Harlow, qui avait installé son fauteuil devant la cheminée où se dressaient le mousquet de la guerre de Sécession et le drapeau de la Confédération, Carter Harlow donc ne pensait pas à la tragédie qui s'était abattue sur sa famille. Il songeait à un passé qu'il n'avait jamais réussi à chasser de sa mémoire.

Il avait presque quatre ans lorsqu'il vit son père pour la première fois. Il jouait sous la véranda de derrière lorsqu'il avait entendu sa mère l'appeler. « C'est ton père. Ton père est rentré à la maison. » Et ils avaient dévalé la colline pour aller à la rencontre d'un cavalier dont l'image, aujourd'hui encore, se dessinait parfaitement devant ses yeux.

Quelque part en lui, une voix lui soufflait que l'homme devait être épuisé et le cheval à moitié mort. Mais dans son imagination, il n'en était pas du tout ainsi. Il voyait la fringante monture surgir des bois de pins de Géorgie, martelant de ses sabots la terre rouge et fertile qui jaillissait sur son passage. Le drapeau était rutilant et le soldat majestueux. Les plis de son uniforme gris étaient impeccables et sa poitrine disparaissait sous les médailles. Son père le prit dans ses bras et il sentit aussitôt une odeur de victoire mêlée de sueur et de gloire. Carter voyait le petit garçon porter le mousquet et le superbe drapeau de la Confédération jusqu'à la maison... et ensuite tout le long du chemin qui allait les conduire au Texas où ils trônaient aujourd'hui au-dessus de l'imposante cheminée en pierre dans le salon du fond de la propriété située aux abords de Earth.

Carter attrapa la bouteille de bourbon et la reposa par terre. Il savoura la gorgée d'alcool, la gardant un instant en bouche avant de l'avaler, et une fois de plus se mit à ressasser cette vieille honte qui le hantait.

Le soldat amena sa monture à la lisière de la forêt et prit sa femme, puis le petit garçon dans ses bras. Les relents de sueur étaient oppressants, et soudain une autre odeur, plus forte, s'imposa, celle de sa propre peur : l'urine du petit garçon dégoulinait le long de ses jambes. Il se mit à hurler et à sangloter et s'échappa violemment de l'étreinte de l'étranger qui dégageait des effluves si étranges. « Qu'est-ce qu'il a cet enfant ? demanda son père. Viens ici, toi. » Il posa le mousquet et le drapeau dans les petits bras fluets et l'obligea à les porter jusqu'en haut de la colline. Le petit garçon titubait sous le poids. Et aujourd'hui, ces paroles accablantes résonnaient encore à ses oreilles : « On va en faire un homme de ce gamin, et dès maintenant. »

On mit le mousquet et le drapeau en lambeaux dont les couleurs étaient défraîchies dans une malle. Et c'est ainsi qu'ils arrivèrent dans l'Ouest et restèrent toujours accrochés sous ses yeux où qu'il fût, vivante image de son passé.

Il tenta d'effacer cette tache. La ville que son père avait fondée avait besoin d'un journal et d'un médecin. Il s'attacha à les lui donner. Il essaya même de partir à la guerre une fois, mais Teddy Roosevelt était déjà à mi-chemin de San Juan Hill à l'époque où il embarqua et la guerre américano-espagnole, qui durait depuis huit semaines en cet été 1898, prit fin un mois plus tard. Et au lieu de cela, il avait « prêté » son fils à l'armée des États-Unis et avait découvert que ce prêt était un don.

Le don d'un fils.

De deux fils. De trois fils.

Et d'une femme. Et d'un médecin, formé dans les meilleures universités du pays, qui aurait pu... non, qui aurait certainement sauvé sa propre famille et toute la ville que Justiss Harlow avait bâtie sur cette terre. Carter Harlow reprit la bouteille de bourbon pour noyer dans l'alcool l'ironie du destin, son échec, son chagrin et tout ce qu'il avait perdu en ce monde.

Mais rien ne pouvait lui faire oublier cette autre ironie du sort : cette fille leur avait tous survécu. Il plongea dans ses souvenirs pour essayer de se rappeler depuis quand il savait tout sur elle.

Il avait été intrigué dès le début. Une étrangère, qui n'avait pas de famille, absolument personne, et qui débarquait comme ça dans son foyer tout d'un coup. Evangeline avait dit que pour elle cela ne faisait aucune différence, mais pour lui ce n'était pas le cas : car le sang fait toujours la différence. Il avait donc envoyé l'un des employés du journal à La Nouvelle-Orléans l'été où Will était parti à la guerre. Il s'agissait de Fred Billings. Il lui avait demandé de préparer un article sur la Louisiane et d'en profiter pour aller chercher un extrait de naissance d'Amelia à l'hôtel de ville. Fred Billings était revenu les mains vides : il n'existait aucun extrait de naissance. Il avait haussé les épaules et dit à Fred d'oublier toute cette histoire, il y avait eu une erreur. Mais il avait aussitôt engagé un détective de Dallas pour enquêter sur ce mystère.

Et il avait tout découvert, ma foi. Bon Dieu, c'était sûr que ça avait de l'importance... un sang comme celui-là.

Carter Harlow restait assis dans son fauteuil dans le salon du fond devant le drapeau et le mousquet. Les mégots des cigares s'empilaient et les bouteilles de bourbon allaient rouler sur le tapis pour finir dans un coin. Le soleil se levait et se couchait, puis se relevait, le soldat surgissait des bois de Géorgie, son cheval martelant le sol de ses sabots, et Carter Harlow essayait désespérément d'oublier son ultime échec : sa belle-fille était une putain.

Au matin du troisième jour, Amelia frappa à la porte et entra. Indisposée par l'odeur et le désordre, elle voulut ouvrir grand les fenêtres.

« Laisse tomber. »

Elle se retourna vers lui. « Je vous ai préparé le petit déjeuner. Je vous ai fait des œufs au bacon et des crêpes. » Il ne réagit pas. « Vous devriez manger. Vous savez bien que vous devriez manger quelque chose. Allez, venez. »

Il secoua la tête, puis leva les yeux vers elle. « Un steak, grommela-t-il.

— Allons, tout est prêt. Je l'ai laissé au chaud dans le four. Je vous en prie, venez.

— Je veux un steak.

— Mais j'ai déjà préparé les crêpes et les œufs au bacon. Je pourrais peut-être vous faire un steak ce soir? Ça vous ferait plaisir?

— Fais c'que j'te dis. Et tout de suite. » Il se leva difficilement de son fauteuil et tituba parmi les bouteilles vides et les mégots.

« Arrêtez! hurla-t-elle. *Arrêtez. Vous empestez!* »

Elle hurlait de rage et de peur. Puis elle se précipita vers la porte et la claqua derrière elle.

« Amelia! »

Elle était déjà dans le passage couvert quand la voix de Carter Harlow résonna à ses oreilles. Les paupières lourdes et les yeux rougis, mais la voix cinglante et parfaitement claire, il se tenait dans l'encadrement de la porte du salon. « Tu vas faire c'que j'te dis. Et tout de suite. Je suis ici chez moi et ta présence ici dépend de mes bonnes grâces. »

Elle le fixa intensément. Elle était face à lui et le regardait, caché dans l'ombre de la porte du salon.

Il était inutile qu'il la flanquât de force dans la cuisine. Il avait raison. Cette maison était la sienne, tout comme l'ensemble de la propriété et le journal. Tout lui appartenait. Elle, elle n'avait rien. Elle ne possédait absolument rien. Et sa présence ici dépendait de ses bonnes grâces.

Elle prépara le steak.

Elle jeta les œufs au bacon et les crêpes à la poubelle, puis plongea la viande dans une préparation de farine, d'œuf et de lait comme le faisait Evangeline et la mit à frire dans une poêle bouillante. Elle mit ensuite une assiette au chaud, y disposa des pommes de terre froides puis le steak et posa enfin le tout sur la table en chêne à côté de la serviette de lin propre et de la fourchette. Elle rajouta un couteau, la salière, la poivrière et la sauce au chili, puis monta aussitôt dans sa chambre, ferma la porte à clé et s'assit sur un fauteuil. Elle resta ainsi, immobile, un long moment.

La nuit tombait presque lorsqu'elle songea soudain au roadster vert garé devant la grille. Elle avait enfin pris sa décision : elle allait partir. Elle retira précipitamment ses vêtements des cintres, des crochets et des étagères et les jeta pêle-mêle dans la valise en osier aux poignées en tissu rayé. Elle referma la porte du placard et se souvint soudain des lettres. Elle jeta un coup d'œil vers la table de nuit. Le courrier était à sa place, dans le panier ; elle rassembla rapidement les enveloppes, les fourra dans sa valise, la ferma et s'engouffra dans le couloir pour se diriger aussitôt vers l'escalier.

Carter Harlow était toujours installé devant la table en chêne de la cuisine qui donnait sur l'escalier. La bouteille de bourbon était vide et il n'avait pas touché à son steak. Il leva les yeux et la regarda descendre les marches.

Elle était arrivée en bas et, malgré la pénombre, il apercevait ses petits seins qui pointaient sous sa robe légère, ses hanches qui ondulaient et sa croupe rebondie. Elle passa devant lui comme un éclair, mais il la rattrapa devant la porte.

Elle se figea sur place. La valise lui échappa des mains et, tel un animal blessé qui refuse soudain de voir, d'entendre ou de comprendre, elle fixait, comme hypnotisée, la main qui agrippait son bras et les doigts épais qui s'affairaient nerveusement pour enlever un à un les boutons du haut de sa robe.

« Tu n'iras nulle part, jeune dame. » Il avait une voix douce et un sourire assuré. « Absolument nulle part. » D'un regard absent, elle contempla sa poitrine nue et suivit sa main qu'il porta à sa bouche pour mouiller ses doigts aux ongles sales et cassés qui se saisirent aussitôt de son sein, torturant le téton rose et humide. Il baissa la tête et elle lui échappa.

Elle s'élança dans l'escalier, sa robe s'entortilla autour de ses jambes, son corps était secoué de sanglots et sa respiration haletante résonnait à ses oreilles. Elle chancela et entendit les pas de l'homme qui la suivait. Elle réussit à monter les trois dernières marches, se rua dans le couloir, poussa violemment la porte de sa chambre et la claqua derrière elle. Elle se retourna alors pour s'enfermer à clé...

et découvrit avec effroi que Carter Harlow avait déjà un pied dans la pièce.

Elle se mit à hurler, hoquetant de terreur, et tenta de repousser la porte qui s'entrouvrit tout doucement et qui, brusquement, céda sous la pression de Carter Harlow. Il se trouvait dans l'embrasure et tenait le couteau qu'elle avait posé sur la table ce matin.

La pièce sembla soudain flotter comme dans un mirage : la couette en patchwork et le papier à fleurs jaunes sur fond bleu dansaient devant ses yeux. Puis elle se retrouva sur le lit qu'elle avait partagé avec Will et il éventra sa robe avec le couteau : elle était nue devant lui. Il la prit par les cheveux et rejeta sa tête en arrière, déposa le couteau sur la table de nuit, ouvrit sa ceinture et lui apprit qu'il avait fait enquêter sur son compte. « J'sais qui t'es, chérie. J'le sais. Et maintenant, toi aussi tu vas savoir c'que t'es. Tu vas savoir c'qu'on fait avec des filles comme toi. T'es bonne qu'à ça. »

Il sourit, lui tira les cheveux encore plus fort et l'obligea à le regarder tandis qu'il mettait la main dans son pantalon et exhibait son sexe. Il lui écarta les cuisses et ses lèvres s'approchèrent des siennes. Elle parut soudain se ressaisir et se débattit sauvagement sous lui; il sentit son sexe se durcir. Il empoigna ses seins puis ses fesses et la souleva de l'édredon. Alors, il la pénétra et ne vit pas qu'elle tentait d'attraper le couteau.

Il lui sembla que Carter Harlow était long à mourir. Quelque part, au tréfonds de son esprit, elle comprenait qu'elle aurait dû s'en étonner, mais il n'en était rien. Une force qui sommeillait en elle s'était soudain révélée. Elle portait en elle une maîtrise de soi et une dureté qui remontait bien avant sa vie entre les murs du couvent, bien avant ses plus lointains souvenirs. Elle en fut surprise, mais ce fut la seule chose qui la stupéfia; elle ne s'étonna pas du temps qu'il mit à mourir, pas plus que du sang. Il giclait sur les murs, s'échappant de sa bouche et de sa gorge, puis il se mit à jaillir, se mêlant à l'urine en petits geysers d'un rouge délavé. Il coulait toujours lorsqu'elle quitta la pièce. Drapée dans une couverture qu'elle avait trouvée dans la chambre des garçons, elle descendit l'escalier en titubant. Elle resta un moment au bas des marches en attendant que les derniers sursauts de l'agonisant laissent place au silence. Puis elle enleva les bouteilles vides et les mégots qui traînaient dans le salon du fond et débarrassa la table de la cuisine. Elle dormit dix heures, roulée en boule sous la véranda comme un animal trempé de sueur lové sur lui-même, aussi immobile et silencieuse que Carter Harlow qui gisait là-haut, juste au-dessus d'elle.

Le lendemain matin, elle nettoya le corps et lui fit un linceul de fortune, l'enveloppant dans le couvre-lit en patchwork et dans des draps de lin propres. Elle mit une heure pour arriver à le tirer le long du couloir étroit qui menait à sa chambre, puis elle se décapa entièrement à la lessive. Elle se lava les cheveux, les brossa et les releva en chignon. Elle prit ensuite une robe de coton propre dans sa valise qu'elle avait laissée dans la cuisine et appela le bureau du téléphone et du télégraphe pour leur annoncer que l'épidémie de grippe avait fait une nouvelle victime.

Le chariot arriva à midi. Elle le regarda monter la colline en cahotant, puis redescendre et enfin se perdre dans les bosquets qui bordaient la voie ferrée. Elle remonta alors au second et s'escrima durant cinq heures sur les marques de sang qui avaient taché son matelas, mais aussi les murs, les carpettes mexicaines aux motifs colorés et les lattes du plancher en pin. A la tombée du jour, elle finit par y renoncer et inonda d'essence la maison de Carter Harlow.

Elle inonda méthodiquement chaque pièce, en renversa sur tous les sols et alluma patiemment les allumettes, l'une après l'autre. Elle ne prit rien, elle n'emporta absolument rien de la propriété de Carter Harlow; elle partit juste avec sa valise en osier. Elle la posa devant la barrière et se retourna pour regarder une dernière fois cette demeure.

D'abord, elle ne vit qu'une épaisse fumée noire qui s'élevait dans le ciel. Pourtant, quelque part dans la maison, les assiettes à motif chinois volaient en éclats et un chapeau, qui venait d'une boutique de La Nouvelle-Orléans, se consumait dans les flammes. Un lit à baldaquin en bois de rose, acheté à grands frais dans un magasin de Dallas, se réduisait en cendres. La fumée noircissait un papier peint représentant des fleurs jaunes sur fond bleu qui se rétractait sous l'effet de la chaleur et les papillons de Joey prenaient feu. Et au grenier, les souvenirs d'enfance de Will se réduisaient en poussière. Elle avait toujours voulu monter pour ouvrir la malle et découvrir tous ces objets que Will avait tant chéris... et là, pendant un moment, devant la barrière, il lui sembla qu'il en était encore temps. Il suffisait de monter l'escalier et de longer le couloir. Elle ferait vite et elle prendrait un balai pour chasser la fumée.

Elle avait franchi les premières marches du perron quand la vitre de la porte d'entrée explosa. Des éclats de verre brûlant se répandirent sur le porche, ricochèrent sur sa robe et la touchèrent aux mains et au visage. Elle pensa vaguement que cela aurait dû lui faire mal, qu'elle devrait en souffrir. Et plus loin encore, à la limite de son inconscient, comme si elle observait quelqu'un d'autre de loin, de très loin, elle songea que la fille qui se tenait sous le perron en flammes était sûrement devenue complètement folle. Elle redescendit les marches en titubant et sentit l'air frais de la nuit qui fouettait son visage comme un jet d'eau glacée.

« Vous êtes ici chez vous. »

« Désormais, c'est votre foyer. »

« Nous ferons de vous une vraie Texane. »

Des mensonges. Tout cela n'était que des mensonges. Elle ne l'avait pas compris jusqu'à ce que Carter Harlow lui fît enfin découvrir la vérité. Elle n'était rien. Elle avait eu tort de leur faire confiance. C'était lui le maître et lui seul. Ce n'était ni Will ni Evangeline. Eux dépendaient de ses bonnes grâces, tout comme elle. Tout lui appartenait, même sa propre personne. Mais désormais, elle n'appartiendrait plus à personne. Elle n'appartiendrait plus jamais à personne.

D'un pas lent, elle se dirigea vers la grille ouverte et regarda la maison des Harlow qui brûlait dans la nuit. Elle la contempla jusqu'à ce qu'il n'y eût plus rien à voir, rien que les flammes qui trouaient l'obscurité et flamboyaient dans l'immense ciel du Texas.

Dallas, Texas

7

L'épidémie toucha les plus importantes agglomérations du nord des U.S.A., mais aussi l'Europe et l'Asie. On estimait que le nombre des victimes s'élevait à vingt et un millions. Au cours des semaines où elle se propagea, on lui donna le nom de « grippe espagnole » et au moment où elle fut enfin enrayée, il fallut admettre officiellement qu'il s'agissait d'une véritable pandémie : le nombre de morts était égal au tiers des pertes provoquées par la peste noire qui avait ravagé l'Europe au Moyen Age. Plus tard, l'Histoire affirma que la Grande Guerre avait éteint toutes les lumières qui brillaient en Europe et tué toute une génération. La grippe espagnole, dernier affront ignominieux du destin, porta un coup fatal au monde.

Dans l'est du Texas, cela ne dura qu'une semaine, du 14 au 21 septembre 1918, mais le fléau s'abattit sur la région comme un couperet, coupant le mois en deux. Il y avait avant et après. Après la tempête, le calme revint et on nota un changement de temps. Tout d'abord, les gens réalisèrent qu'il faisait presque froid et que l'été touchait à sa fin, puis les malades commencèrent à se remettre et la mort cessa enfin de frapper.

Ils remirent en place les morceaux dispersés du puzzle de leur vie, enterrèrent leurs morts, commencèrent les moissons, rouvrirent leurs boutiques et les enfants, comme des patineurs testant la première couche de glace de l'hiver, reprirent prudemment le chemin de l'école. On aéra et nettoya les maisons et les fermes puis, début octobre, par un matin d'automne, un roadster vert quitta la ville de Earth. Une jeune femme était au volant; sur le siège du passager, on apercevait une valise en osier et un chapeau de paille. Elle emprunta la R. 30, puis se dirigea vers le sud en suivant une longue route poussiéreuse qui la mena dans les faubourgs de Dallas et enfin dans le centre de la ville.

Il était presque midi lorsqu'elle arriva et elle trouva le bureau de Lamar Street fermé. Elle se gara et attendit de l'autre côté de la rue tout en gardant un œil sur l'officine pour voir si elle rouvrait. Le soleil poursuivit sa course dans le ciel puis arriva au zénith et la boutique, qui était encadrée d'un côté par un drugstore vide et de l'autre par un grand magasin de vêtements silencieux, se retrouva à l'ombre.

Près de deux heures plus tard, la silhouette d'un homme trapu, qui portait un costume noir, une cravate à rayures et des bottes de cow-boy, apparut sur le trottoir désert. Il marchait d'un pas tranquille. Il ne portait pas de chapeau et, bien qu'il eût les traits tirés et des cheveux clairsemés, il paraissait plus jeune qu'elle ne se l'était imaginé. Il devait avoir une trentaine d'années, pensa-t-elle, tout en le regardant sortir une chaînette de sa poche et ouvrir la porte.

Elle attendit une minute, puis traversa prestement la rue. Sur la porte, une petite plaque dont la peinture commençait à s'écailler indiquait : « Benedict et Benedict, Avocats ». Elle se pencha pour l'examiner et frappa une fois puis une seconde.

« C'est ouvert », hurla une voix à travers la vitre. Elle sursauta. Elle n'avait pas entendu une voix aussi sonore depuis une semaine.

« C'est ouvert! Entrez. »

Elle poussa la porte et entra.

La pièce était étroite et toute en longueur. La partie réception où il y avait juste un bureau vide et des chaises en bois était poussiéreuse et, dans l'autre partie qui était couverte d'étagères, elle aperçut juste l'homme vêtu du costume noir. Son fauteuil racla le sol lorsqu'il se leva et il agita le bras vers elle pour lui faire signe d'entrer. Elle s'appuya contre la porte et la referma.

Clayton Benedict découvrit alors une fille qui portait une robe d'été de couleur pâle et un chapeau de paille à larges bords. Sa valise en osier à la main, elle traversa le coin réception et, d'un pas alerte, franchit le petit portillon qui séparait la pièce en deux. Elle avait de longs cheveux blonds et ses boucles souples encadraient son visage. Elle paraissait très jeune — elle devait avoir dans les seize ans — puis lorsqu'elle s'approcha de son bureau, il lui sembla soudain qu'elle était beaucoup plus âgée. Ses yeux brillaient comme des diamants au milieu de son visage et elle avait un port de menton arrogant. Il nota aussi autre chose alors qu'elle avançait vers lui : il se dégageait d'elle une volonté de fer. Cela fit ressortir à ses yeux sa propre fatigue ainsi que la poussière et le désordre qui régnaient dans le bureau depuis la mort de sa secrétaire. Elle avait succombé à l'épidémie de grippe et il eut soudain l'espoir que cette jeune femme était à la recherche d'un emploi. Si ce n'était pas le cas, il pensa qu'elle avait mal choisi son jour, qui qu'elle fût.

« Mr. Benedict ?

— Oui, m'dame. Puis-je vous être utile ?

— Davis Benedict ?

— Non, Clayton Benedict. Davis, c'était mon père, mais il est mort depuis quelque temps déjà. Je n'ai jamais pris la peine de changer le nom sur la porte. »

Un silence s'ensuivit, puis elle lâcha un « Oh ! »

« C'est lui que vous vouliez voir ?

— Votre nom n'était pas mentionné dans les dossiers, mais je suppose que c'est sans importance. C'est vous qui avez repris sa clientèle maintenant, c'est cela ? »

Son espoir de trouver une nouvelle secrétaire s'évanouit, mais il résista au violent désir qui lui dictait de se débarrasser d'elle sur-le-champ.

« Oui, c'est exact. » Il tira son fauteuil et s'y assit en lui faisant signe de prendre place sur l'un des deux sièges qui se trouvaient de l'autre côté de son bureau. « Et à qui ai-je l'honneur ? Mademoiselle ? Madame ?

— Madame. » Elle s'assit juste au bord du siège, raide comme un piquet, et le fixa d'un regard brillant, « Madame Will Harlow de Earth, Texas. »

Ce nom lui disait vaguement quelque chose et il hocha la tête d'un air entendu. Puis il tenta d'obtenir quelques éclaircissements. « J'ai entendu dire récemment que...

— Je suppose que vous avez appris la mort de mon mari,
Mr. Benedict. Il est parti à la guerre et il est mort. Toute la
famille a disparu. Tous les Harlow, sauf moi. »
Elle parlait d'une voix dure et un peu amère.
« Vous voulez dire qu'ils ont succombé à l'épidémie?
— Oui, la grippe les a tous emportés. Mon beau-père, sa
femme et leurs deux fils. La moitié de la ville a péri,
Mr. Benedict. »
Il hocha de nouveau la tête. « Je vois. Si vous voulez bien
attendre une minute, je vais essayer de trouver les dossiers
les concernant.
— Je vous remercie. C'est en effet, la raison de ma
visite. »
C'étaient de vieux dossiers poussiéreux; il ne les avait
parcourus qu'une seule fois, il y avait de cela environ cinq
ans, juste quand il était rentré à Dallas après ses études à
l'université de droit du Texas. Il resta un moment devant les
classeurs où étaient rangés les documents et feuilleta le
dossier. Il finit par découvrir les quelques notes qu'il avait
jetées sur le papier : il s'agissait d'une affaire mineure
concernant l'acquisition d'un pourcentage dans les rapports
d'un champ de pétrole. Il se souvenait parfaitement de
Carter Harlow maintenant. Il retourna à son bureau, ouvrit
la chemise d'une chiquenaude et se mit à lire les documents.
Il feuilleta rapidement les pages tout en griffonnant quelques mots sur un bloc jaune de papier à en-tête. Le dossier
n'était pas épais et cela ne lui prit pas beaucoup de temps.
Lorsqu'il releva enfin les yeux vers elle, elle était toujours
assise, droite comme un piquet, et attendait.
« Je voudrais vous poser quelques questions, Mrs. Harlow. »
Elle acquiesça d'un signe.
« Vous avez un certificat de mariage, je suppose?
— Oui. Oui, bien sûr. » Elle prit la valise, l'ouvrit sur ses
genoux et déposa plusieurs documents soigneusement pliés
sur le bureau. « Je pensais bien que vous auriez besoin de
tout cela. Il y a là le certificat de mariage et les actes de
décès de tous les membres de sa famille. » Elle referma la
valise et la reposa par terre.
« Et le sien aussi? »

Elle leva les yeux vers lui. « Le sien?
— Je suis désolé. Je veux dire... celui de votre mari.
— Celui de mon mari?
— Vous m'avez bien dit que votre mari était parti à la guerre et qu'il était mort là-bas, c'est bien cela? Donc je suppose que vous disposez d'un papier officiel du gouvernement ou peut-être d'un document militaire. Un acte certifiant la mort, accordant le permis d'inhumer... enfin quelque chose...
— J'ai juste reçu un télégramme il y a six mois. Il disait simplement qu'il avait été porté disparu au front et qu'il était présumé mort. Mais il est mort, Mr. Benedict. Nous l'avons toujours su. »

Tout en regardant ce petit visage pâle et froid dévoré par ses yeux étincelants, il lui expliqua alors la situation. Carter Harlow était un client de son père depuis vingt-cinq ans environ. Il n'y avait rien eu de spécial depuis la mort de Davis Benedict, mais il n'y avait pas eu grand-chose non plus avant. Les dossiers contenaient les actes de propriété des terrains et des biens fonciers dont disposait Carter Harlow en ville, ainsi que les hypothèques contractées sur le bâtiment qui abritait les bureaux du *Bugle-Times* et qui étaient remboursées depuis longtemps. Il y avait également les papiers officiels concernant la société, les documents bancaires, les polices d'assurance et les actions touchant l'exploitation de pétrole que Clayton avait retrouvées, sans oublier un testament qui datait d'il y a deux ans. Enfin, rien de très compliqué, rien qui sortît de l'ordinaire.

« Mais le problème, Mrs. Harlow, poursuivit-il, c'est que le dernier héritier direct, c'est son fils, Will. Enfin, tout du moins pour le moment, tant qu'un document officiel n'authentifie pas sa mort.
— Et alors? demanda-t-elle. Qu'est-ce que ça signifie?
— Eh bien, je peux tout de même faire quelque chose pour vous. A moins qu'il n'y ait un autre requérant évidemment... »

Elle secoua la tête.

« Dans ce cas, légalement, il semble que tout vous reviendra.
— Et en attendant? »

Il haussa les épaules. « Eh bien, entre-temps, tout reste la possession de votre mari. L'acte implique l'obligation de vous loger, de vous nourrir et de vous entretenir, mais en dehors de cela... A vrai dire, je crains que vous ne soyez plongée dans une situation un peu floue pendant quelque temps... dans les limbes en quelque sorte.

— Dans les limbes, répéta-t-elle. C'est un état dépourvu de grâce, Mr. Benedict, ajouta-t-elle en souriant. Je suis bien placée pour le savoir car j'ai été élevée chez les sœurs. C'est même quasiment les portes de l'enfer. »

Il sourit à son tour et tenta de la réconforter. « Ce n'est pas si terrible. Je veux simplement dire que légalement vous n'avez pas le droit de vous remarier ou de... »

Elle secoua la tête. « Je veux simplement savoir, Mr. Benedict, si je peux diriger le journal de vos limbes en question ? »

Les mots étaient lâchés, elle venait de lui révéler la raison de sa visite. Le journal lui semblait parfait, il lui avait toujours paru parfait même depuis qu'elle s'était faite à l'idée qu'il pourrait devenir le sien, elle n'avait qu'à s'en emparer. Désormais, il n'y avait plus personne pour lui dire qu'elle n'était pas une Harlow. Ils étaient tous morts, hormis elle

« Diriger le journal, Mrs. Harlow ? »

Il la fixait, mais elle se contenta de soutenir son regard, murée dans son silence. Une voiture passa dans la rue en pétaradant, puis le silence revint.

Il repoussa son fauteuil, et posa une botte sur le bureau, puis la seconde. Mais le visage de la jeune femme lui semblait aussi impénétrable que lorsqu'elle était entrée. Il était fragile et dur, trop jeune et trop vieux à la fois. Une question lui vint à l'esprit et il se passa la main dans les cheveux.

« Vous avez vingt et un ans révolus, Mrs. Harlow ? »

Elle secoua la tête. « Est-ce important ? » Sa voix était soudain très fluette.

Il haussa les épaules. « Peut-être pas. Écoutez, je ne connais pas la situation financière, mais si les affaires vont mal, eh bien... » Il haussa de nouveau les épaules et passa ses pouces dans sa ceinture. « Je pourrais peut-être vous trouver un acheteur pour le *Bugle*. Je pourrais le proposer au *Morning News* de Dallas. Il pourrait peut-être vous le racheter et vous en donner un bon prix, l'un dans l'autre. Voulez-vous que je me renseigne? »

Elle secoua la tête. « Je le dirigerai moi-même, Mr. Benedict.

— Ça vous ennuierait de me dire pourquoi vous voulez faire ça? »

Il attendit sa réponse, mais en vain, et il finit par poursuivre. « Écoutez, Mrs. Harlow, pourquoi n'essayez-vous pas de prendre les choses comme elles viennent pendant quelque temps. Vous pourriez rester dans la maison et...

— Il n'y a plus de maison, Mr. Benedict. Tout a brûlé... jusqu'à la dernière épingle. » Elle eut une légère moue et il perçut une intonation curieuse dans sa voix, peut-être était-ce un sentiment de triomphe ou de défi, mais il n'en était pas sûr.

« Mais alors, où avez-vous accroché votre chapeau ces jours derniers, Mrs. Harlow?

— Dans les bureaux du *Bugle*. » Elle pencha de nouveau la tête de cette façon si autoritaire. « Je me plais là-bas. Et j'ai l'intention d'y rester. »

Elle ne souriait pas, mais lui par contre, lui souriait très chaleureusement. « Vous voulez que je vous dise une chose, Mrs. Harlow? » Il éclata d'un rire sonore. « J'ai bien l'impression qu'ils vont devoir aussi mettre le feu à cette boîte-là pour arriver à vous en faire sortir. C'est vrai, non?

— C'est vrai, Mr. Benedict. » Elle acquiesça d'un signe. « C'est parfaitement exact.

— Écoutez, dit-il enfin, pour moi, il n'y a pas de problème. » Il lui adressa un large sourire. « Vous voulez prendre un avocat?

— Accepteriez-vous, Mr. Benedict? » Elle se fit soudain très pressante, presque timide. « Je sais que j'ai besoin d'aide. J'en suis parfaitement consciente.

— Ne l'avez-vous pas toujours su, ma chère? Vous feriez mieux de saisir l'occasion avant que je n'augmente mes tarifs. »

Cet après-midi-là à Dallas, pour la première fois depuis des mois, elle était presque heureuse.

Clayton Benedict la conduisit à l'Adolphus dans Commerce Street et lui proposa de la retrouver pour le dîner à huit heures. Elle accepta et le quitta. Un chasseur noir d'un certain âge qui portait une livrée d'un rouge écarlate la mena jusqu'à sa chambre, au second étage, ouvrit la porte et la pria d'entrer. Elle se retrouva enfin seule et toute la tension, la farouche énergie qu'elle avait rassemblées en elle, s'évanouirent.

Elle avait survécu à sa visite chez l'avocat de Carter Harlow et à son regard inquisiteur. Elle était terrifiée à l'idée de rencontrer Mr. Clayton Benedict; une voix lui soufflait : il va peut-être me soupçonner, ordonner d'exhumer le corps et découvrir mon crime. Mais il ne l'avait pas suspectée, il ne s'était même pas moqué de ses projets.

Elle s'inonda le visage et le cou d'eau froide et fit couler de l'eau sur sa robe. Elle avait trois heures devant elle, presque quatre, et elle voulait rester ici, passer tout ce temps dans cette chambre luxueuse.

On avait disposé de ravissants fauteuils aux pieds délicats sur le tapis épais où se mêlaient des tons pastel raffinés. Sur les murs clairs, on apercevait des cadres en chêne très travaillés et sur le bureau, un téléphone. A côté du combiné, on avait laissé une carte imprimée qui indiquait : « Room Service » et « Lingerie ». Chaque service correspondait à un numéro différent et, sur la dernière ligne, on lisait : « Femme de chambre. Nous Vous Prions De Lui Demander De Faire Couler Votre Bain. »

Elle sourit et appela tous les numéros. Elle commanda une limonade au Room Service, demanda à la lingerie de faire repasser sa plus belle robe et enfin à la femme de chambre de lui préparer un bain moussant très chaud dans la salle de bains à carreaux noirs et blancs. Tout cela respirait la richesse, l'élégance et le raffinement; elle avait l'impression de s'enfoncer dans du satin au terme du voyage de quatre-vingts kilomètres qui l'avait amenée à Dallas ce matin.

Elle avait traversé des villes dont elle n'avait jamais entendu parler, des agglomérations baptisées Fate ou Lone

Oak, et d'autres bourgades, plus petites, qui étaient disséminées dans ces plaines plus immenses, plus plates et plus
dévastées qu'elle se l'était imaginé à l'abri des collines
boisées de Earth. C'était la première fois qu'elle quittait les
pinèdes de Earth et le spectacle de cette désolation la
stupéfia. Les pâturages étaient complètement desséchés; il
n'était pas tombé une goutte de pluie depuis plus d'un an.
Les ranches étaient laissés à l'abandon; les fermiers étaient
morts et il ne restait plus que les chiens qui aboyaient, seuls
dans les cours. Dans les champs, des bœufs décharnés
beuglaient et dans les villes, les rues étaient presque désertes; seuls quelques vieillards regardaient l'heure à leur
montre et quelques jeunes femmes tenaient leurs bébés dans
leurs bras, leurs maris n'étant pas encore revenus de la
guerre ou étant déjà morts.

Elle eut soudain envie de retrouver Earth, sa vallée fertile
et le dédale des rues où elle était devenue une vraie femme
et où elle s'était enfin sentie chez elle. Elle voulait se faire
une place là-bas et, tandis qu'elle s'abandonnait délicieuse-
ment au plaisir de son bain parfumé dans la baignoire de
l'Adolphus, elle prit pleinement conscience de ce fait:
désormais sa position était assise.

Tout avait été si simple. Le lendemain matin, après
l'incendie, elle avait franchi les quelques marches du *Bugle*,
était montée au premier et avait traversé la salle des presses;
les machines étaient là, silencieuses et inutiles. Seul le
téléscripteur déroulait ses messages et recrachait des mètres
et des mètres de bulletins d'information qui gisaient à terre.
Elle songea combien il était étrange que le monde ne se fût
pas arrêté, qu'il n'eût même pas marqué une pause dans
cette débâcle.

Elle ne savait au juste comment avait germé en elle l'idée
de se servir de ces machines à ses propres fins. Elle s'était
rendue dans le bureau de Carter Harlow et avait fourragé
dans les dossiers jusqu'à ce qu'elle eût trouvé le rapport du
détective la concernant. En fait, au départ, c'était là la
raison de sa visite. Elle s'était alors assise dans le fauteuil de
Carter Harlow dans le bureau de Carter Harlow qui portait
son nom sur la porte et qui était le propriétaire de toutes ces
machines dans la pièce voisine, et avait tout simplement

déchiré le document. Elle venait de rayer à jamais une partie
de sa vie. Quelques instants plus tard, elle était retournée
dans la salle des presses et avait soudain réalisé qu'elle
pouvait désormais s'emparer de tout ce qui lui avait appartenu.

Elle voulait tout prendre, pour se venger, et tout simplement parce que tout était là, à portée de sa main. Par la
suite, elle se demanda si elle aurait éprouvé la même chose
s'il avait possédé une ferme ou un moulin. Mais elle était
incapable de répondre à cette question. Elle n'en savait rien
et cela n'avait aucune importance. Ce qui était fait était fait
et elle continuerait sa route jusqu'au bout pour protéger son
bien, le garder rien que pour elle et faire tout pour qu'il
devienne sa propriété exclusive.

La jeune femme qui rejoignit Clayton Benedict pour dîner
avec lui ce soir-là à huit heures lui parut beaucoup plus
détendue que celle qui était entrée dans son bureau cet
après-midi. Son regard brillant s'était voilé d'une certaine
douceur et sa froideur avait laissé place à une vivacité et à
un éclat qui ne manquaient pas de charme. Elle portait une
robe gris perle dont le col, bordé de dentelle, cachait
délicatement son cou. Dans la salle à manger de l'Adolphus,
le maître d'hôtel s'inclina devant elle pour marquer son
admiration et les installa à une table; la lumière diffuse
filtrée par l'abat-jour rose de la lampe lui seyait à merveille.
Sa silhouette se dessinait harmonieusement devant les ten-
tures en soie d'un rouge profond et l'éclat de la nuit noire
qui brillait à travers les baies vitrées. Elle était vraiment
ravissante. Son regard parcourut la salle et elle s'extasia
devant l'élégance des autres convives, ce qui amusa Clayton
Benedict. On leur apporta la carte. Il lui demanda si elle
désirait qu'il commandât pour tous deux, et sa réaction le fit
sourire. Elle acquiesça et lui avoua : « Je ne sais absolument
pas par quoi commencer. A vrai dire, c'est la première fois
que je vais dans un vrai restaurant. »

Il commanda une vichyssoise [1], des crevettes sautées et

1. Potage de poireaux et de pommes de terre à la crème servi glacé.
(N.d.T.)

une bouteille de vin blanc français. Pendant le dîner, il lui parla de son enfance, de son désir de devenir avocat comme son père et de sa sœur qui vivait à Paris.

« Paris en France?

— Non, dit-il en riant. A Paris, au Texas. »

Puis il lui parla de Paris et du voyage qu'il avait fait en Europe avant la guerre. Il était allé en Italie, en Allemagne, en Angleterre et en France. Mais il s'arrêta soudain dans son récit car il se souvint que, pour elle, l'Europe n'évoquait pas seulement des paysages idylliques de romans.

« Je suis désolé. Je n'avais pas réalisé.

— Non, ça ne fait rien. Ça ne me dérange pas », dit-elle, mais ce n'était pas vrai. Son visage s'était durci, presque imperceptiblement, et il changea de sujet. Il lança la conversation sur le *Bugle-Times* et sur ses projets d'avenir. Il lui posa de nombreuses questions, prit des notes et, deux heures plus tard, la quitta en lui promettant qu'il allait s'occuper de tout cela dès le lendemain matin.

Il commença par appeler le ministère de la Guerre à Washington, puis le tribunal des successions à Austin et enfin la State Bank of Earth où Carter Harlow avait son compte. Il apprit avec soulagement que son capital s'élevait à des centaines de milliers de dollars et qu'il disposait de liquidité.

Les autres coups de téléphone furent plus délicats. Il passa trois heures à donner des douzaines de coups de fil interurbains pour tenter de contacter les vieilles colonies allemandes disséminées au sud d'Austin.

« J'ai une cliente, expliquait-il sans relâche, il s'agit d'une dame qui dirige le journal de Earth au Texas. Tous les hommes de sa famille sont morts dans l'épidémie. » Il avait ensuite droit aux condoléances, aux statistiques sur le nombre de morts, enchaînait sur la situation au Texas et enfin revenait sur le sujet qui l'intéressait.

« Elle recherche un jeune type qui parle allemand. Un maître imprimeur qui répond au nom de Liepman. Ernst Liepman. »

Et à chaque fois, il répétait inlassablement les mêmes mots : « Non monsieur, je suis désolé. C'est tout ce dont nous disposons. Nous connaissons seulement son nom. »

Lorsqu'elle le retrouva, comme prévu, pour déjeuner, il était convaincu qu'ils n'y arriveraient jamais.

« Mais il faut que ça marche », lui dit-elle, l'ombre de son chapeau cachant mal son regard décidé. Elle lui montra la demande d'emploi qu'elle avait trouvée dans les dossiers de Carter Harlow et lui raconta une fois de plus l'histoire de l'imprimeur que le shérif avait sauvé de la fureur de la foule en le remettant dans un train en partance pour le sud.

« Un train en partance pour le sud, répéta-t-elle. J'en suis absolument certaine et je suis sûre qu'il est toujours au Texas. Quelque part au Texas. Vous voyez là ? » Au bas de la lettre d'Ernst Liepman, on lisait les renseignements suivants : Précédents emplois : le *Record* de New York et le *Tribune* d'Atlanta. Expérience sur la Mergenthaler, la Dexter et les machines à double impression. « Il sait se servir de toutes ces machines. C'est lui que je veux. Personne d'autre. Lui, il sera loyal. Vous comprenez ? »

Il la comprenait. Il trouvait que son raisonnement faisait preuve de perspicacité : elle voulait engager une personne plus faible, plus vulnérable qu'elle.

Après une nouvelle journée au téléphone, il finit par découvrir la trace d'Ernst Liepman ; il travaillait dans un restaurant dans la petite colonie allemande de New Braunfels. Il arriva à Dallas dès le lendemain. Il entra timidement dans la gare, à la recherche d'Amelia et de Clayton qui s'étaient assis en l'attendant. Il avait une trentaine d'années et portait une casquette enfoncée sur son crâne.

Il était très guindé et une certaine classe se dégageait de ses traits délicats. L'homme qui répondait au nom de Benedict lui présenta Amelia Harlow et lui expliqua que la salle des presses était pratiquement à l'abandon et qu'on lui proposait un emploi de directeur. Il l'écouta en silence.

« Et comment s'appelle le journal ? demanda-t-il ensuite.

— Le *Bugle-Times*, Mr. Liepman. » Ce fut Amelia Harlow qui répondit. « C'est l'hebdomadaire de Earth, une ville qui se trouve un peu plus au nord. »

Il fronça les sourcils. « Je suis déjà allé là-bas. » Puis il ajouta : « Oui, j'y suis déjà allé. Vous voudrez bien me pardonner, Mrs. Harlow, mais je n'ai pas l'intention d'y retourner.

— Mr. Liepman, je sais ce qui s'est passé et j'en suis désolée. Mais cela ne se reproduira plus. Je vous le promets. »

Il esquissa un sourire un peu amer. « Vous êtes vraiment charmante. Mais vous êtes aussi très jeune. Vous disposez peut-être d'une armée personnelle? Vous avez quelqu'un pour protéger vos presses des fureurs de la foule?

— Les choses ont bien changé, Mr. Liepman. Le quart de la population a disparu et les gens qui ont survécu sont tout à fait différents aujourd'hui. Rien ne sera jamais plus comme avant. »

Elle était très pressante et lui proposait un emploi.

Et il n'avait pas travaillé depuis longtemps. Il avait perdu sa situation au *Tribune* d'Atlanta lorsque la guerre avait éclaté et il avait ensuite erré de ville en ville à la recherche d'un emploi, se dirigeant toujours plus loin, vers l'ouest, après avoir essuyé un nouveau refus. Quand l'Amérique était entrée en guerre, sa vie était devenue un enfer; mais il refusait de croire que l'Amérique ne correspondît plus au rêve qu'il s'était forgé et ce sentiment lui permit de poursuivre ses efforts. Il avait tenté de comprendre. Bien sûr, c'était un peuple jeune et, tout comme les enfants ils ne voulaient pas renoncer à leurs bonnes vieilles plaisanteries sur les « Fritz ». Les Américains étaient un peuple jeune et ils avaient des idées très personnelles sur leurs guerres.

Il avait appris à faire la sourde oreille, à retenir sa langue et à s'en sortir. Un jour, il avait envoyé cinquante lettres à cinquante journaux du Texas et de l'Oklahoma; ces lettres s'étaient perdues dans le néant, elles étaient restées sans réponse et l'avaient convaincu qu'il n'existait plus en ce monde. Et aujourd'hui, elle était là devant lui. Elle avait une de ces lettres à la main et lui proposait un emploi.

Un emploi au Texas. Sa première image du Texas avait ressemblé à une descente aux enfers et maintenant, ironie du sort, cet État allait devenir le paradis à ses yeux. Là-bas, chez lui, à Cologne, personne n'avait jamais entendu parler de ces villages texans bondés d'Allemands qui parlaient avec des expressions un peu démodées et qui avaient fait fortune comme on peut s'enrichir en Amérique. Il avait pensé rester au restaurant de New Braunfels jusqu'au jour où elle lui avait proposé ce qu'il cherchait depuis si longtemps. Il avait fait des centaines de kilomètres pour cela. Pour trouver un emploi... un emploi dans un journal.

Il sourit, soudain heureux.

« Je serais très honoré de travailler pour vous, Mrs. Harlow. Vous aurez besoin de mes services à partir de quand ?

— A partir d'hier, Mr. Liepman, répliqua-t-elle. Oui, je crois que j'ai besoin de vous depuis hier. »

Elle quitta Dallas le lendemain matin. Elle n'avait rien vu de la ville, n'y avait rencontré personne et le seul visage de ce voyage qu'elle garda en mémoire fut celui du chasseur. Personnage anonyme, il arriva dans sa chambre le jour de son départ, de sa démarche alerte, pour venir chercher ses bagages. Lorsque son visage rond s'encadra dans la porte, il lui adressa un large sourire.

« Vos bagages sont prêts ? J'espère que vous avez bien profité de vot' séjour ici. »

Elle acquiesça et lui rendit son sourire alors qu'il soulevait sa vieille valise en osier et passait les poignées en tissu sous son bras. Il avait déjà parcouru la moitié du chemin qui menait à l'ascenseur lorsqu'elle se rappela soudain quelque chose.

« Attendez ! » lança-t-elle tout en se précipitant vers lui. « J'ai oublié...

— Nous avons oublié un sac ? » dit-il et il refit le chemin en sens inverse.

« Non, ce n'est pas cela. C'est à propos des... » Elle s'arrêta au milieu de sa phrase. Elle se sentait confuse et désarmée.

Il regarda curieusement la jeune femme qui se tenait dans le couloir et comprit brusquement son problème.

« Vous vous inquiétez pour les pourboires... C'est ça, n'est-ce pas, ma jeune dame ? »

Elle acquiesça d'un signe.

« Faut pas vous embêter pour ça. Ça m' fait plaisir d' vous servir. Vous pensez, une charmante dame comme vous.

— Non, je vous en prie. Je voudrais savoir.

— Bon, ben, j' vais tout vous dire. » Il jeta un coup d'œil des deux côtés du couloir et posa ensuite sa valise par terre.

« Écoutez-moi bien, comme ça, vous saurez exactement c' qui faut faire. » Très fier dans son uniforme d'un rouge étincelant, il se tenait dans le corridor et comptait sur ses doigts pour chaque poste.

« Un bagage, c'est cinq cents. Enfin, c'est l'usage à Dallas. Dans les trains, dans les hôtels, dans les taxis. Enfin, partout. Mais n'allez jamais à New York, dit-il en lui faisant un clin d'œil, là-bas, ça coûte dix cents. Pour les employés qui vous apportent quelqu' chose dans vot' chambre, c'est cinq cents et pour la femme de chambre, deux trois pence de plus. D'habitude, on les laisse sur le bureau. Et n' donnez jamais de pourboires en trop, vous m'avez bien compris? » Il la semonça en agitant le doigt. « Les gens penseraient que vous n'êtes pas une dame bien.

— Je vous remercie. Je vous remercie beaucoup », dit-elle en fouillant dans son sac à main à la recherche de son porte-monnaie. Et elle prit quelques pièces de monnaie pour donner ses premiers pourboires.

Elle quitta Dallas cet après-midi-là et arriva à Earth juste avant la nuit. Elle arrêta le roadster vert devant le *Bugle-Times*. Les rues étaient presque désertes et la salle des presses était plongée dans le silence. Elle trouva une règle en acier sur le bureau de Carter Harlow et se mit aussitôt au travail : faisant levier avec cet instrument de fortune, elle fit sauter la plaque qui portait son nom sur la porte.

8

Le maître imprimeur allemand arriva à Earth deux jours plus tard. Il descendit du train avec sa valise, impatient de se mettre au travail dans la salle des presses qu'elle avait frottée, nettoyée et blanchie à la chaux. Pour le moment, les effectifs étaient très limités. Le vieux Fred Billings, qui était rédacteur en chef du temps de Carter Harlow, ne s'était pas

encore remis de sa grippe espagnole, mais il souhaita bonne
chance à Amelia et lui dit qu'il passerait au journal leur
donner quelques conseils dès que les choses iraient un peu
mieux et qu'il pourrait enfin quitter le lit. Son absence
laissait Liepman parfaitement indifférent et Amelia ne le
regrettait pas vraiment. Il lui semblait plus excitant de
repartir sur des bases nouvelles. En dehors des deux garçons, Jimmy Bob et son cousin Petey, il ne restait plus
personne de l'ancienne équipe. Ils avaient quinze et seize
ans, le visage bourré de taches de rousseur, et s'interro-
geaient sur leur avenir, étant désormais sous les ordres
d'une femme, mais ils étaient ravis de retrouver leur travail
et le journal.

Le problème, lui expliquait Liepman, ce n'est pas le
manque de personnel, c'est le fait qu'un quart de la population de Earth et presque autant d'éleveurs et d'agriculteurs des environs ont disparu. Les ventes vont donc continuer à chuter tout comme les demandes de placards publicitaires tant que les magasins n'auront pas rouvert leurs
portes sous l'impulsion d'une nouvelle direction. La situation restera donc catastrophique tant que Mrs. Harlow
n'aura pas trouvé de nouveaux abonnés et de nouveaux
annonceurs auprès d'autres boutiques et d'autres magasins
dans d'autres villes.

Ils étaient assis dans son bureau fraîchement blanchi à la
chaux, à l'ombre du gommier dont le feuillage virait au
rouge foncé avec l'automne. Il fallait qu'elle développe son
système de distribution, poursuivit Ernst Lìepman, pour
pouvoir toucher les lecteurs de tous les villages de la région
durant les quelque quarante-huit heures pendant lesquelles
les titres de leur hebdomadaire étaient encore à la pointe de
l'actualité.

Il fallait qu'elle ait plus de vendeurs de journaux, plus
d'annonceurs et plus d'abonnés. Il fallait aussi qu'elle ait du
papier, de l'encre et des nouvelles à publier, et tout cela dès
maintenant.

« Maintenant ? » murmura-t-elle.

Liepman écarta les mains comme pour s'excuser. « Dans
cinq jours, une semaine au plus, il faut sortir quelque chose
des presses. » Il était d'un calme impressionnant, quasi
désarmant.

« Je pensais un mois ou deux.

— Non, non, Mrs. Harlow. Les journaux, vous voyez, c'est une habitude, ce n'est pas un besoin. C'est comme les bonbons. Si un lecteur perd cette habitude ou en prend une autre... ou même s'il commence à lire un autre journal d'une autre ville, alors vous avez perdu un abonné, et parfois à tout jamais. »

Elle acquiesça de nouveau. Elle savait que le *Bugle* n'avait pas paru depuis bientôt un mois, et cette constatation, qui était trop inquiétante pour qu'elle pût lui en faire part, la rendait muette.

La seule note rassurante dans ce tableau que Liepman lui traça concernait les informations. Ils avaient des nouvelles à imprimer. Ils disposaient des listes interminables des morts et des piles de bulletins transmis par les services d'information; ils avaient tant de matériel qu'ils ne pourraient jamais tout publier dans le premier numéro. Mais rien, aucune solution, ni aucun réconfort, ne pouvait lui cacher la vérité : la tâche qui l'attendait était vraiment écrasante. Elle repoussa son fauteuil et se leva, soudain saisie de panique. « Que dois-faire, Mr. Liepman?

— Le plus vieux des deux gamins?

— Petey?

— Oui. Ce Petey sera tout excité à l'idée d'aller chercher la liste du coroner. Il aura l'impression d'être un vrai reporter pour une fois. Moi, je vais m'occuper du papier, de l'impression et des tirages.

— Et moi? Qu'est-ce que je fais, Mr. Liepman? »

Il jeta un coup d'œil sur sa vieille jupe noire et son chemisier blanc tout simple. « Vous avez une jolie robe, dans les bleus, je crois. Et un charmant chapeau. Eh bien, si j'étais vous, Mrs. Harlow, je les mettrais. Je me changerais tout de suite, je monterais dans ma voiture et j'irais chercher des pubs.

— Je n'ai qu'à... demander?

— Oui, demander. Ou supplier.

— Supplier? Je ne pourrais jamais...

— Oh si, Mrs. Harlow. Moi, à votre place, s'il le fallait, je supplierais. »

Elle prit sa voiture et regagna la maison en bois où elle

avait loué une chambre dans Magnolia Street. Vingt minutes
plus tard, vêtue de sa robe bleue et de son chapeau de paille
à larges bords, elle partit à la recherche d'annonceurs,
dût-elle leur demander des placards ou les supplier. Elle
commença par aller voir les anciens annonceurs de Earth,
puis poursuivit sa quête jusqu'à Mount Pleasant et Daingerfield et même jusqu'à Omaha, Naples et Sugar Hill pour
tenter d'en trouver de nouveaux.

Elle consacrait toutes ses journées à cela et, le soir, jusque
tard dans la nuit, elle s'installait dans son bureau avec Petey
pour mettre au point les interminables listes des morts et
pour préparer l'éditorial sur l'armistice qui finirait bien par
se conclure et qu'elle voulait faire passer en première page.
Liepman s'occupa du cadrage de la une; il restait des heures
devant la machine en marmonnant comme un type qui
serait en train de devenir un peu fou. La première version
était trop longue, la seconde trop courte de huit centimètres.
Elle maudissait le jour où Fred Billings était tombé malade.
Elle maudit le pot de colle qui se trouva vide juste au
moment où elle découpait un insert retransmis par le
téléscripteur pour le passer aux épreuves. Et elle maudissait
son ignorance en matière de politique... et bénissait Jimmy
Bob qui lui avait tapé une liste dactylographiée des Alliés
qu'elle avait fini par épingler au mur pour savoir qui était
dans quel camp.

Il restait encore un emplacement publicitaire à remplir et,
à regret, car la mort de Perryman Carr l'avait plus cruelle-
ment touchée que tout le reste, elle se résigna à retourner au
drugstore de Main Street qui avait été sa boutique autrefois.

Lorsqu'elle faisait le tour des villes voisines dispersées
dans les collines boisées, on aurait pu croire parfois qu'on
assistait à une espèce de renouveau. Les magasins semblaient revenir à la vie, on retrouvait des visages familiers ou
on découvrait de nouveaux commerçants qui ne manquaient
pas d'intérêt. Un jeune pasteur, qui était charmant et plus
robuste, était arrivé du Nord pour prendre la place du
révérend Pack à l'église. Un nouveau receveur des postes
avait remplacé l'autre dans le bureau voisin de celui de
Mary Cherry toujours à son guichet au téléphone et au

télégraphe. Et un malabar, qui répondait au nom de Billy, avait réglé les impayés du bar de Sugar Hill et s'apprêtait à rouvrir en novembre en transformant la salle en dancing.

« On va avoir la prohibition [1]. C'est aussi sûr que deux et deux font quatre, lui avait-il dit. Mais j' vais vous dire une chose. Ça veut pas dire que les gars ont pas envie d' prendre du bon temps. C'est pas vrai? Et regardez... » Ses grandes mains rougeaudes bien à plat sur le bar et le regard espiègle, il lui fit un large sourire. « Admettons qu'un type s' glisse discrètement une petite bouteille de gin dans la poche. Il veut p' t-être s'en verser une petite goutte dans son café? Et alors moi dans ce cas-là, qu'est-ce que j' suis supposé faire? Bon Dieu, j' vais quand même pas appeler le shérif pour qu'il coffre un client? C'est vrai, non?

— Billy », dit-elle, l'air aussi sérieux que l'amendement concernant la prohibition, « tout ce que vous avez à faire, c'est de faire savoir aux gens que vous êtes là et vous allez faire fortune. Alors, un quart de page, ça me semble correct, qu'en pensez-vous? » Le menton appuyé sur sa main et son carnet ouvert sur le bar, elle regarda Billy droit dans les yeux. Il avait un regard bleu un peu enfantin. « C'est un format tout à fait adéquat pour une ouverture, vous ne trouvez pas?

— Dans une espèce de grand cadre fantaisie? Avec des fioritures sur les côtés?

— Non, Billy, avec des fioritures tout autour. »

Mais ce n'était pas la même chose de retourner au drugstore et au magasin de tissus et nouveautés de Perryman Carr. Elle se sentit triste en entrant. Le carrelage noir et blanc paraissait moins brillant et ce n'était pas le bon Carr qui était derrière le comptoir où on débitait les glaces. Il n'y avait là que le petit-fils du vieux Perryman, un jeune homme d'une vingtaine d'années qui la salua lorsqu'elle entra.

« Bonjour Howard, dit-elle en souriant. Je suis ravie de vous voir », ajouta-t-elle en se glissant sur le haut tabouret en acajou. « J'ai fort envie d'un ice-cream soda. »

---

1. La prohibition des boissons alcoolisées, appliquée avant guerre dans neuf États, fut étendue à l'ensemble de l'Union en 1919 par un amendement constitutionnel. *(N.d.T.)*

Il farfouilla pour trouver un verre, se lança dans le rituel de la fabrication des ice-creams sodas maison, il manquait désespérément de doigté : il lui présenta enfin une concoction qui n'avait rien d'alléchant. « J'ai beaucoup entendu parler de vous, Amelia. Alors, comme ça, vous avez tout repris en main. »

Il avait un visage long et mince comme son grand-père, mais son expression était totalement différente. Il ne dégage aucune générosité, songea-t-elle. Il est aussi peu séduisant que son soda.

« Tout le monde essaie de faire repartir les affaires. Vous ne croyez pas, Howard? J'espère que vous avez l'intention de faire comme votre grand-père et que vous continuerez à faire passer vos publicités dans le *Bugle*.

— Je ne crois pas, Amelia. A dire vrai, tout le monde nous connaît dans le coin, notre réputation n'est plus à faire depuis le temps.

— Je sais très bien depuis quand les Carr sont dans la région, Howard.

— J'espère bien, Amelia. Nos deux familles ont fondé cette ville. Les Carr et les Harlow. C'est vrai, non? Et ils en ont fait une charmante petite ville pour les vrais Américains. Pour les Américains pur-sang, les vrais Blancs quoi. »

Elle garda le silence et but une nouvelle gorgée de soda, puis repoussa le verre à pied, qui était encore à moitié plein, au fond du comptoir. « Et d'après vous, quelqu'un n'y aurait pas sa place, Howard? Quelqu'un qui ne serait pas un vrai Américain? »

Il ne lui répondit pas, mais elle le fit à sa place.

« Peut-être voulez-vous parler de Mr. Liepman? Bien que je suppose que vous sachiez qu'il est citoyen américain depuis un certain temps déjà. »

Il s'activa derrière le comptoir; il vida son verre, le plongea dans l'eau savonneuse et se mit à ranger les pailles.

« Alors, Howard?

— Je pensais juste que j'aurais mieux fait de me taire, Amelia. Vous dirigez votre affaire comme vous l'entendez et .moi, je mène la mienne.

— A la faillite, Howard? C'est ça, votre intention? » Elle était raide comme un piquet et parlait d'une voix glaciale. « Parce que je vais vous dire une chose, Howard. Et tout de suite. Il y a un nouveau magasin de tissus et nouveautés qui vient d'ouvrir à Daingerfield et qui est deux fois plus grand que le vôtre. Il est tenu par des gens du Nord, je crois. Vous savez, Howard, des sales Yankees [1]? » Elle lui sourit; elle était folle de rage et avait envie de le blesser. « Vous savez, de ces arrivistes qui vous commandent tout un programme de placards publicitaires que je vais me faire un plaisir d'énumérer pour vous. »

Il lui tourna le dos. Elle ouvrit son carnet en émettant un petit bruit qui trahissait sa satisfaction.

« Ils envisagent de faire passer une demi-page toutes les semaines. Plus une page entière quatre fois par an... soit une pour l'hiver, une pour le printemps, une pour l'été et une pour l'automne, Howard. Ce sera des placards illustrés, des publicités spéciales pour des promotions sur certains articles. Actuellement, nous discutons aussi d'un insert spécial pour Noël et, inutile de vous dire, que je vais faire un papier sur leur magasin que je ferai passer en troisième page. Ou peut-être devrais-je le faire passer à la une? Qu'en pensez-vous, Howard? Cela vous conviendrait peut-être encore mieux? » Elle prit alors une voix délicieuse, une voix charmeuse teintée d'un accent du Sud, et lui adressa un adorable sourire lorsqu'il fit volte-face et la regarda droit dans les yeux.

« Ne faites plus aucune publicité si c'est là votre souhait, Mr. Carr. Comme vous le dites si justement, je dirige mon affaire et vous la vôtre. »

Elle laissa un énorme pourboire lorsqu'elle partit, s'éloigna dans les allées d'une démarche rapide et altière, et éprouva un sentiment de triomphe qui la laissa presque sans voix, lorsqu'elle reçut sa demande de placard de publicité l'après-midi même. Le texte était le suivant : « Métrages de coton chez Carr. Disponible de suite. Et à moitié prix. »

Ils bouclèrent le journal cette nuit-là. Les quatre pages qui

---

1. Les Yankees sont uniquement les habitants de la Nouvelle-Angleterre, État du nord de la côte Est. *(N.d.T.)*

sortirent des presses avaient cette odeur forte et entêtante de l'encre et il lui sembla que c'était la plus belle chose qu'elle eût jamais vue.

A ses yeux, cette première édition resta un événement exceptionnel. Les mois suivants, le *Bugle-Times* allait subir quelques modifications, il allait s'étoffer et passer à huit pages, puis enfin à douze. Il allait développer les informations politiques et internationales, proposer des articles financiers et les rapports de la bourse. Il y aurait aussi une page spéciale destinée aux femmes qui, tout comme elle, avaient changé pendant la guerre; cette page était consacrée aux vêtements, à la mode et aux appareils ménagers qui permettaient de gagner du temps dans la vie quotidienne. Une autre page était réservée aux petites annonces et aux personnalités de passage en ville. Les publicités relevaient de la réussite personnelle d'Amelia, et tout spécialement la page entière que lui avait commandée le Yankee qui tenait le magasin de tissus et nouveautés de Daingerfield et qu'elle finirait par devoir lui céder à moitié prix.

Cependant, tous ces changements n'altérèrent jamais le sentiment d'émerveillement qu'elle avait éprouvé en voyant la première édition. Elle avait fait encadrer la première page et l'avait accrochée dans la pièce du rez-de-chaussée qui allait devenir le hall d'entrée. Et, même sous verre, il lui semblait qu'elle sentait encore cette forte odeur d'encre qui l'avait frappée lorsque Ernst Liepman lui avait tendu les premières feuilles qui sortaient tout juste des presses.

« Félicitations, Mrs. Harlow.

— Félicitations à vous, Mr. Liepman. »

Il lui paraissait épais et conséquent. Il lui semblait vrai, plus réel que ses propres gestes, et même plus réel que l'en-tête qui annonçait : « Amelia Bliss Harlow, Éditeur. »

Et les citoyens de Earth étaient fiers de cette jeune femme de La Nouvelle-Orléans qu'ils avaient adoptée maintenant et du journal de leur ville qu'elle avait, tel un phénix, fait renaître de ses cendres. La plupart des habitants en vinrent à admirer son maître imprimeur allemand et finirent par oublier qu'il n'avait pas toujours été là et qu'Amelia Harlow n'avait pas toujours fait partie de leur communauté. Ils oublièrent la maison qui se dressait aux abords de la ville et la vie d'avant-guerre qui était si différente. Et, des mois plus tard, alors que commençait une nouvelle année et que le printemps revenait, lorsque l'employé du télégraphe reçut le message qui annonçait que Will Harlow était vivant, bien et entier, il rentrait chez lui, tout le monde se rassembla sous le gommier noir pour hurler la bonne nouvelle et acclamer Amelia.

Elle resta assise, seule dans son bureau derrière les portes closes, et fixa d'un regard incrédule le télégramme que Ernst Liepman lui avait remis. Elle ne souhaitait qu'une chose : que les clameurs de la rue se perdent dans le vacarme du téléscripteur pour qu'elle puisse enfin réfléchir. Puis elle alla à leur rencontre, traversa la salle des presses, descendit l'escalier et apparut en haut des marches du perron. Encore sous le choc, elle se mit à pleurer ; elle en voulait à ce Dieu qui, quelque part, jouait avec sa vie et qui lui avait pris quelque chose pour le lui rendre, mais trop tard.

9

Will Harlow arriva par un samedi matin de mai 1919. L'orchestre du collège l'attendait à la sortie du train et, lorsqu'il apparut sur la plate-forme, les notes de *The Yellow Rose of Texas* s'élevèrent dans l'air chaud de cette matinée printanière. Un comité d'accueil était venu saluer son arrivée, mais ces visages, qui auraient dû lui paraître familiers, lui semblaient étrangers et il cherchait désespérément à reconnaître les visages de sa femme et de sa famille qu'il avait laissées en partant. Il aperçut alors deux enfants qui fendaient la foule et, le sourire aux lèvres, il se détourna. Mais ce n'étaient que des petites filles qui avaient des roses jaunes plein les bras. Puis il vit Amelia, mais elle était seule.

Elle s'avança vers cet homme aux cheveux soyeux. Il avait l'air vieux et semblait flotter dans son uniforme. Elle réalisa soudain que le capitaine Harlow, docteur en médecine, était maigre, maigre comme un clou.

Leurs regards se croisèrent et, pendant un quart de seconde, ils redevinrent ce qu'ils étaient autrefois : un médecin et sa jeune femme follement épris l'un de l'autre. Sous les clameurs de la foule qui semblait fêter leur amour et sous les notes vibrantes de l'orchestre qui résonnaient à leurs oreilles, ils s'approchèrent l'un de l'autre et s'enlacèrent tout en sachant parfaitement qu'ils n'étaient plus que deux étrangers l'un pour l'autre.

Ils s'installèrent dans une maison de Jefferson Street et Will commença à se remettre. Ils faisaient très rarement allusion à la guerre et n'abordèrent jamais franchement le sujet de front. Ils avaient compris que cet événement avait profondément modifié leurs personnalités et, d'un accord tacite, préféraient garder le silence. Les gaz moutarde avaient marqué Will à tout jamais et il savait qu'il ne pourrait jamais chasser ses souvenirs de sa mémoire; il revoyait les corps de ses compagnons déchiquetés par les grenades et les débris de chair humaine qui gisaient, disloqués, sur les champs de bataille. Il ne pouvait oublier les blessures sordides qu'il n'avait pu soigner, la saleté, le bruit, la fatigue et l'odeur fétide de la mort. Toutes ces images de cauchemar l'empêchaient de trouver le sommeil et, un dimanche à l'église, elles le fouettèrent en plein visage. Un enfant avait laissé tomber un livre de prières et, soudain saisi de sueurs froides, il se retrouva là-bas, sous une tente du camp médical où régnait la crasse.

Il avait servi en Angleterre, puis en Belgique et en France. Et un jour, au cours de la contre-attaque massive des Allemands en novembre 1917, dans un village aux abords de Cambrai, il avait pris un fusil et s'était lancé dans la bataille. Il progressait à plat ventre dans une rue pavée, avançant centimètre par centimètre, le corps en sang et la peur au ventre. Et il avait survécu, mais quelque chose en lui était mort à tout jamais.

Les Allemands l'avaient ensuite emmené dans un camp de prisonniers près de la frontière française et le temps s'était écoulé, monotone. Six mois plus tard, il avait été libéré.

Après l'armistice, il avait passé des mois dans un camp où on l'avait soigné; soldat mutilé et anonyme parmi des milliers d'autres qu'on tentait d'identifier pour le guérir et le renvoyer chez lui. Il rentra chez lui ce printemps-là et, une fois de retour, se sentit comme amputé. Il entendait les voix de ses petits frères dans la cour de l'école, voyait sa mère dans les rues de Earth et éprouvait une certaine rancune envers Amelia. Il avait perdu toute énergie. Elle passait par-dessus cela. Le regard d'Amelia était tourné vers l'avenir et le sien vers le passé.

Elle rentrait tard le soir, parfois même après que la bonne qu'elle avait engagée lui eut servi son dîner et l'eut quitté. Elle longeait le trottoir d'un pas allègre et arrivait, trop éclatante, trop gaie. Elle ne parlait plus de l'épicier, des thés chez ses amies ou de magazines. Elle ne parlait plus que de son travail, des presses, du papier et des abonnés, de ce nouveau journal qu'elle avait créé elle-même.

« Ça suffit, Amelia, finit-il par dire un soir. C'est ton joujou, pas le mien. »

Dans ses moments les plus noirs, il lui en voulait de la façon dont elle traitait le roadster de La Nouvelle-Orléans. Un soir, installé sous le porche de la maison de Jefferson Street, il la regarda arriver, prenant son virage sur l'aile au coin de la rue. Elle conduisait toujours comme si elle avait le diable à ses trousses et l'état de la voiture en témoignait : le moteur toussait quand elle s'arrêtait, la carrosserie était entièrement rayée, le pare-chocs était tordu et le marche-pied pendait par terre.

« Amelia, cette voiture n'a même pas quatre ans et elle est bonne pour la ferraille. »

Elle vint s'asseoir à côté de lui sous le porche. « Ce n'est pas à ce point-là quand même ?

— En fait, elle a l'air dans le même état que moi. Bonne à mettre au rencart.

— Oh, Will, ce n'est pas vrai. » Elle s'agenouilla devant lui et prit ses mains dans les siennes. « Il faut simplement que tu te reposes un peu et tu seras complètement rétabli. » Elle se détourna pour jeter un coup d'œil sur le roadster, puis, le regard brillant, revint vers lui.

« Nous allons acheter une voiture neuve. Non, deux voitures neuves.

— Tu ne voudrais pas aussi un nouveau mari, Amelia ? » Il esquissa un sourire.

Le regard tendre, elle serra sa main contre sa joue. « Ce n'est qu'une vieille voiture, Will. Et les vieilles voitures, ça part en morceaux. Toi, tu vas guérir. Encore un peu de patience et tout ira bien.

— Tu le penses vraiment, Amelia? »

Il était rentré depuis un mois. Toutes les nuits, il dormait à ses côtés, sa main dans la sienne, et attendait que son désir revînt. Et cette nuit-là, pour la première fois, il eut de nouveau envie d'elle. Il voulait retrouver les moments d'autrefois, retrouver sa jeunesse et son corps en pleine santé, retrouver le ciel du Texas noyé d'étoiles où brillait la pleine lune. Enfin redevenir un tout jeune médecin qui vient de décrocher son diplôme et d'épouser une charmante jeune fille. Il l'embrassa d'abord timidement, tendrement, et sentit son corps se raidir. Puis il l'embrassa sauvagement et elle se dégagea violemment de son étreinte. Il la ramena vers lui et la domina de tout son désir et de toute sa douleur, repoussant ses mains qui se débattaient tandis qu'il cherchait sa poitrine et la toison sombre et délicate, cachée entre ses cuisses. Elle pleurait et le suppliait d'arrêter, mais lui aussi l'implorait : il avait tant besoin qu'elle répondît à son désir. Son désir se fit soudain plus violent et il se mit à la caresser comme un fou en haletant. Lorsqu'il la pénétra, elle se mit à hurler, mais il ne l'entendit pas; ses cris furent étouffés par le martèlement qui lui battait les tempes et par son propre hurlement, un long cri de soulagement. Cette nuit-là, il dormit la tête enfouie dans ses cheveux épars sur l'oreiller.

Amelia resta allongée dans l'obscurité en attendant que la quiétude de la pénombre la calmât. Elle sentit ses larmes couler sur son visage et les sécha de la main. Mais tout son corps lui faisait mal et elle laissa retomber sa main et resta immobile, le regard rivé au plafond, souhaitant de toutes ses forces que sa douleur et sa colère s'évanouissent.

La rage était montée en elle dès le premier baiser de Will qui la pressait de répondre à son désir. Quoi qu'il eût fait, cela n'y aurait rien changé. Elle s'en rendait compte maintenant. Ni sa patience d'autrefois ni sa tendresse dont elle se souvenait à peine. Au cours de ces quelques nuits qui avaient précédé la guerre, ses mains la parcouraient tout doucement pour lui apprendre à découvrir son corps. Il l'avait éveillée délicatement aux plaisirs des sens, mais elle n'en avait connu que les prémices et elle savait que désormais trop de choses avaient changé et qu'elle était incapable de revenir en arrière. Elle tira le drap sur elle et resta ainsi, écoutant la respiration sereine de l'homme amaigri qui était allongé à son côté. Elle se sentait de nouveau elle-même maintenant que c'était fini. Et elle avait le journal de Carter Harlow. Oui, ça, elle l'avait. C'était son joujou désormais, comme avait dit Will. Il était rien qu'à elle.

Cette nuit-là, Will se réveilla et lui fit l'amour une seconde fois; cette fois-ci, il se glissa plus facilement dans son corps car elle était encore humide de ses premiers émois. Amelia essaya de se souvenir de leur lit dans la chambre de son enfance et des couleurs du couvre-lit en patchwork qu'Evangeline avait fait de ses mains.

Au cours du printemps de 1920, Will commença à aller mieux. Il souffrait moins physiquement et ses souvenirs de la guerre étaient moins présents. Il était plongé dans l'élaboration d'une maison en bois de trois étages qui aurait une douzaine de marches menant à une véranda circulaire soutenue par une colonnade. Il supervisait lui-même la construction et la regardait s'élever, planche après planche, juste derrière l'endroit où se dressaient les peupliers qui bordaient le terrain de leur ancienne maison. Il la vit sortir de terre, austère silhouette blanche dans ce paysage dévasté et, le jour où on ensevelit les anciennes fondations, il planta le premier peuplier du futur bosquet. L'automne suivant, il reprit ses consultations et rouvrit son cabinet derrière l'église. Et il recommença à soigner les maux et les douleurs que vous impose la vie.

Amelia se consacrait entièrement au journal. Elle s'y donnait corps et âme et, avec un instinct de survie digne d'un animal rusé, elle comprit que la radio risquait de renverser son empire. Le *Morning News* de Dallas avait une station de radio. Et elle voulait sa station de radio.

Clayton Benedict déposa une demande de licence pour la station KLIP et Amelia reçut une kyrielle de candidats qui briguaient le poste de directeur. Finalement, son choix se porta sur un jeune homme de Chicago au visage rougeaud qui avait d'énormes nœuds de cravate et qui semblait porter en lui la même frénésie que son époque.

« Les interviews, c'est ça la réponse à votre question, dit Richard Cooper. Des interviews sur le vif. Dans les snacks, en ville, partout... c'est ça le truc qui intéressera les gens du coin. Vous comprenez? Les informations au niveau national, vous les avez par l'Associated Press, c'est juste, non? On a juste à dépouiller les dépêches et à les lire. Et puis, on fait un petit truc sur la messe du dimanche, quelques bons shows pour les gosses... vous verrez, on leur fera chanter *Dixie*. Et de la musique. De la bonne musique. Des disques de chez Victrola. Du jazz. Du ragtime. Du ragtime qui chauffe. Vous avez déjà entendu du ragtime?

— Oui, dit-elle en riant. Je connais le ragtime.

— Alors c'est parfait. Quelqu'un m'a dit que vous étiez de La Nouvelle-Orléans. Vous savez que tout est parti de là-bas, de Basin Street. Le jazz, le ragtime, le blues. Tout ça, c'est venu de là-bas, du Quartier rouge... de Storyville, vous connaissez? » Il rougit et resserra son nœud de cravate. « Non, évidemment, vous ne pouvez pas connaître un endroit pareil, Mrs. Harlow, mais ça devait être une sacrée époque. Toute cette musique qui swinguait et qu'on jouait dans les rues de Storyville. Je suis vraiment désolé d'avoir raté ça.

— Comment cela " rater ", Mr. Cooper?

— Oui, c'est fini tout ça maintenant. Ils ont fermé Storyville pendant la guerre. Je ne sais pas quand exactement.

— Intéressant », dit-elle.

Au départ, elle offrit un temps d'antenne gratuit aux annonceurs et, grâce à ce geste généreux, ils affluèrent en masse. Parmi eux, se trouvait Papy Jarvis.

« Mon chou », brailla-t-il quand il fit irruption dans son bureau (Il arrivait directement de son ranch de Mount Pleasant.) « J' vais m' présenter au Congrès, Amelia. Cette saleté du Klu Klux Klan revient en force et les gens sont en train de devenir complètement fous. Et moi, ça m' plaît pas. Mais pas du tout. »

Sa crinière blanche ondulant sur ses épaules et son Stetson noir rejeté en arrière, il se coinça dans un fauteuil qui se trouvait de l'autre côté de son bureau.

« Et vous savez, mon chou, je veux vot' soutien. Un p' tit peu d' temps d'antenne sur vot' radio et p' t-être bien un p' tit éditorial bien léché. Un article p' t-être, mais seulement si ça vous dit. J' voudrais pas vous forcer la main ni profiter de...

— Non, non, Papy, il n'y a pas de problème. Je serais ravie de vous aider.

— Eh ben, merci mon chou. P' t-être qu'à nous deux on va arriver à sauvegarder l'est du Texas. Il doit rester propre not' pays. »

La tour de la radio s'éleva dans le ciel, les voix franchirent les ondes, la musique déferla et la vie du médecin de la ville et de sa femme suivit son cours. La colère qui l'avait envahie à son retour s'était évanouie quand elle avait compris que Will n'avait pas l'intention de lui reprendre quoi que ce fût. Elle dirigeait son journal et sa station de radio et, le soir, dans la chambre à coucher de la maison blanche aux abords de la ville, elle faisait ce qu'on attendait d'elle. Quand il le fallait, elle lui donnait son jeune corps si désespérément sec et, lorsque le calme était revenu, elle regardait par la fenêtre et fixait les lumières de la station KLIP qui clignotaient dans la nuit comme des étoiles qu'elle aurait accrochées dans le ciel du Texas.

Earth, Texas

10

Ils vinrent au monde en ce troisième jour de la nouvelle année; ils naquirent respectivement à sept heures et à sept heures et demie du matin. Plusieurs heures plus tard, Amelia sortit enfin de son état léthargique; Will repoussa ses cheveux fins tout collés de sueur et lui caressa le front.

« Nous avons des jumeaux, Amelia. Un garçon et une fille. » Il saisit ses mains glacées et vit que ses ongles avaient viré au bleu. Le cœur battant, il se souvint alors des mains de porcelaine, si délicates, qui s'étaient un jour attardées sur la manche de sa veste et il lui sembla que cela tenait presque du miracle qu'Amelia eût survécu à cette épreuve.

Aux yeux de Matty, il n'y avait aucun doute : c'était purement et simplement un vrai miracle. Le travail avait duré quatre jours; il avait commencé le dernier jour de l'année pour se poursuivre dans les premières heures de l'année suivante. Puis Matty avait pris des mains du Dʳ Will un bébé chétif et braillard, une petite fille, et une demi-heure plus tard, le garçon était venu au monde; il ne devait pas peser plus de deux kilos, pensa-t-elle, il n'était qu'un petit être silencieux entre la vie et la mort.

Matty n'avait jamais assisté à un accouchement aussi difficile. Elle avait déjà vu des femmes subir des heures de travail douloureuses, mais elle n'avait jamais rien vu qui se pût comparer aux épreuves que venait de traverser cette fragile petite femme blanche. Matty savait qu'elle allait mourir et elle était quasiment certaine que le Dʳ Will en avait aussi été convaincu lorsqu'il était revenu au chevet de sa femme au milieu de la nuit, après avoir mis un autre enfant au monde, et avait envoyé Matty à son cabinet pour qu'elle lui rapportât de la morphine qui, hélas, n'avait pas fait beaucoup d'effet. Peut-être allait-elle encore survivre une heure ou deux maintenant que c'était fini, mais Matty n'en était même pas sûre. Elle ne croyait pas non plus que le petit garçon pourrait résister, mais elle l'emmena tout de même dans la chambre d'enfants du troisième étage et le déposa dans le berceau, juste à côté de la petite fille, comme un chiot malingre qu'on met avec le reste de la portée en espérant que la chaleur des autres pourra le fortifier.

Mais tout cela ne lui disait rien qui vaille en ce jour de janvier; rien de tout cela ne s'annonçait sous les meilleurs auspices. Le visage aussi pâle que d'habitude, malgré sa couleur de peau, son Duke était appuyé contre la porte de la chambre d'enfants. Sa cousine Rosie se balançait sur son fauteuil près de la fenêtre en sanglotant; sa poitrine, lourde de lait, se soulevait sous ses hoquets.

Matty renifla. Elle n'avait jamais eu une haute opinion de Rosie. Ce n'était qu'un petit bout de bonne femme bien enrobée et complètement stupide qui avait un teint basané que Matty avait toujours trouvé épouvantable. Elle était le fruit de l'amourette d'une de ses cousines avec un Mexicain qu'elle avait rencontré du côté de la frontière. La friponne était même allée jusqu'à appeler sa fille Rosita, mais Matty avait transformé ce nom de roman à quatre sous en Rosie. Cependant, lorsque Mrs. Harlow avait eu besoin d'une nourrice, Rosie s'était révélée la seule candidate possible et Matty avait dû se résigner à aller la chercher. Elle était arrivée, complètement bouleversée par la mort de son bébé et, au bout du deuxième jour de travail de Mrs. Harlow, elle était devenue si hystérique que Matty l'avait envoyée dormir dans la grange. Matty n'avait vraiment pas envie de se retrouver avec une nourrice qui aurait fait tourner son lait à force de se surexciter en traînant dans la maison. Car dans ce cas, elle était bien sûre que Duke et elle auraient perdu leur travail et Matty ne voulait pas perdre cette place.

Matty et Duke venaient de Sugar Hill où ils avaient été élevés dans les collines où serpentaient les ruisseaux. La famille de Matty avait quitté l'Alabama pour le Texas après la guerre civile; à l'époque, les Reconstruction Acts [1] des Yankees prouvaient qu'ils étaient pleins de bonnes intentions et ils les avaient suivis. Puis, lorsque les Yankees avaient quitté la région pour repartir plus loin vers l'Ouest, la famille de Matty était restée là et avait fini par échouer à Sugar Hill. Quant à la famille de Duke Washington, il semblait qu'elle avait toujours été là, et Matty et lui avaient grandi ensemble, Texans de la troisième génération dépourvus de tout avenir.

L'eau de Sugar Hill était bonne, certains disaient même que c'était l'eau la plus délicieuse de tout le Texas. Si on en buvait une fois, on ne pouvait plus s'en passer. Et les gens ajoutaient : peu importe où vous allez, de toute façon vous reviendrez ici. La terre où couraient les ruisseaux était une bonne terre arable où poussaient des joncs sur lesquels jouait la lumière. Mais cette terre n'était plus bonne à cultiver. Pour cela, il aurait fallu faire des études et il n'existait aucun lieu, absolument aucun endroit, où un Texan noir comme son Duke aurait pu acquérir ce genre de connaissances. Alors Matty, femme soignée et ordonnée, était restée sous le porche de la maison de Sugar Hill qu'ils s'étaient bricolée, à écouter en silence le Dr Will. Elle pesait le pour et le contre alors qu'il lui disait : « Vous devriez venir en ville, Matty. Je vous ferai construire une petite maison près de la mienne, rien que pour vous deux. Vous vous occuperez de Mrs. Harlow et de moi, Matty, et je vous promets que vous ne le regretterez pas. »

Et elle n'était pas malheureuse. Elle faisait la cuisine et le ménage, s'occupait du jardin et de ses maîtres, et songeait à retourner à Sugar Hill. Elle pensait à cette eau si douce, si pure et à la lumière sur les joncs. Et elle savait qu'ils n'y retourneraient jamais.

Et aujourd'hui, Matty était dans la chambre d'enfants au dernier étage de la maison du médecin de Earth et gazouillait en se penchant vers les jumeaux blottis dans leur berceau. La petite fille était superbe, ça c'était certain; quant au petit garçon, son état paraissait moins alarmant.

---

1. Lois de 1867 réhabilitant les États vaincus du Sud qui furent réorganisés et réincorporés à l'Union. *(N.d.T.)*

C'étaient deux adorables petits bébés aux cheveux blonds et soyeux qui étaient déjà tout bouclés. Et eux avaient besoin d'elle, même si elle ne pouvait plus rien faire pour Mrs. Harlow. Elle les prit dans ses bras, chacun d'un côté, et les amena à Rosie. Elle les regarda tandis qu'ils cherchaient son sein et commençaient à téter. La maison était plongée dans le silence.

Quelques jours plus tard, le Dr Will glissa un petit extra dans la grande poche de son tablier en vichy en lui disant qu'elle avait sauvé son fils. Matty savait se montrer charmante quand les Blancs lui témoignaient leur gratitude en espèce sonnante et trébuchante. Elle le remercia d'un signe et lui fit son plus beau sourire. Mais pour elle, même en y réfléchissant à deux fois, c'était un dieu bienveillant qui avait sauvé cet enfant.

Mais il était un mystère plus ténébreux encore et que Matty ne put jamais élucider : Mrs. Harlow avait réussi à s'en sortir. Deux mois plus tard, elle était là, dans l'église, pour assister au baptême de ses enfants, frêle silhouette vêtue d'une robe en plissé bleu et arborant l'un de ses éternels chapeaux à larges bords qu'elle mettait toujours pour sortir, que ce fût la mode ou non. Elle portait ce jour-là un chapeau de paille orné de longs rubans bleus assortis à sa robe qui tombaient nonchalamment sur ses épaules et cachait presque sa coupe à la garçonne, ses boucles courtes encadrant un visage aussi asexué que ceux des jumeaux que Matty tenait dans ses bras.

Amelia Harlow avait les yeux clos, à l'abri de son chapeau. Elle écoutait l'hymne que la femme du pasteur jouait sur le petit orgue de cette modeste église et regretta un instant le chant des religieuses, l'odeur de l'encens et l'apparat des cérémonies qui avaient bercé une partie de son enfance. Mais elle chassa aussitôt ses souvenirs et ses pensées se reportèrent sur ses enfants.

Elle avait tout d'abord été surprise lorsqu'elle avait compris qu'elle allait porter en elle un bébé et, les semaines passant, son corps avait continué à l'étonner. Son ventre commença à s'arrondir, puis il se mit à grossir de plus en plus, sa poitrine se fit plus lourde et plus pulpeuse et semblait s'épanouir en une sexualité qui lui demeurait totalement étrangère, comme si son corps menait une existence complètement différente de la sienne. Lorsqu'elle prenait un bain et jetait un coup d'œil vers ces tétons trop mûrs et trop agressifs, elle détournait aussitôt les yeux, timide et désemparée devant ce spectacle : elle n'arrivait pas à croire que cela lui arrivait vraiment.

Le travail précédant l'accouchement commença très tôt et Will lui promit que cela ne durerait pas longtemps. Les Texanes étaient faites pour avoir des enfants, avait-il dit, elles faisaient ça vite et sans problème, comme les chattes. Le second jour, quand il la mit sous morphine, Amelia crut entendre une chatte hurler. Son cri fendit l'air et, quelques instants plus tard, lorsque la douleur se calma un peu et qu'elle cessa de trembler, elle comprit que la drogue avait réduit à néant les dernières bribes de courage et de maîtrise de soi qui lui restaient. Ce n'était pas un animal qui avait hurlé, c'était bien elle.

On ne se souvient jamais des douleurs de l'accouchement : toutes les femmes qu'elle connaissait lui avaient dit cela. Mais Amelia s'en souvenait parfaitement, elle ne se rappelait pas la souffrance, mais le sentiment d'humiliation qui l'avait saisie. Elle avait été soudain réduite à l'état d'un animal qui hurlait, suppliait et transpirait abondamment. Elle se rappelait aussi ces mains qui avaient écarté ses genoux pour laisser ses cuisses béantes; il lui avait semblé que c'était une forme de viol. Et elle se souvint de tout cela très clairement, même bien longtemps après.

Sa poitrine dégonfla. Elle commanda des lits jumeaux dans un magasin de Dallas et fit venir un coiffeur pour qu'il coupât les longues boucles blondes que Will aimait tant caresser la nuit. Elle lui avait donné tout ce qu'un homme peut raisonnablement espéré en matière de progéniture : elle lui avait fait un garçon et une fille. Désormais, ils avaient leurs bébés et elle craignait de retomber enceinte.

« Tu me comprends, lui dit-elle. Je suis sûre que tu comprends. » Elle le regarda en silence et attendit sa réponse. Les mains enfoncées dans ses poches, il fixait le lit qui serait désormais le sien, lui avait-elle dit.

« J'aimais tes cheveux, murmura-t-il enfin. Ils étaient ravissants, comme toi. Je les aimais beaucoup, Amelia. » Il haussa les épaules, eut un sourire étrange, puis se détourna et monta retrouver les jumeaux.

La musique jouée par l'organiste allait crescendo; le jeune pasteur du Nord leur fit signe d'avancer pour que la cérémonie du baptême pût commencer. Elle ne se souvenait plus exactement quand elle avait appris qu'elle attendait des jumeaux. Mais elle s'était alors juré — et elle renouvela son serment — qu'elle donnerait à sa fille tout ce qui lui avait manqué, une vie qui ne serait faite que de douceur et de bonté, et qu'elle offrirait à son fils, car pour un garçon les choses sont tout à fait différentes, tout l'empire qu'elle avait édifié : le journal et la station de radio. Elle ne lui laisserait jamais connaître les horreurs de la guerre qui avaient bouleversé la vie de Will. Quand le moment arriverait, s'il arrivait un jour, elle veillerait à ce que son fils ne connût jamais ce que son père avait vécu. En se répétant cette promesse, elle sut que le premier prénom qu'elle avait choisi était le bon. Quant à leurs seconds prénoms, elle les avait adoptés en regardant la carte du Texas, car elle espérait que ses deux enfants réaliseraient de grandes choses.

Le soleil filtrait à travers les vitraux de l'église baptiste de Earth. Lorsqu'il prit sa fille qui hurlait, des bras de Matty, Will esquissa un doux sourire. Amelia ouvrit les bras à son fils et le serra contre sa poitrine alors qu'ils recevaient le baptême : ce garçon s'appelait Bliss Houston Harlow et sa sœur, Eleanor Austin.

11

Il avait trois ans maintenant. Allongé dans son berceau, il regardait le soleil du matin filtrer à travers les carreaux, la lumière jouant sur les vitres.

Eleanor aussi était encore au lit; de l'autre côté de la pièce, elle plongeait la tête la première sous les couvertures en poussant des petits cris ravis et donnait des coups de pied à Rosie qui tentait de l'attraper. Bliss sourit. Eleanor avait gagné. Pourtant, Rosie ne tarderait pas à la sortir du lit, puis elle la coifferait, laverait son visage, lui mettrait une robe toute propre et bien repassée et ensuite habillerait Bliss à son tour. Puis Rosie les prendrait chacun par une main et les conduirait en bas pour que Matty fasse sa tournée d'inspection. Matty remettrait en place un lacet défait, une boucle mal fermée ou encore une mèche de cheveux rebelle et on les emmènerait alors dans le grand hall d'entrée pour attendre l'apparition de la *Golden Lady* qui descendrait bientôt l'imposant escalier à vis.

Elle dégagerait un parfum raffiné et leur ferait de petits signes en riant. Elle s'agenouillerait devant eux sur le tapis épais, les prendrait dans ses bras et les appellerait de noms amusants comme « Mon singe », « Mon petit bouton » ou « Mes sucres d'orge ». C'est pourquoi Bliss l'avait baptisée sa *Golden Lady*. C'était le nom qu'il lui avait choisi, tout comme elle aimait à l'appeler « Mon petit bouton ». Elle prendrait alors un air sérieux, ou plus exactement à moitié sérieux car son regard resterait souriant, et leur recommanderait d'être gentils et de bien se tenir à table au petit déjeuner, mais aussi au déjeuner et, lorsqu'elle rentrerait à la maison, ils prendraient le thé tous ensemble sous la véranda.

Le thé était un moment très agréable. On pouvait grignoter des petites choses, s'amuser à faire des puzzles ou regarder des livres. Un jour, à l'heure du thé, leur père leur donna un album et leur jouet préféré : il s'agissait d'un gros ours en peluche marron qu'Eleanor s'obstinait à appeler « Oie ». Bliss trouvait cela très drôle, mais leur papa fronça les sourcils en regardant Eleanor d'un œil perçant. « Ce n'est pas une oie, ma chérie. C'est un ours. Pourquoi ne veux-tu pas l'appeler " Mon Ours ", ou " Nounours " tout simplement? »

Eleanor se remit à pouffer de rire et Bliss l'imita. Il lui donna des coups de coude jusqu'à ce qu'elle s'expliquât enfin : « On l'appelle " Oie " parce que ça n'en est *pas* une. Tu comprends? »

Leur papa parut perplexe. « Il te faudrait peut-être une oie. Une grosse oie jaune avec un duvet très doux? » Bliss se.

remit à donner des coups de coude à Eleanor en secouant la tête.

« Mais non, papa, dit-elle, nous en *avons* déjà une. » Elle enfouit son nez dans son ours en peluche et pouffa de plus belle.

Ce jour-là, les choses ne s'étaient pas très bien passées; pourtant, d'habitude, l'heure du thé était l'un des meilleurs moments de la journée. Mais ce qu'ils préféraient par-dessus tout, c'étaient les quelques instants du matin qu'ils partageaient avec la *Golden Lady*. Elle s'arrêtait toujours en bas de l'escalier et refermait la main sur le baiser que Bliss venait de lui donner.

« Ne le perds pas, murmurait-il.

— Non, je te le promets », chuchotait-elle.

Bliss se retourna sur le ventre pour regarder Eleanor entre les barreaux de son berceau; il sourit en voyant qu'elle se débattait toujours avec Rosie.

C'était toujours elle qui parlait, lui l'interrompait rarement. Elle détournait la tête pour recracher un plat qu'ils n'aimaient pas et disait : « Je n'en veux pas. » Elle s'accrochait aux jupes de Matty en gémissant : « Non, ne fais pas cela. » Elle avait un grand lit, mais lui avait insisté pour garder son berceau... pour tous les deux. Quand les choses n'allaient pas comme elle le voulait et qu'elle se sentait triste, elle traversait la chambre d'enfants à pas de loup, grimpait dans le berceau, passait par-dessus les barreaux et se laissait retomber à ses côtés.

Papa avait voulu supprimer le berceau, mais il s'était accroché aux barreaux en bois et s'était mis à pleurer. « Ne sois pas stupide, Bliss. Tu n'as pas envie d'avoir un grand lit, toi aussi? » Il savait que papa serait fâché, mais cela lui était égal : il voulait garder son berceau. Matty finit par intervenir : « Bientôt, il ne pourra plus rentrer dedans. Ne vous inquiétez pas, docteur Will. » Papa avait abandonné et Bliss s'était tourné vers Eleanor pour lui sourire.

Leur ressemblance était frappante; hormis les longs cheveux d'Eleanor, on ne pouvait les différencier. Quand ils mettaient un pantalon et un chapeau — ils adoraient s'habiller ainsi — et qu'ils allaient se regarder dans le miroir du couloir du premier, ils tournoyaient devant leur reflet jusqu'à ce que la tête leur tournât, puis s'arrêtaient enfin et fixait la glace. De prime abord, même pour eux, il était impossible de savoir qui était qui. Ils ne faisaient qu'Un et ils s'étaient promis qu'il en serait toujours ainsi. Il avait vaguement compris que cela avait échappé à sa mère. Elle les confondait dans sa tête et faisait de lui un garçon courageux et d'Eleanor une douce petite fille. Mais cela lui était égal. Il le lui pardonnait chaque matin quand il arrivait au pied de l'escalier pour déposer un baiser dans sa main.

Il avait quatre ans maintenant et sa mère paraissait contrariée. Elle descendait toujours l'escalier à vis tous les matins et rentrait toujours prendre le thé sous la véranda en fin d'après-midi. Mais son regard était sombre et inquiet et parfois, elle retournait au bureau après le thé. Ce qui se passait, ça s'appelait « se faire doubler », sauf que maman avait dit qu'il faudrait d'abord passer sur son corps pour y arriver. Personne ne lui prendrait une parcelle de son empire.

Des files de voitures se garaient devant la maison et un défilé d'hommes en costumes sombres se succédait sur les marches du perron. Ils n'arrêtaient pas d'aller et venir. Bliss reconnut Mr. Benedict et Mr. Liepman; un jour, il aperçut même l'homme qui ressemblait au père Noël dans ses vêtements de tous les jours et qui disait toujours : « Appelle-moi Papy, mon garçon, appelle-moi Papy. » Le front contre la vitre, Eleanor et lui le regardèrent de la fenêtre de leur chambre et, les matins suivants, ils surveillèrent l'arrivée des voitures, mais en vain. Il n'y avait plus rien à voir hormis les traces qu'elles avaient laissées dans l'allée en gravier et la ligne de peupliers où ne se profilait plus personne.

Bliss cueillait des fleurs pour les offrir à sa mère à l'heure du thé. Eleanor faisait tout son possible pour essayer d'être gentille. Et papa répétait toutes ces expressions bizarres que les gens employaient comme « une combinaison-pyjama » ou « fiche le camp » et racontait les plaisanteries qui, disait-il, revenaient dans son cabinet aussi souvent que les rhumes de cerveau.

« Ça, c'est l'histoire à propos de Calvin Coolidge. C'est notre président en ce moment et il est un peu comme toi,

Bliss. Il est du genre silencieux. » Il sourit et prit Bliss sur ses
genoux. « On raconte qu'une dame était venue dîner avec lui
et lui avait demandé de lui parler. Il paraît qu'elle avait
parié qu'elle arriverait à lui faire sortir plus de trois mots de
la bouche. Donc son sort dépendait de lui. Mais le président
Coolidge se contenta de secouer la tête et lui dit : " Vous avez
perdu. " »

Eleanor éclata de rire. « Maman, je t'assure que j'arriverai
à lui faire dire plus de trois mots. Regarde, maman. » Elle
poussa Bliss par terre et se mit à le chatouiller jusqu'à ce
qu'il criât en hoquetant : « Je t'aurai, je t'aurai! »

« Tu vois, maman », dit Eleanor en se cachant derrière le
fauteuil de son père comme si elle avait peur de Bliss qui
s'apprêtait à se jeter sur elle. « Quatre mots! Il a dit quatre
mots!» Et ils se mirent à glousser et à hurler en se
poursuivant dans la pièce jusqu'à ce que leur mère esquissât
un sourire absent qui glaça le cœur de son fils.

Quand elle commença à aller au bureau tous les samedis,
et même certains dimanches, Bliss et Eleanor prirent l'habitude de l'accompagner. Rosie jetait des crayons et des
cahiers dans un grand sac, puis elle mettait « Oie » sur le
dessus, et ils montaient tous dans la voiture, maman,
Eleanor, Bliss et Oie.

La secrétaire de leur mère, miss Sarah Leslie, s'occupait
d'eux. Elle appelait leur mère « M'dame » et avait des
cheveux bruns coupés encore plus court que ceux de
maman. Ce samedi-là, elle portait une jupe plissée assez
courte et elle avait un collier qui descendait plus bas que sa
taille.

« Ça, par exemple », dit-elle en les serrant dans ses bras.
« Mais vous grandissez à vue d'œil? » Elle les prit par la
main. « Venez. On va aller dans la salle des presses. Je sais
que vous adorez regarder toutes ces machines. » Elle sourit à
Bliss et le tira par la main. « Surtout quand elles sont
silencieuses. »

Un jour, ils étaient venus lorsque les machines tournaient
et cela faisait un tel vacarme que Bliss s'était mis à pleurer.
« Je les préfère le samedi », dit miss Leslie en poussant la
porte de la salle des presses. « Ça fait un tel raffut quand
elles marchent qu'on peut à peine s'entendre penser. »

Bliss ne les aimait pas, même le samedi. Il s'amusait beaucoup plus à jouer avec les téléphones dans le bureau de Mr. Liepman; après, miss Leslie l'installait dans son bureau, lui offrait une limonade et lui donnait toute une pile de crayons à tailler pour maman.

Il était tard ce samedi après-midi de novembre 1928 et il ne faisait pas encore tout à fait nuit. Miss Leslie travaillait à son bureau, elle tendit la main vers la lampe pour allumer la lumière. Bliss et Eleanor étaient à plat ventre sur le tapis, occupés à tailler leurs crayons, et « Oie » était tranquillement assise entre eux, quand quelque chose bougea dans la rue. Bliss leva les yeux : les feuilles rouges du gommier s'étaient mises à trembler.

Le jeune pasteur du Nord et sa femme dirent ensuite à Amelia Harlow qu'ils les avaient vus disparaître au coin de la rue où se trouvait la banque et courir à perdre haleine dans Main Street. Halloween [1] était déjà passé, mais ils avaient d'abord cru qu'il s'agissait de gamins déguisés en fantômes, mais ensuite ils avaient compris qu'ils s'étaient trompés. Ils avaient remarqué que leurs cagoules étaient pointues et qu'on y avait ménagé des trous béants à l'endroit des yeux. Les vandales avaient disparu aussi vite qu'ils étaient venus, une silhouette s'était avancée à vive allure et s'était arrêtée juste un instant devant le journal, le temps de jeter quelque chose dans les branches du gommier.

Amelia entendit d'abord le bruit sec d'une détonation, puis l'éclat fulgurant d'une déflagration et enfin le cri déchirant, encore plus strident, d'un enfant. Elle ne vit pas les fenêtres de son bureau voler en morceaux. Elle s'était précipitée à la porte et tenait déjà Bliss dans ses bras, il avait été touché à la joue et le sang dégoulinait sur son visage et entre les doigts de sa mère. Elle le serrait contre elle à lui faire mal et, Bliss dans ses bras, Eleanor dans ceux de Sarah Leslie, elles se ruèrent dans le couloir.

Leur course folle prit fin dans la salle des presses. Seuls les derniers sanglots de Bliss et la respiration haletante de

---

1. Pour Halloween, veille de Toussaint, la tradition veut que les enfants se déguisent et fassent le tour de leurs amis et de leur famille qui les accueillent en leur offrant de petits cadeaux. *(N.d.T.)*

Sarah Leslie trouaient le silence. Elle avait le visage en feu et
les yeux écarquillés de stupeur. « Ça, par exemple, c'était
vraiment trépidant », lança Sarah Leslie. Elle parla d'une
voix brisée, mais Amelia lui fut tout de même reconnaissante
de cet effort.

« On se serait cru le quatre juillet [1] tout à coup, réussit à
bredouiller Sarah. C'est vrai franchement... avec tous ces
pétards qui sautaient partout. »

Eleanor se dégagea de l'étreinte de Sarah et se mit à
secouer sa blouse : les morceaux de verre rebondirent par
terre. « Voilà. Maintenant, c'est à nous de lancer des feux
d'artifice, d'accord? »

Amelia se força à sourire. « Oui, ma chérie. Je crois que
c'est votre tour », dit-elle, puis, comme sous l'empire de sa
peur et d'un instinct soudain qui lui dictait de lancer une
contre-attaque, elle se mit à trembler. Cette impression lui
parut étrangement familière et elle se souvint alors qu'elle
avait éprouvé la même chose face à Carter Harlow. Et
aujourd'hui, cette violente sensation l'envahissait de nouveau.

Elle cacha son visage contre Bliss; elle sentait que son
petit garçon était en sécurité dans ses bras, les jambes
enroulées autour de sa taille. Il dégageait une odeur de
limonade mêlée aux mines de crayon et au coton fraîchement lavé. Puis, lorsqu'elle releva la tête, elle sentit les
relents âcres d'une bombe artisanale.

Quelques heures plus tard, ce soir-là, alors que Will était
en haut avec les jumeaux, Amelia s'assit seule dans la
véranda. Les rideaux étaient tirés pour la protéger de la nuit
et elle échafauda le plan qui allait conduire à la ruine
l'homme qui avait tenté de faire sauter ses bureaux.

Il s'appelait Strickland Dart, ou plus simplement « Sam »
pour ses amis du Ku Klux Klan et ses employés. Il était
propriétaire de l'*East Texas Times*, un journal militant qui
faisait partie d'un petit groupe d'hebdomadaires distribués

---

1. Jour de la fête de la Déclaration d'Indépendance. On organise, pour
l'occasion, des feux d'artifice. *(N.d.T.)*

dans une demi-douzaine de villes à l'est de Dallas. Ils ne comprenaient que quatre feuillets, mais tous les articles étaient consacrés à « la race la plus blanche qui vivait sur le sol le plus noir du Texas ».

Il voulait acheter la moitié des parts du *Bugle* et de la station de radio KLIP. Il avait adressé sa première offre de transaction au bureau de Dallas de Clayton Benedict. C'était une proposition avantageuse, vu que la station de radio était toujours sous hypothèque. La seconde offre fut encore plus intéressante. Et la troisième fut carrément déconcertante, tout comme les pressions émanant de la banque de Noah Carr qui encourageait fortement Amelia à l'accepter. C'est à ce moment-là qu'avaient débuté les réunions qui s'étaient poursuivies tard dans la nuit et les discussions qui s'étaient prolongées durant de longues heures. Mais ce ne fut que lorsque Papy Jarvis débarqua un jour de Washington, D.C., qu'Amelia apprit enfin que les visées de Sam Dart ne concernaient pas son journal. Sa cible, c'était la station de radio.

L'année précédente, il avait déposé une demande pour une licence qui lui aurait permis de monter sa propre station de radio. Mais Papy, sa longue crinière blanche ondulant sous le vent, avait dévalé la Colline [1] et s'était rué dans les bureaux de la Commission fédérale de la radio en jurant que, si jamais quelqu'un accordait une licence à cet immonde bouseux, cette fieffée crapule qui souillait le cœur même du Texas, il ferait un tel esclandre en défendant personnellement le caractère sacré et l'inviolabilité des ondes du domaine public, que personne ne l'oublierait jamais. Ah ça, non, jamais. Papy avait tapé du poing sur la table, il avait fulminé et tempêté, tant et si bien que l'assistant de la Commission, complètement décontenancé, avait finalement accepté d'ajourner la décision qui ne serait prise qu'après une étude ultérieure. Et aujourd'hui, Sam Dart voulait acheter la moitié des parts de KLIP pour dispenser son message politique... et il le voulait à tout prix.

---

1. La colline du Capitole à Washington. (*N.d.T.*).

Il faisait à peine jour en ce vendredi matin lorsque Joe Gasparini, le responsable du service de distribution du *Bugle* pour la région de Mount Pleasant, découvrit trois malabars vautrés devant la porte de son bureau à côté du guichet de la gare. Les piles bien nettes et bien ficelées du *Bugle* étaient empilées sur le quai et une douzaine de gamins, qui livraient les journaux, attendaient de l'autre côté de la voie ferrée, l'air assez terrifié, à côté de leur bicyclette.

Le plus costaud des trois se leva et interpella Joe Gasparini. « Tu t'occupes pas du *Bugle* aujourd'hui », dit-il en mâchonnant son cure-dents. Il était très carré et le col ouvert de sa salopette découvrait l'épaisse toison grise qui couvrait ses pectoraux. « C'est pas le jour, aujourd'hui. T'as pigé, sale rital ? »

Joe Gasparini n'était guère plus épais que ses jeunes vendeurs, ni beaucoup plus âgé. Il haussa les épaules. « Je vais devoir raconter ça à Mrs. Harlow. Et ça ne va pas lui plaire. »

L'homme au cure-dents éclata de rire. « Et qu'est-ce que vous allez pouvoir y faire, toi et ta Mrs. Harlow ? Hein, espèce de macaroni ? »

Il fit signe à ses compères de se lever et Joe les regarda, impuissant, déchirer la ficelle qui retenait les journaux et donner un coup de bottes dans les piles. Deux mille exemplaires du *Bugle* se répandirent comme des épaves sur la voie ferrée. Le chef de la bande sourit à Gasparini. « Tu diras à Mrs. Harlow d'écouter c' qu'on lui dit la prochaine fois qu'on lui fera une offre. N'oublie pas d' lui dire ça, sale rital. »

Joe rapporta la commission à Mrs. Harlow, tout comme les vendeurs de Daingerfield lui expliquèrent qu'ils avaient découvert cinq brutes au visage impassible en train de saccager les rayons des roues de leurs bicyclettes. Une habitante de Omaha, une bourgade située à trente-cinq kilomètres de Earth, raconta à Amelia qu'un homme s'était présenté chez elle et lui avait remis un paquet qui s'avéra être un rat crevé enveloppé dans des feuilles du *Bugle-Times*. Deux semaines plus tard, la bombe explosait sous les fenêtres de ses bureaux.

Le lundi suivant, Amelia se rendit à Dallas de bonne heure.

Sam Dart la fit attendre vingt-cinq minutes et elle imagina, à juste titre, qu'il comptait les minutes, chaque instant représentant une humiliation supplémentaire dont il se délectait. Cela la fit sourire et, lorsqu'elle fut enfin introduite dans son bureau, elle refusa le siège qu'il lui offrit et resta debout, le visage baissé à l'ombre de son chapeau, comme une écolière prenant un air contrit.

Son physique n'était pas à l'image de son nom [1]. Grassouillet et court sur pattes, les replis superflus de ce corps encombrant débordaient de son fauteuil et des auréoles sombres se dessinaient comme des demi-lunes sur sa chemise à rayures. « Ravi de constater que vous vous êtes rangée à ma vision des choses, ma petite dame. » Il grimaça un sourire. « On va être très heureux ensemble, vous et moi.

— Mais certainement, Mr. Dart. » Elle garda les yeux rivés au sol et l'invita à contacter son avocat pour régler la transaction.

« Je vais m'occuper de ça, mon chou. Ne fatiguez pas votre charmante petite tête avec tous ces détails. Je vais vous proposer un marché honnête. J'ai toujours été réglo en affaires et je le serai toujours. »

Elle acquiesça. « J'en suis convaincue, Mr. Dart. »

Une heure plus tard, elle était dans le bureau du responsable de son service de distribution. Elle avait du liquide en poche et lui expliqua, avec calme et minutie, le plan qu'elle avait conçu pour mettre Sam Dart sur la paille.

Il lui fallut onze mois pour arriver à ses fins. Cela dura de novembre 1928 au mois de septembre de l'année suivante. Au printemps, les abonnés de l'*East Texas Times*, le journal de Sam Dart, ne recevaient déjà plus leur hebdomadaire du mercredi à temps. En avril, les réclamations des lecteurs firent chuter les revenus publicitaires. Mais Sam Dart y prêta à peine attention. Les tractations, qui avaient pour but de lui faire obtenir 55 % des actions de KLIP, étaient fort complexes et les négociations se poursuivaient à un rythme plus intensif que jamais. En juin, on nota une diminution

---

1. Dart signifie fléchette. *(N.d.T.)*

catastrophique des demandes d'abonnement, mais lorsque
Sam Dart s'en alarma — un mercredi d'août — il était trop
tard. Ce jour-là, il n'y eut pas un seul vendeur de l'*East Texas
Times* qui se présenta à son poste pour prendre livraison des
journaux à distribuer. Ils étaient tous partis assister au
spectacle du théâtre de Fort Worth, un mécène généreux et
anonyme leur ayant offert leurs billets de train et leurs
fauteuils d'orchestre avec ses compliments.

Lorsque le numéro du début octobre sortit, il n'y eut plus
qu'une seule personne pour se porter acquéreur de l'*East
Texas Times*. Et si Sam Dart avait encore quelque espoir en
pensant qu'il allait les liquider en les revendant cinq cents
au lieu d'un dollar à une société qui servait de prête-nom à
Amelia Harlow, ses derniers doutes s'évanouirent lorsqu'il
reçut, ce soir-là, un mot qu'on lui remit en main propre dans
sa propriété de Dallas.

> Cher Mr. Dart,
>
> Cela me ferait grand plaisir si vous m'envoyiez le
> dernier numéro de votre journal aux bureaux du *Bugle-
> Times*. Je pourrai ainsi empiler votre dernier tirage aux
> toilettes et je fais toute confiance à mon imprimeur pour
> que ce papier serve enfin à ce pour quoi j'ai toujours
> pensé qu'il était fait.
>
>   Cordialement,
>   Amelia Bliss Harlow
>   Éditeur.

Il ne lui restait plus qu'à régler le sort de Noah Carr. Il
n'avait pas fallu longtemps à Clayton Benedict pour confirmer les soupçons d'Amelia : la State Bank of Earth avait
financé toute l'opération de Dart. Trois semaines après que
Sam Dart eut déposé son bilan, elle téléphona à Noah Carr à
la banque et coupa court à sa courtoisie par trop joviale.

« Auriez-vous l'amabilité de me dire où en est mon compte? lui demanda-t-elle. Je reste en ligne.

— Quelle idée avez-vous en tête, Amelia? » La voix qui
résonna dans le combiné trahit soudain une certaine
anxiété.

« Je ne sais pas encore très bien, Noah. Mais j'aimerais avoir mon relevé de compte. »

Elle perçut à l'autre bout du fil des bruits de papier froissé et l'aspiration de Noah qui tirait sur son cigare. « Vous avez un crayon sous la main? Ça fait très exactement cent mille cinq cent vingt-huit dollars et trente-quatre cents.

— Je vous remercie, Noah », dit-elle et elle savoura un instant le plaisir très spécial qu'allait lui donner le coup de grâce qu'elle s'apprêtait à porter. Elle ne se donna même pas la peine de formuler cet ordre comme une demande. « Je vais tout retirer, lâcha-t-elle, aujourd'hui même. Et en liquide. »

Le choc le laissa sans voix et cela la fit sourire. « Mais, Amelia, vous allez me faire sauter. Vous ne pouvez pas faire ça, balbutia-t-il le souffle court.

— Je serai là avant trois heures, Noah. Je vous remercie. » Elle raccrocha le combiné et eut vaguement l'impression qu'elle avait les mains moites.

Une semaine plus tard, le vendredi 25 octobre, on lança d'importants ordres de vente sur le marché concernant des actions de la General Motors et de Kennecott Copper et cela provoqua une véritable panique à la Bourse de New York. A midi, les actions avaient déjà chuté de façon impressionnante. Les plus importantes banques de New York, dont celle de J.P. Morgan, réunirent deux cent quarante millions de dollars pour tenter d'endiguer le flot, mais cet effort patriotique fut totalement inefficace. La presse newyorkaise baptisa ce jour le Vendredi noir et, bien qu'on réussît à maintenir les prix le lundi, ils s'écroulèrent de nouveau le mardi 29 octobre : certaines actions chutèrent de soixante dollars.

C'était le krach et, tandis qu'Amelia Harlow lisait les nouvelles sur les interminables bulletins de l'Associated Press que dévidait le téléscripteur, elle prit plaisir à penser que Noah Carr avait été ruiné avant que tout cela n'eût commencé.

Will était livide. Son grand-père, lui rappela-t-il un soir au dîner, avait fondé cette banque.

« Noah a soutenu un type du Ku Klux Klan, Will. Il a

appuyé un homme qui a tenté de faire sauter le journal. Et tes enfants étaient présents, si tu t'en souviens bien.

— Mais Noah ignorait tout cela, Amelia. Il ne le savait pas, c'est impossible. Tu as assassiné un homme à cause de ses opinions politiques.

— Non pas à cause de ses opinions politiques, Will. Mais parce qu'il a tenté de m'imposer ses idées et ses buts. »

Will supposait qu'elle avait raison, mais les positions politiques de Noah Carr lui étaient indifférentes. C'était sa ville qui lui tenait à cœur et surtout il voulait préserver ce qui restait du passé. Il regarda sa femme qui était assise en face de lui; elle semblait froide et parfaitement maîtresse d'elle-même, et son regard de rapace brillait d'une lueur meurtrière. Il se demanda si elle avait vraiment été un jour telle qu'il l'avait imaginée : jeune fille fragile et vulnérable comme une porcelaine de Chine se profilant dans la vitrine d'un magasin qu'il avait presque oublié. Il se demanda s'il la détestait maintenant et, s'il ne la haïssait pas aujourd'hui, quand ce sentiment s'insinuerait-il en lui? Demain, l'année prochaine, l'année suivante?

« Comment les choses en sont-elles arrivées là, Amelia? » Il prit son verre et sirota la fin de son bourbon.

« Tu sais très bien ce qui s'est passé. Noah Carr a...

— Non. Je ne te parle pas de Noah. Je te parle de toi. Comment es-tu devenue si... perspicace? » Il appuya sur le dernier mot en lui donnant un sens déplaisant. Il haussa les épaules et se leva, puis il se dirigea vers le buffet pour prendre une nouvelle bouteille de whisky. Il la déboucha et remplit son verre à ras bord. « Comment en es-tu arrivée là, Amelia? Que s'est-il passé? »

Amelia se sentit blessée intérieurement. Il la jugeait et cela lui faisait beaucoup de peine. Quelque part, au plus profond d'elle-même, elle éprouva le besoin de lui parler de toutes ces années qu'elle avait vécues sans lui quand il était parti à la guerre. Mais ce besoin et cette douleur semblaient enfouis trop profondément, ils paraissaient presque hors d'atteinte, et lorsqu'elle parla ce fut d'une voix glacée. « Cela n'est pas arrivé brusquement, Will. J'ai appris à devenir ainsi parce que les événements m'y ont contrainte. J'ai dû le faire et j'ai voulu le faire. Et aujourd'hui, j'ai retiré tout mon argent en liquide de la banque de Noah Carr. »

Ce soir-là, personne ne toucha au dîner et Amelia ne remit pas l'argent des Harlow à la banque de Noah Carr. Ces sommes servirent à remettre sur pied l'empire de Sam Dart qui fusionna avec le *Bugle-Times*. Un an plus tard, les deux affaires ne formaient plus qu'une seule entité parfaitement centralisée à Earth et marchaient correctement, bien qu'au ralenti. Les demandes de placards de publicité avaient chuté, mais on était en pleine dépression et elle savait qu'elle y survivrait. Désormais, elle avait l'impression qu'elle pourrait survivre à tout.

12

Il fut réveillé par les coups de marteau. Depuis quelque temps, il était réveillé tous les jours par les coups de marteau et ce matin, Bliss trouva cela aussi détestable qu'au premier jour.

Il avait sept ans. Son premier pantalon long était accroché dans le placard, on avait coupé très court ses boucles blondes et il avait maintenant une chambre pour lui tout seul. Elle était bleue et des voitures de pompiers d'un rouge étincelant couraient le long des murs sur le papier peint. Le bleu, c'était la meilleure couleur pour la chambre d'un garçon. Elle était contiguë à la chambre d'enfants et ça avait été celle de Rosie autrefois, mais Rosie avait désormais sa propre maison à côté de celle de Matty et Duke dans le fond du jardin. Elle avait aussi un fils maintenant. Il avait le teint basané comme Rosie et s'appelait George. Pour Bliss, la naissance de George avait été une surprise et, un samedi, il avait abordé le sujet avec Matty. « Je croyais qu'on devait être marié pour avoir des enfants, Matty. Mais Rosie n'est pas mariée, n'est-ce pas?

— Eh bien, pas pour l'instant, avait répondu Matty. Non, elle n'est pas mariée, mais comme qui dirait, ici, on ne l'a pas vraiment bien surveillée. » Elle lui donna un biscuit et lui dit de filer.

Il voulut en discuter plus avant avec son père, mais il était difficile de le trouver dans les parages ces temps-ci. Il était très occupé; il était pris le samedi, trop débordé pour prendre le thé avec eux dans la véranda et un jour, il n'était pas rentré de la semaine à la maison. Bien que Bliss ne sût pas exactement quel rapport établir entre tous ces éléments, il sentait qu'ils justifiaient les coups de marteau. C'était à cause de cela que les coups de marteau résonnaient tous les matins, tous les jours et toute la journée. Sa mère se faisait construire une nouvelle chambre, rien que pour elle, au-dessus de la véranda. C'était à cause de cela que les ouvriers allaient et venaient avec leurs outils, imposant une nouvelle forme de silence dans la maison entre chaque coup de marteau.

Et Bliss avait raison.

Il n'avait pas entendu Will qui était rentré tard un soir et avait coupé son moteur au moment où la voiture franchissait la haie de peupliers. Il n'avait pas vu la silhouette vêtue d'un costume de lin blanc se faufiler dans la maison plongée dans l'obscurité et monter l'escalier jusqu'à la chambre qu'il partageait avec Amelia. Et lorsque Will s'était penché pour lui dire bonsoir, Bliss n'avait pas entendu sa mère lui dire : « Ne m'embrasse pas. Je sens son odeur à travers les effluves de bourbon. »

Cette nuit-là, Will et Amelia avaient conclu un marché. Amelia n'y avait mis qu'une condition. « Fais ce que tu veux, Will. Prends une maîtresse si ça te chante, mais n'humilie pas les enfants. Jamais. » Will avait hoché la tête dans le noir.

« Non, Amelia. Évidemment pas. Je ne ferai jamais cela. »

Elle vivait à Tyler, la « Ville rose » du Texas, et s'appelait Anna. Anna Elizabeth Janes. Elle avait toujours souhaité, avait-elle avoué au Dr Harlow, que quelqu'un eût l'idée de l'appeler Betsy ou Liz. Mais voilà, elle s'appelait Anna Janes, et il existait peu de diminutifs pour ces deux noms les plus communs qui se puissent trouver dans les pays de langue anglaise. Et elle avait ri, d'un petit rire doux et délicat qui avait éclairé son charmant visage un peu rond.

Elle apprenait à lire, à compter et à dessiner à des enfants de l'école primaire située à trois pâtés de maisons de chez elle. L'après-midi et pendant le week-end, elle s'occupait de son jardin. Son père avait été horticulteur à Tyler; il était spécialisé dans les roses. Maintenant, il était mort et elle continuait à faire pousser des roses dans le jardin derrière la petite maison en brique qu'elle habitait avec sa mère. Elle avait sarclé et mis de l'engrais dans les parterres et taillé les rosiers qui formaient aujourd'hui une haie flamboyante devant la barrière du fond du jardin et s'alignaient en une allée royale jusqu'au perron en suivant le tracé d'une petite pièce d'eau où des poissons rouges scintillaient au soleil.

Ils s'étaient assis là, ce premier samedi, sur un banc en pierre parmi les massifs de rosiers grimpants. A regret, Will Harlow avait dû lui confirmer le diagnostic de leur médecin de famille : la vieille dame, qui était alitée dans la plus grande des chambres du premier étage, avait eu une attaque. Et il eut encore plus de peine lorsqu'il dut ajouter que son état lui paraissait critique et que son agonie serait lente et inéluctable. Pourtant, elle avait souri et l'avait remercié de sa franchise. Au moins, maintenant qu'elle connaissait la situation, elle pourrait prendre ses dispositions en conséquence. Le fantôme de la mort ne rôderait plus aux détours de sa vie pour l'attaquer par surprise.

Il était revenu le samedi suivant et lui avait apporté des fleurs qu'il avait cueillies dans son jardin; c'étaient des roses jaunes comme celles que faisait pousser sa mère autrefois, lui avait-il dit. Et, cet après-midi-là, ils avaient fait l'amour dans le salon... Will Harlow avait aimé une femme tendre et douce qui lui avait offert son corps et Anna Janes s'était donnée à un homme qui avait déchaîné en elle une soif de plaisir, révélant enfin son corps à la vie.

Bliss ne savait rien de tout cela, mais il le pressentait à cause des absences répétées de son père, du rythme effréné que s'imposait sa mère dans son emploi du temps et des coups de marteau qui résonnaient à ses oreilles toute la journée.

Eleanor n'y accordait pas autant d'importance que lui. Elle aussi avait maintenant une chambre pour elle toute seule. Il supposait que c'était plus convenable pour une fille.

Il était content qu'elle ne fût pas trop « mignonne » mais c'était vraiment une chambre de fille. Les murs étaient jaune pâle et on avait mis des volants à pois assortis sur tout ce qui dépassait. Elle avait un bureau de la même couleur et, au-dessus, elle avait réservé une petite place sur le mur pour y accrocher ses photos préférées; à la place d'honneur, en plein centre, une photographie représentait les deux chevaux bais de Bliss et sa sœur.

La chambre d'Eleanor se trouvait de l'autre côté de leur ancienne chambre d'enfants. Parfois, l'été, ils dormaient là devant un énorme ventilateur que Matty posait à côté d'un bloc de glace enfermé dans un vieux seau qu'elle était allée chercher à la remise. Mais, la plupart du temps, cette pièce servait de salle de jeux et on y avait entassé leurs jouets.

Il y avait là l'énorme poste de radio qui ressemblait à une cathédrale et ils avaient le droit d'écouter *Amos'n Andy* aussi fort qu'ils le voulaient. On y avait aussi rassemblé leurs livres, les camions et les boîtes de peinture sans oublier les fameux cahiers qu'ils avaient délaissés. « Oie » était installée sur le rebord de la fenêtre, comme une vieille carcasse abandonnée, et ils ne jouaient plus guère avec non plus. Durant les deux mois pendant lesquels les coups de marteau résonnèrent dans la maison, Bliss et Eleanor se retrouvèrent tous les soirs dans leur ancienne chambre d'enfants.

A l'heure où ils étaient supposés s'être endormis, ils quittaient leurs chambres et se faufilaient dans la pièce voisine. Puis, à la lumière de la lune du Texas qui filtrait à travers les baies vitrées, ils s'asseyaient l'un en face de l'autre, leurs regards se reflétant comme deux miroirs, mais l'un était sombre et trahissait son chagrin alors que l'autre brillait d'une vibrante, bien que fragile, confiance en l'avenir.

« Elle veut peut-être tout simplement avoir une jolie chambre rien que pour elle, comme moi, murmura un soir Eleanor. Je veux dire... moi, j'ai ma chambre, toi, tu as la tienne et eux maintenant, ils veulent aussi avoir la leur, pour faire comme nous. C'est tout.

— Oh, Eleanor, ne sois pas si stupide, siffla-t-il. Tu m'as déjà dit ça et tu sais très bien que des parents ne veulent jamais avoir des chambres séparées. Ça ne se fait jamais comme ça.

— Elle va peut-être la faire peindre en bleu comme la tienne et tu l'adoreras.

— Non, elle ne me plaira jamais. Je n'y mettrai même jamais les pieds, *jamais.*

— Ne fais pas l'imbécile à ton tour. Tu dis tout le temps ça et, en fait, tu y iras aussi. Et des tas de fois. »

L'escalier craqua sous les pas de quelqu'un. « C'est Matty », chuchotèrent-ils et ils disparurent dans leurs chambres respectives situées de part et d'autre de leur ancienne chambre d'enfants.

Lorsqu'elle fut terminée, ils découvrirent la chambre de leur mère : elle était toute blanche avec des parquets de bois sombre qui se prolongeaient dans le dressing et dans la salle de bains attenante. Les plafonds étaient très hauts et peints en blanc et on y avait accroché des ventilateurs d'un blanc immaculé. Des volets blancs protégeaient toutes les fenêtres : on en avait percé deux grandes à chaque extrémité de la façade et six autres qui donnaient sur les jardins de derrière. Sur le grand lit recouvert d'un édredon blanc, on avait disposé des coussins assortis de toutes les formes, certains étaient ronds, d'autres carrés ou oblongs. Autour d'une table en verre, on avait placé quatre chaises Chippendale blanches de style chinois. Il y avait aussi une chaise longue blanche et à côté du lit, sur une commode laquée blanc, des photographies des jumeaux dans des cadres en argent.

Bliss fut trop surpris pour parler. On aurait dit la chambre d'une jeune mariée, et d'un autre côté elle ne ressemblait en rien à cela. On aurait dit la chambre d'un étranger, et finalement pas du tout.

« C'est superbe, soupira Eleanor. On dirait un palais de glace pour une reine des neiges. »

Trois ans plus tard, Bliss commença à comprendre la signification profonde de sa situation sociale : il était le fils d'Amelia Harlow et il devait l'assumer.

L'année où les revendications syndicales se développèrent à Earth, Texas, il avait neuf ans; et il en avait dix quand elle écrasa le mouvement. Non qu'elle n'eût pas de sympathie pour les travailleurs, mais le problème se posait en ces termes : pour elle, c'était une question de survie, et eux réclamaient des augmentations de salaires. Lorsque les négociations en arrivèrent à une impasse, ils désertèrent la salle des presses et formèrent des piquets de grève à l'ombre du gommier. Mais elle resta à son poste ainsi que son maître imprimeur et ses reporters, ils réduisirent le nombre de feuillets et firent tourner les rotatives eux-mêmes sous la protection de gardes en armes et.... un mois plus tard, les grévistes abandonnèrent la lutte et le mouvement syndical commença à s'essouffler.

On était presque au printemps maintenant. Comme tous les jours, Duke conduisait les enfants à l'école et allait les chercher dans la Packard Phaeton d'Amelia dont les flancs étaient cannés. En semaine, il les attendait tous les matins à huit heures quarante-cinq et leur ouvrait la portière tandis qu'ils dévalaient les marches du perron, leurs cartables ballottant contre leurs genoux. Ils grimpaient dans la voiture et s'affalaient sur le cuir luxueux de la banquette arrière; Duke prenait le volant, franchissait la haie de peupliers, suivait l'allée en gravier sur quelque huit cents mètres, débouchait sur la voie ferrée et enfin remontait Main Street. Puis il tournait à droite, s'engageait dans Willow Street et la Phaeton s'arrêtait en douceur deux pâtés de maisons plus loin devant la cour de l'école.

Eleanor n'avait aucun problème à l'école. Elle entraînait ses camarades dans des jeux ou s'amusait à sauter à la corde avec elles et, si elle percevait une hostilité quelconque, elle arrivait à l'ignorer. Mais pour Bliss, les choses étaient différentes.

Dès que cela commença, il le ressentit aussitôt. En classe, ses compagnons l'avaient mis à l'écart et lui témoignaient une certaine froideur; et dans la cour de récréation, cette malveillance ne faisait que s'accentuer au fil des jours. Au début, il attribua cela au fait qu'il venait à l'école en Phaeton. Un soir, à l'heure du thé, il était dans la véranda avec sa mère et lui exposa ses griefs avec vigueur et, à sa grande surprise, il eut le dernier mot.

« Très bien », dit sa mère en reposant sa tasse sur sa

soucoupe. « De toute façon, tu es assez grand pour aller à l'école à pied maintenant. Et je suppose que tu te sens un peu différent des autres. C'est cela, non? C'est parfois difficile de ne pas être comme tout le monde, je le sais. Cela ne t'ennuie pas, Eleanor? »

Eleanor haussa les épaules. « A quelle heure devrons-nous partir *dorénavant?* » demanda-t-elle. Lorsque sa mère lui répondit qu'il leur faudrait quitter la maison vers huit heures, elle ronchonna. Pourtant le lendemain, elle fut prête à huit heures précises. Elle avait mis des bottes et un imperméable pour le cas où ils seraient surpris par une averse et attendait Bliss sur le perron. Mais cela ne servit à rien.

On était en avril, à l'heure du déjeuner. Bliss se tenait sur le bord du terrain de jeux de l'école et attendait son tour en silence. Il avait le poing serré et frappait de plus en plus fort dans son gant de base-ball. Depuis trois jours, on l'avait exclu des parties qui se disputaient à l'heure du déjeuner, et depuis deux nuits, il avait fini par trouver le sommeil à force de pleurer. Il avait tant pleuré qu'il ne pouvait plus s'apitoyer sur son sort. Ce sentiment était dépassé; il n'éprouvait plus qu'une colère exacerbée et, lorsqu'il s'avança avec arrogance vers le capitaine de l'équipe, il sentit la sueur couler le long de son dos.

« C'est à mon tour de lancer la balle.

— Non, c'est pas à toi.

— Si, c'est à moi. Je suis le meilleur et tu le sais. Et je n'ai pas lancé la balle depuis trois jours.

— Crapule!

— Ah ouais? Et pourquoi tu me dis ça?

— On t'aime pas, rétorqua Buddy Prescott. Et on n'aime pas ta façon de jouer au base-ball. »

Un cercle s'était formé autour d'eux. Le sourire aux lèvres, les autres garçons se poussaient du coude en ricanant.

« Je joue bien, répliqua Bliss. Et tu ne peux pas dire le contraire.

— O.K., t'es un fortiche, lança Buddy d'un ton hargneux. Tu crois que t'es le plus fort parce que toi et ta vieille vous êtes bourrés de fric. Elle baisse les salaires et après, elle distribue des patates pour nous nourrir, nous les pauvres.

Mais les patates, c'est pas des salaires.» Il cracha et fit tournoyer sa batte au-dessus de la tête de Bliss. «C'est mon père qui m' l'a dit. Ça lui plaît pas et moi j' t'aime pas.» Bliss ne détourna pas les yeux, mais il fit un rapide calcul de tête pour évaluer la composition des équipes qui disputaient les matchs de base-ball pendant l'heure du déjeuner. Le père de Buddy était imprimeur. Et six ou sept autres garçons avaient un père employé par sa mère. Puis il entendit les murmures sarcastiques. «Fils de patron», lança quelqu'un. Les autres se mirent à glousser. «Chouchou à sa maman.»

Bliss s'élança. Il frappa violemment Buddy Prescott à l'estomac et celui-ci en eut le souffle coupé. Bliss, saisit la batte et roula au sol, puis il frappa Buddy jusqu'à ce qu'il se mît à saigner du nez.

«Et maintenant, écoute-moi bien», siffla-t-il. Puis il se releva; il avait toujours la batte à la main. «Écoute-moi bien. Ma mère ne joue pas au base-ball. Moi, j'y joue. Et n'oublie jamais ça, jamais. Tu as compris?»

Il se tourna et regarda les garçons qui l'entouraient en silence. Puis il leva la batte. «Allons faire une partie.»

Et c'est ainsi que Bliss Harlow apprit qui il était. C'est ainsi qu'il comprit qu'il vivait dans une ville dominée par une société toute-puissante et qu'il représentait cette compagnie. C'est ainsi qu'il découvrit qu'un événement qu'on appelait la Grande Dépression s'était abattu sur le pays et avait touché le Texas, puis Earth et enfin le journal. C'est ainsi qu'il sut que sa mère avait baissé les salaires de 10 p. 100 pour éviter de licencier du personnel. Il découvrit aussi que le père Noël, qui disait toujours : «Appelle-moi Papy, appelle-moi Papy», était en fait un membre du Congrès des États-Unis et qu'il y représentait l'État souverain du Texas, et que sa mère et lui avaient proposé aux travailleurs d'exploiter des terres du côté de Mount Pleasant. Venez... Venez tous... Faites pousser vos légumes pour les Jours Noirs. Mais le père de Buddy Prescott aurait préféré toucher du liquide.

Au bout du compte, les souvenirs vraiment marquants de l'enfance de Bliss Harlow, c'étaient ceux-là. Il ne se souvenait pas de la *Golden Lady*. Il se rappelait qu'il avait dû se battre pour arriver à jouer sur un terrain de base-ball et qu'il avait profondément souffert de cet isolement où il avait soudain été rejeté lorsqu'il avait compris, qu'à cause d'elle, il était différent des autres.

13

Pour Eleanor, le souvenir qui resta le plus présent à sa mémoire ce fut ce dimanche d'automne 1937. Pour la première fois depuis des mois, il faisait très froid cet après-midi-là. Bliss et elle étaient assis sur la banquette arrière de la vieille LaSalle décapotable de Will et le vent leur fouettait le visage.

Elle avait presque quatorze ans cet automne-là. Elle en avait assez de vivre dans une période de crise et d'entendre Franklin Roosevelt leur répéter inlassablement qu'il n'y avait rien à craindre, si ce n'est la peur elle-même. Autant qu'elle pouvait en juger, le président Roosevelt avait tort. Il y avait beaucoup à redouter.

Quelques mois plus tôt, cette année-là, elle avait décidé qu'elle voulait devenir infirmière plus tard et, le samedi, le dimanche et pendant les vacances scolaires, durant tout le printemps et l'été, elle avait accompagné son père au cours de ses visites.

Plusieurs fois, ils étaient allés à Tyler voir une vieille femme qui avait eu une attaque et qui était clouée au lit. Après, la fille de la vieille dame, miss Janes, leur avait servi du thé glacé dans le jardin envahi par les roses et une fois elle les avait gardés à déjeuner. Elle avait aidé miss Janes à la cuisine pour préparer des sandwiches avec des petits concombres très spéciaux et s'était occupée elle-même de la glace à la pêche. Eleanor avait trouvé ce déjeuner très conséquent : ils avaient eu une conversation très élevée qui démontrait une conscience des réalités absente des propos

qu'on tenait généralement chez elle. Ils avaient parlé des
gens qui faisaient la queue dans l'Est pour avoir du pain et
du Midwest qui s'effondrait et n'était plus aujourd'hui qu'un
tas de poussière. Dans les rues même de Tyler, en plein
Texas, des gens vendaient des pommes, avait dit miss Janes
à Eleanor.

Les temps étaient très durs pour la plupart des gens. Les
patients de son père le payaient en nature plus souvent qu'à
leur tour; ils lui donnaient des œufs, des quartiers de bœuf
salé ou des cageots de fruits. Parfois, à Sugar Hill ou dans
les modestes fermes des environs, les gens ne le payaient
même pas. « Je sais que je ne le regretterai pas », leur disait
son père lorsqu'ils le raccompagnaient à sa voiture. « Quand
nous connaîtrons des temps meilleurs, je viendrai goûter
une de vos délicieuses tartes au citron. » Ils aimaient le
Dr Will qui ménageait leur fierté personnelle et Eleanor
appréciait aussi cette délicatesse si touchante.

Les gens continuaient à dire que les choses iraient bientôt
mieux, mais ce n'était pas le cas. On en était toujours au
même point, sauf quand on franchissait la ligne supérieure
de la forêt, car là c'était encore pire. Elle s'y rendit un jour
avec son père et ils durent attendre presque une heure pour
traverser le pont qui enjambait la Sabine. Ils s'étaient garés
sous les prosopis et il faisait très chaud. Elle sentait la
violence du soleil malgré son Stetson. Ils étaient assis là et
regardaient la poussière rouler sur le lit à sec d'une des plus
importantes rivières du Texas. Des douzaines de gens traversaient le pont d'un pas traînant. Leurs chariots, tirés par
des mules, étaient surchargés de paquets. Il semblait qu'ils
n'arriveraient jamais à franchir le pont et encore moins à
aller jusqu'en Californie. Car ils allaient probablement là-
bas, lui dit son père, en Californie. Des tas de gens allaient
en Californie en ce moment.

Elle éprouva un sentiment étrange lorsqu'un homme,
grand et rachitique, sortit des rangs et s'approcha de la
portière du conducteur. Quand il passa le doigt sur la crosse
du fusil qu'il portait en bandoulière, elle se sentit défaillir de
peur.

« On vient jeter un p'tit coup d'œil? » lança-t-il d'un ton
méprisant.

« Non, monsieur, répliqua son père. Nous attendons simplement que vous soyez tous passés. C'est tout.

— Pas besoin d' nous regarder comme des bêtes curieu-
ses, vous croyez pas?

— Ce n'était pas mon intention.

— Excusez-moi », dit enfin l'homme en repoussant son
chapeau, puis il essuya la sueur qui se mêlait à la poussière
et coulait sur son visage marqué et décharné. Il transpirait
plus que la rivière qui était complètement à sec, leur dit-il, et
ils étaient finis. Ça faisait presque vingt ans qu'ils essayaient
de cultiver la terre du Texas et aujourd'hui ils étaient finis...
eux tous. Tous les gens de cette fichue ville avaient ramassé
leur barda et s'en allaient sur les routes. Il observa son père
et scruta son chapeau et son costume blanc maculé de
poussière. « Vous êtes dans quoi, si j' peux m' permettre d'
vous poser la question?

— Dans la médecine, répondit son père. Je suis médecin
et je m'appelle Harlow.

— Moi, c'est Bates », dit l'autre et ils se serrèrent la
main.

« Et voici ma fille Eleanor. »

Eleanor le salua d'un signe de tête. Elle aurait voulu lui
dire bonjour, mais elle avait la gorge nouée et resta muette.

« B'jour », lança-t-il en portant la main à son chapeau. « On
aurait eu bien besoin de vot' père la semaine dernière dans
le coin. Il aurait p' t-être pu sauver mon gosse. Enfin p'
t-être que vous auriez rien pu faire, parce que la femme, elle
est complètement à sec comme cette bonne vieille Sabine.
Elle a pas pu nourrir le bébé la semaine passée, tout comme
cette foutue terre qui peut plus la nourrir. Non, j' crois que
vous auriez perdu vot' temps, c'est tout. »

Une femme émergea de la foule qui défilait sur le pont et
se faufila jusqu'à lui. « Il est temps d'y aller, dit-elle. Faut
continuer. » Il se détourna et la prit par les épaules. « Voilà
la femme. »

Eleanor n'avait jamais vu un visage comme le sien. Il était
brûlé par le soleil et on voyait presque les os sous sa peau
ridée qui pendait mollement au niveau du cou. Son regard
descendit jusqu'à sa poitrine et elle tenta d'imaginer un
enfant tétant ce sein. Elle avait les seins mous et, dans cette

chaleur et sous ce soleil écrasant, Eleanor eut une vision d'horreur : elle voyait le bébé se ratatiner comme la femme et se transformer en une image qui n'avait rien d'humain.

Elle sentit son estomac se nouer. Du plat de la main, Mr. Bates donna un petit coup sur la capote de la voiture pour les saluer et d'une voix caverneuse, il leur dit : « Bon... ben, à un de ces jours. »

Eleanor attendit qu'ils rejoignent la fin du convoi qui se pressait toujours sur le pont et elle les vit se fondre dans ces nuages de poussière parmi les prosopis sous cette chaleur accablante. Puis elle dit : « Je crois que je vais être malade, papa », puis elle se précipita sur la portière et alla se soulager au bord de la rivière.

« Ça va mieux ? » lui demanda Will. Il trempa son mouchoir dans une gourde d'eau fraîche et le passa sur le visage de sa fille. « Ça va mieux ? » répéta-t-il en tirant gentiment une de ses longues tresses.

La voiture traversa le pont en cahotant et ils poursuivirent leur route. En chemin, Will parla une fois de plus à sa fille de son grand-père, Justiss Harlow, qui avait eu le bon sens, grâce à Dieu, de quitter Atlanta pour s'installer dans une région du Texas qui n'était pas dénuée de bon sens non plus. La conversation en était arrivée à son terme lorsqu'ils montèrent la côte qui conduisait à la ferme où ils se rendaient. Mais là aussi, le ruisseau était à sec et les gens étaient partis. Il n'y avait plus qu'un bâtard plein de poux qui se vautrait sous le soleil écrasant.

A l'automne, Eleanor n'était plus si sûre de vouloir devenir infirmière. Elle n'avait plus tellement raison de s'orienter dans cette voie si les gens abandonnaient leur maison pour aller en Californie ou restaient au Texas pour mourir de faim. Elle pensait que quelqu'un devrait botter le derrière du président Roosevelt pour le punir car il se débrouillait vraiment mal ou peut-être qu'ils feraient mieux de nommer quelqu'un d'autre à sa place. A deux reprises, elle avait occupé des fonctions de président; la première fois dans sa classe de sixième et la seconde, pour le club secret qu'elle avait constitué avec sa meilleure amie; mais une fois de plus, elles s'étaient disputées et avaient rompu toute relation. C'était facile d'être président. Il suffisait de dire aux gens ce qu'ils devaient faire et ils le faisaient. Elle était convaincue que si elle allait un jour à Washington, il lui suffirait de comprendre qui était qui et qui faisait quoi, et qu'elle n'aurait aucun problème pour remettre les choses en ordre.

Voilà quelles étaient les pensées d'Eleanor Austin Harlow en ce premier jour vraiment froid de l'automne 1937, alors qu'elle était assise au côté de Bliss sur la banquette arrière de la LaSalle et que le vent fouettait leur visage.

C'était un dimanche et ils étaient partis tous les quatre en fin d'après-midi. En quittant la maison, ils s'étaient dirigés vers l'ouest et avaient traversé les collines, puis ils avaient obliqué vers le sud et s'étaient enfoncés dans ces terres en friche qui s'étendaient à perte de vue sous un ciel coloré de pourpre. Le soleil se couchait presque lorsqu'ils s'arrêtèrent et se retrouvèrent sur un sol craquelé, aride et plein d'ornières. Eleanor donna un coup de pied dans un pneu, entendit son père soupirer et sa mère qui parlait d'un ton doux mais insistant.

« Prends-le, disait sa mère. Prends-en autant que tu pourras. »

Son père observa les broussailles et les taillis en grimaçant à cause de la lumière et de la poussière.

« Non, Amelia, répliqua-t-il. On ne peut rien tirer de ça. On n'a jamais pu et on ne pourra jamais. Tu le sais bien. Ce sont des terres en friche. »

Eleanor leva les yeux, puis détourna son regard pour suivre celui de sa mère en s'efforçant de découvrir ce qu'elle voyait dans le spectacle de ces terres abandonnées qui s'étendaient à perte de vue. Elle savait seulement qu'un des patients de son père, qui avait dû se résigner à quitter la région à cause de la sécheresse et de la crise, lui avait proposé de le payer en tête de bétail ou en acres de terre... et il s'agissait de ce terrain-là.

« Tu as raison. Ce n'est pas un terrain, poursuivit sa mère. C'est un vrai domaine. Prends-le. »

Et tout à coup, Eleanor vit ce qui se dressait devant elle. Elle eut l'impression de trahir son père, mais elle refoula ce sentiment et découvrit ce que voyait sa mère, elle comprit instinctivement ce que sa mère avait pressenti : Dallas, Dallas qui se dressait au loin tel un rayon de soleil au bout, tout au bout de l'horizon de ce plat pays.

Ce jour resta à jamais gravé dans sa mémoire. « C'était comme au Monopoly, disait-elle des années plus tard. Tu achètes à bas prix et tu revends beaucoup plus cher, et ensuite... Eh bien, te voilà riche. C'est juste, non ? » Et elle éclatait de rire, le regard brillant au souvenir de cette découverte enivrante.

Mais le plus grisant dans cette affaire, et qui serait sans doute impossible à expliquer, c'était ce sentiment qu'elles avaient soudain, sa mère et elle, rompu avec la tradition de leur famille cloîtrée dans une vallée située entre le Sud et l'Ouest, et s'étaient lancées dans l'aventure fascinante du monde de Dallas, une ville en pleine expansion dont l'avenir s'annonçait sous les auspices bleu cuivré de l'Ouest.

Deuxième Partie

New York

Avril 1945

14

L'aube pointait à l'horizon. En cette quatrième année d'une nouvelle guerre, la Cinquième Avenue, long ruban rectiligne, était déserte et silencieuse en ces petites heures du matin. Des drapeaux pendaient mollement au bout de leur mât de cuivre tout au long de l'avenue et, au coin de l'entrée sud de Central Park, la façade de conte de fées du Plaza était plongée dans l'obscurité. Le soleil se profila à l'horizon, faible lueur surgissant à l'est et baignant le parc et les buildings dans une lumière translucide. Un taxi passa, brisant le silence de l'aube naissante. Un envol de pigeons, surpris dans le ciel blême, se dispersa. Et on n'entendit plus que les vibrants éclats de rire d'une jeune fille, vêtue d'une robe du soir noire, qui tentait d'escalader les rebords de la fontaine qui se dressait devant l'hôtel.

Elle avait relevé sa robe au-dessus des genoux et tenait ses sandales argentées à la main. Lorsqu'elle arriva enfin dans le bassin, elle se mit à rire de plus belle en aspergeant ses jambes nues. Elle se pencha alors en arrière, leva les yeux vers la statue de Minerve qui se dressait au milieu de la pièce d'eau et fronça les sourcils. Une épingle à cheveux s'échappa de sa coiffure torsadée et une nouvelle mèche de cheveux blonds retomba sur ses épaules.

« Je parie que tu ne sais pas qui a posé pour cette statue », dit-elle. Elle avait trop bu et sa voix parut hésitante tandis que les mots s'égrenaient dans l'air frais du matin.

Le jeune homme, qui était à côté d'elle, retira sa deuxième chaussette et plongea l'autre jambe dans l'eau glacée. « Evelyn Nesbitt, clama-t-il, vers 1900.

— Exact! lança-t-elle. *Encore* une petite poule qui se mourait d'amour. » Elle lui adressa un sourire narquois et prit ensuite un air coupable. « Je suis désolée. Je sais que ce n'est pas de ta faute. Enfin, pas vraiment. Je t'en prie, ne fais pas la tête. C'est promis?

— Promis », soupira-t-il. Puis Eleanor Harlow, qui avait maintenant vingt et un ans et terminait ses études à Bryn Mawr, et Alfred Reece, qui partageait la chambre de son frère à Princeton, continuèrent à ressasser le fait, parfaitement incontestable, que Bliss les avait plaqués.

A dix-sept ans, il était entré à Princeton à contrecœur. Il était grand et mince et ses cheveux bouclés étaient toujours blonds et coupés très court. C'était un jeune homme plein de charme mais d'humeur maussade, et il cachait sous ses allures fragiles, sous cette beauté presque alanguie, une force sombre et impétueuse qui sourdait en lui et rendait ses réactions imprévisibles. Cette violence s'était accentuée au cours de l'année qui avait précédé son entrée à Princeton et, certains jours, ou parfois même pendant des semaines entières, il ne pouvait plus supporter personne hormis sa sœur.

En dehors d'Eleanor, personne ne savait ce qui s'était passé dans l'esprit de Bliss en cet après-midi de 1940; ils étaient tous deux dans leur ancienne chambre d'enfants du troisième étage et il avait tourné le bouton de la radio pour changer de canal jusqu'à ce qu'il captât enfin la voix de Edward R. Murrow. « Ici... Londres. » Il parlait d'une voix claire, pondérée et lugubre qui leur parvenait de l'autre côté du monde.

Il était onze heures et demie du soir à Big Ben. Une plainte sinistre résonna dans Trafalgar Square et se répercuta dans la chambre d'enfants à Earth, Texas. « Ce sont les sirènes qui annoncent les raids aériens », déclara Murrow et Bliss Harlow sentit tout son corps qui répondait à cet appel comme si une décharge électrique avait parcouru sa colonne vertébrale.

Il perçut le vrombissement des avions puis une voix troua le silence : « Ici, le détachement des brancardiers, on demande une ambulance, une voiture pour le 114 High

Street. » Bliss n'était jamais allé à l'est du Mississippi, mais il savait qu'on avait ordonné le black-out à Londres, que seul le brouillard envahissait les rues sombres et que le dôme de St. Paul se profilait sur le ciel plongé dans l'obscurité tandis que la Tamise venait lécher tranquillement les berges de la ville pétrifiée. Des bruits de pas résonnèrent dans le micro de Murrow, puis on perçut une voix qui demandait calmement du feu et soudain, on entendit les tirs de D.C.A. qui explosaient autour d'eux : la Bataille d'Angleterre commençait.

Bliss eut une poussée d'adrénaline, il sentit tout son corps envahi par une force irrésistible et eut aussitôt la conviction que l'Amérique devait entrer en guerre. Mais tout cela était condamnable dans cette maison et il était hors de question de prononcer un mot dans ce sens à la table des Harlow alors que le *Bugle-Times* de Earth publiait tous les vendredis des éditoriaux violemment opposés à la guerre.

Les bombes continuèrent à tomber sur la ville au bord de la Tamise et, un jour, dans le sanctuaire de leur ancienne chambre d'enfants, Bliss annonça : « J'y vais. Je vais gagner le Canada et m'engager dans l'aviation. »

Eleanor roula des yeux médusés. L'air toujours aussi gamine avec ses longues anglaises qui ondulaient sous la chaleur des étés texans et la poitrine toujours aussi plate qu'une limande, Eleanor était restée égale à elle-même : une jeune fille à la fois fragile et sûre d'elle. Et, en cet instant, elle était vraiment sûre de ses convictions. « Ne sois pas idiot, gémit-elle. Et *ne* demande pas la permission à papa non plus. Il te dirait oui et après, maman le tuerait. C'est sûr et certain. De toute façon, tu sais bien que tu vas rentrer à Princeton, alors laisse tomber.

— Mais en Angleterre, ils combattent pour sauvegarder la civilisation. Et sans l'Angleterre, il n'y aurait pas de Princeton.

— C'est une très belle pensée, répliqua Eleanor. Très romantique, très internationale. Tu sais, je parie que tu pourrais même l'approfondir encore un peu pour en faire un très beau slogan, très percutant. Mais si j'étais toi, c'est tout ce que j'en ferais. Crois-moi. »

Les bombes continuèrent à tomber, les dîners se succédèrent dans le silence de la salle à manger des Harlow et, dans l'ancienne chambre d'enfants, Edward R. Murrow lui faisait toujours signe. « Ici... Londres. »

« Maman ? »

Amelia Harlow retira les lunettes qu'elle portait pour lire maintenant et sourit à Bliss qui venait d'entrer dans sa chambre.

« Quelle charmante surprise ! »

Il s'affala au pied du lit et, pendant un instant, Amelia eut l'impression de se retrouver comme au bon vieux temps quand il n'était qu'un petit garçon très sérieux et qui l'idolâtrait ; à l'époque, il était convaincu que la seule chose qu'il désirerait jamais en ce monde, c'était elle et encore elle, elle qui lui appartenait. Il ne ressemblait plus guère à ce petit garçon, pourtant sa bouche était restée la même et exprimait une grande douceur lorsqu'un sourire se dessinait au coin de ses lèvres. Il avait toujours les mêmes yeux aussi, de grands yeux gris qui vous regardaient bien en face.

« Je veux y aller.

— Je le sais.

— Je veux dire... au Canada. Je veux m'engager, tu comprends ? Je veux apprendre à voler. Dans six mois, je pourrais être en Europe. C'est ce que je veux faire.

— Je sais », dit-elle et c'était vrai, elle le savait. Elle sentait qu'il désirait ardemment s'élancer à la conquête du monde et le faire sien en justifiant avec brio son existence sur cette terre. Elle referma le dossier qu'elle venait de parcourir et le mit de côté. « Les choses ne sont pas comme tu les imagines, mon chéri. Absolument pas. La guerre, c'est la destruction, l'anéantissement de tout. C'est pire, bien pire que tout ce que tu peux imaginer.

— Ça m'est égal. Je veux y aller. Je veux les aider. » Son regard la suppliait de le comprendre.

« Tu ne sais pas ce que c'est. Tu ne sais pas combien ton père en a souffert, ni comment il était avant de partir pour l'autre guerre, la première. Il y avait les camps, les gaz et les mutilations.

— Ce ne sera pas la même chose pour moi. »

Elle secoua la tête. « Tu n'en sais rien. »

Il détourna les yeux et son regard se fixa sur les ventilateurs blancs qui tournaient paresseusement au plafond dans la grande chambre blanche. Elle pensa qu'il devait la haïr et elle en fut convaincue lorsqu'il reprit la parole.

« C'est ma vie, tu sais. Tu ne pourras pas toujours la dominer. Non, ça, sûrement pas. »

Elle hocha la tête. « Oui, je le sais. Mais pour l'instant, c'est encore moi qui décide pour toi. Je suis désolée, mais tu n'as que dix-sept ans et pour le moment, c'est ainsi. » Elle avait voulu affirmer cela comme un constat, elle n'avait pas voulu le blesser ou l'humilier ; pourtant, avant même d'avoir fini sa phrase, elle avait compris qu'elle avait échoué.

Il ne dit pas un mot, mais lorsqu'il quitta la chambre, il claqua la porte si fort qu'il en ébranla le chambranle.

Il se referma de plus en plus sur lui-même et restait des heures muré dans son silence. Il nourrit la hargne qui brûlait en lui, échafauda des plans compliqués pour s'enfuir de chez lui et décida finalement de perdre sa virginité ; et c'est ainsi qu'il fit le tour les filles qui fréquentaient le dancing de Billy à Sugar Hill.

Amelia remarqua un net changement dans son comportement et elle en fut soulagée ; il jouait maintenant les fanfarons tout en gardant un air renfrogné. L'important, c'était qu'il ne fût pas mort. Elle les envoya tous deux à l'université, Eleanor à Bryn Mawr et Bliss à Princeton, tout en espérant que cela lui apporterait quelque chose, qu'il assouvirait, ne fût-ce qu'un tout petit peu, une partie de ses rêves et de tout ce qu'il avait souhaité. Au pire, elle espérait que cela lui plairait.

Et effectivement, les bâtiments de style gothique de Princeton, la ville qui s'étendait au-delà du campus et les vieilles demeures élégantes qui avaient autant de charme que les chênes et les ormes qui bordaient les rues, tout cela lui plut beaucoup. Ce raffinement le changeait tellement des villes du Texas qu'il eut l'impression qu'il pourrait s'y sentir bien pendant quelque temps. Il prit ses quartiers à l'université et attendit.

Quatre mois plus tard — c'était un dimanche — le 7 décembre, les Japonais bombardèrent Pearl Harbor. Le 4 janvier 1942, le lendemain de son dix-huitième anniversaire, Bliss abrégea ses vacances de Noël et prit l'avion à

Dallas pour rejoindre Newark au New Jersey. Le 5 janvier, il
tenta de s'engager dans les marines.

Il essaya d'abord à Newark.

« Votre nom?

— Harlow, monsieur. Bliss Harlow. »

Le capitaine du centre de recrutement jeta un coup d'œil
sur la liste qu'il avait sous les yeux. « Désolé, mon gars. On
en est à la deuxième partie de l'alphabet cette semaine.
O.K. ? »

Il essaya alors à New York.

Il y avait une queue qui s'étirait sur deux pâtés de maisons
à Times Square. Progressant pas à pas, il attendit tout
l'après-midi en regardant la vie de la cité défiler sous ses
yeux : les spots des douzaines de cinémas clignotaient faiblement dans la lumière du jour et la foule déferlait dans les
rues. Tout d'abord, il eut une impression de claustrophobie
à cause du bruit incessant et de ces buildings trop hauts,
mais au bout de deux heures, cette sensation s'estompa et, à
quatre heures et demie, il entra enfin dans le Bureau de
recrutement des États-Unis.

« Votre nom? demanda le sergent.

— Harlow. »

Le sergent commença à écrire son nom sur un formulaire,
puis il s'arrêta et feuilleta une pile de papiers.

« Quel âge?

— Dix-huit ans, monsieur.

— Date de naissance?

— 3 janvier 1924. »

Le sergent leva les yeux vers lui. « Lieu de naissance?

— Earth, Texas.

— Désolé, mon gars. Au suivant.

— Qu'est-ce que ça veut dire... " désolé " ? Ça fait quatre
heures que j'attends, monsieur!

— Dis donc, mon mignon, j'ai dit au suivant », et le garçon
qui était juste derrière Bliss s'avança d'un pas brusque.

Il prit un train de nuit vers le sud et, le lendemain matin, il
fit une nouvelle tentative à Washington, D.C.

« Votre nom?

— Griggs, monsieur. John Griggs.

— Quel âge?

— Dix-huit ans.

— Vous avez des papiers d'identité? Un permis de conduire? Ou un certificat de naissance? »

Bliss le fixa un moment, puis il sortit et se mit à errer dans les rues.

Il fallut passer de nombreux coups de téléphone, mais finalement, deux jours plus tard, Papy Jarvis le retrouva à Baltimore, à l'hôtel Trenton.

« T'es là, mon garçon? » La porte de la chambre crasseuse s'ouvrit et Papy apparut sur le seuil. Son costume noir avait des faux plis, ses cheveux blancs étaient tout emmêlés sous son Stetson et son visage rond était rouge de colère. Il donna cinq dollars au directeur de l'établissement et claqua la porte derrière lui. Bliss était vautré dans un fauteuil complètement défoncé et regardait fixement la fenêtre sale. Un cafard de Baltimore grimpa le long du mur et arriva jusqu'au plafond.

« Eh bien, c'est pas beau à voir tout ça », dit Papy en jetant un coup d'œil sur le cafard, les bouteilles de bière vides, le regard vitreux de Bliss et ses vêtements qu'il n'avait pas enlevés pour dormir.

« Allez, viens, mon garçon, soupira-t-il. On va t' faire un brin de toilette et après on t' donnera quelque chose à manger et on t' préparera un bon café noir, bien chaud et bien fort. Allez, debout.

— Va te faire foutre, Papy. Et dis à ma mère d'aller se faire foutre aussi. » Bliss attrapa une nouvelle bouteille de bière.

Papy la lui arracha des mains. « C'est pas une façon de parler, Bliss. Ta mère a fait beaucoup d'efforts, elle a contacté un tas d'endroits et on a fini par t' trouver une bonne place au Pentagone. Un emploi de bureau très intéressant au ministère de la Défense nationale.

— Bon Dieu, Papy. Mais ce n'est même pas légal tout ça.

— P't-être pas, mon garçon. P't-être pas. Mais en tout cas, il y a une chose certaine, c'est que tu n'seras jamais admis dans aucun conseil de révision. Et dans tout le pays. Ton nom a été... comment dire... retiré des listes en quelque sorte. Alors, viens, mon gars. Remonte ton froc et allons-nous-en.

— Va te faire foutre », dit Bliss et il retourna à Princeton. Au moins, à Princeton, il pouvait réussir sans l'aide de personne.

Le jour de son entrée à l'université, les bras chargés de livres, ses malles et ses raquettes de tennis traînant dans le couloir, il ouvrit d'un coup de pied la chambre qu'on lui avait assignée et découvrit qu'elle était déjà occupée.

« Vous vous êtes trompé de chambre, lança Bliss. Allez, dehors.

— Désolé, mec », dit l'envahisseur et il se redressa. Et s'étira encore et encore.

Bliss était grand, mais le jeune homme qui s'était levé du fauteuil avachi qui se trouvait dans un coin de la chambre, était encore plus grand. Il était très grand et très mince. Il avait un long visage osseux et des cheveux noirs ondulés dont une mèche retombait sur ses yeux. Il portait un pantalon et une veste à fines rayures sur une chemise bleue rehaussée d'un haut col blanc et s'appuyait nonchalamment sur une grande canne à pommeau d'argent.

« Écoutez, j'ai toujours eu une chambre pour moi tout seul.

— Eh bien, ça va changer cette année, monsieur.

— Je vais vous faire une faveur, O.K.? Je vais vous dire une chose. Vous feriez mieux de changer de chambre. Je suis un solitaire. J'ai un caractère de cochon et en plus, j'ai tendance à être très radin.

— Eh bien, je vais boire à tout ça », dit Alfred Reece en fouillant dans sa malle dont il sortit une bouteille de scotch qu'il ouvrit aussitôt.

Il était le seul garçon d'une famille de juifs allemands fortunés installés à New York. Il avait deux ans de plus que Bliss et avait servi dans le Pacifique pendant quatre cent vingt-trois jours, mais il n'avait connu qu'une seule nuit de combat. Cette nuit-là, un bombardier isolé japonais avait lâché tout son arsenal sur la proue du navire de guerre américain l'*Endeavor*, mais Alfred Reece, qui était sur le pont, n'avait rien vu du tout. Il n'avait rien senti non plus; pourtant, lorsqu'il avait repris connaissance, il avait éprouvé une vague douleur dans son pied droit : il avait reçu un éclat d'obus. Pour lui, la guerre était terminée. Il n'avait connu ni gloire ni médailles. Après six mois de convalescence, il était retourné à Princeton en boitant et faisait aujourd'hui partie de la promotion de 45. « Regardons les choses en face », dit Reece en souriant le jour de leur rencontre tandis qu'ils buvaient du scotch dans des gobelets en carton. « Le Jap a sauvé le cul d'un petit juif. »

La colère qui brûlait en Bliss commença à s'estomper, puis elle disparut complètement. Au cours des deux années qu'ils passèrent ensemble à Princeton, ils devinrent les figures de proue de leur promotion : Alfred Reece avec ses costumes toujours impeccables et sa canne à pommeau d'argent qui lui donnait les allures d'un dandy du temps jadis, et Bliss Harlow avec ses éternels jeans, ses bottes qu'il posait partout et son accent traînant du Texas.

« Je suis sûr qu'il va te plaire », avait-il dit à sa sœur quand il était venu la chercher à la gare de Princeton ce week-end là.

« Ça vaudrait mieux si j'ai bien compris », dit-elle en sautant sur le quai. Elle avait une main dans la poche de son manteau en poil de chameau et de l'autre, tenait le bras de Bitsy Wade. Elles portaient toutes deux des mocassins confortables et le bruit de leur démarche traînante résonnait lourdement sur les planches usées.

Bitsy [1] avait grandi trop tardivement pour avoir droit à un surnom plus adéquat. Elle s'appelait Honor Lee Disston Wade et, lorsqu'elle était entrée en première année à l'université de St. Timothy, elle était la plus petite de sa classe, mais à la fin de ses études, elle allait devenir la plus grande de sa promotion. Maintenant, elle avait la même taille qu'Eleanor ; elle avait des cheveux bruns et les pommettes saillantes d'une digne lignée qui, depuis des générations, était installée dans Main Line à Philadelphie, les quartiers chics de New York dans l'Upper East Side et passait tous les étés sur les plages de Bar Harbor dans le Maine. Depuis toujours, sa famille s'était consacrée avec calme et méthode à l'Industrie et aux Arts, à Dieu, à leur

---

1. Bitsy signifie minuscule. *(N.d.T.)*

Pays et au Drapeau américain (aussi bien celui de l'Union
que celui de la Confédération) et Bitsy avait délibérément
pris la responsabilité d'assumer le rôle qu'elle s'était attribué : elle était la brebis galeuse de la famille. « C'est pour
l'effet de clair-obscur », avait-elle expliqué à Eleanor.

S'encourageant mutuellement, Eleanor et Bitsy, qui pré-
voyaient depuis fort longtemps de faire leurs débuts dans le
monde, respectivement à Dallas et à Philadelphie, avaient
décidé d'annuler ces projets, de se spécialiser en sciences
politiques et de renoncer au mariage pour pouvoir voyager.
Elles iraient tout d'abord aux Indes, puis en Afrique. Leur
avenir étant désormais tout tracé, elles se proposèrent de
profiter de la vie.

Ce week-end, Bliss avait pris des billets pour assister à un
match de football et ce genre de distraction ne faisait pas
partie de leur programme de réjouissance.

« Du football ? demanda Bitsy. Oh, vraiment », soupira-
t-elle en tapotant nerveusement le bras du fauteuil où elle
était assise dans le hall de l'hôtel.

« Je crois, ajouta Eleanor en bâillant, que si jamais je
retourne voir un match de foot, je vais tomber malade. »

Reece poussa Bliss du coude du pommeau de sa canne.
« Ne fais pas l'imbécile. Ta sœur a envie de faire la bambou-
la... à New York. »

Le regard agrandi par un soudain intérêt, Eleanor leva les
yeux vers lui.

Bliss avait pensé qu'elle tomberait peut-être amoureuse de
Reece ce week-end-là, mais ce ne fut pas le cas. Ils devinrent
très amis et, tout au long de leurs études, pendant les
vacances scolaires ou les week-ends prolongés, ils se plon-
gèrent dans la vie frénétique de New York, parfois avec
Bitsy, mais le plus souvent sans elle. Ils allèrent entendre
Lily Pons dans *Daughter of the Regiment*, sa voix s'élevant
dans le somptueux amphithéâtre rehaussé de dorures du
Metropolitan Opera House. Ils allèrent voir John Raitt dans
Oklahoma!, Laurette Taylor dans *The Glass Menagerie* et
Katharine Hepburn et Joseph Cotten dans *The Philadelphia
Story*. Ils allèrent dîner au Chambord dans la 49ᵉ Rue à la
hauteur de la Troisième Avenue, dansèrent le boogie-woogie
au Savoy Ballroom dans Harlem, fréquentèrent les thés

dansants animés par Cab Calloway au Cotton Club à Broadway et dansèrent le fox-trot au Rainbow Room avec l'orchestre d'Eddy Duchin et de Carmen Cavallero. Ils restèrent médusés en apercevant le roi Paul de Yougoslavie au « 21 », burent un gin au Julius's et en prirent un autre au Cafe Society à Greenwich Village où Billie Holiday se produisait ce soir-là. Ils s'étourdirent de rires, de danses et se surnommèrent les Trois Enfants Terribles. Ils se sentaient merveilleusement bien. Rien n'était comparable au monde survolté et à la frénésie qui s'était emparée de Manhattan qui tentait d'oublier... ou peut-être de se souvenir de la guerre.

A New York, ils descendaient chez les parents de Reece dans West End Avenue. Leur duplex, composé de quatorze pièces, était un vrai dédale animé par le va-et-vient incessant des parents, des sœurs, des cousins, des oncles et des tantes de Reece. Il y régnait une atmosphère chaleureuse. On racontait toutes sortes d'histoires, des histoires sinistres concernant l'existence de camps en Europe, mais le gouvernement et la presse démentait ces allégations et on ne voyait plus que le présent, si brillant, et l'avenir. Reece avait décidé de poursuivre des études de droit. Bliss, comme Reece, fit une demande d'admission pour entrer à Harvard en section juridique. Et, comme Reece, il fut reçu dans la promotion de 48. Cela lui laissait espérer une ouverture d'horizon dans l'immédiat et cela retardait le moment où il devrait retourner à Earth, Texas.

Puis ils en arrivèrent à la fin de leur dernière année. On était en avril. Reece eut l'idée de leur ultime fiesta. Ils avaient besoin de s'offrir une java exceptionnelle avant de se plonger dans la préparation intensive de leurs examens. Ils pourraient prendre des chambres au Plaza et aller à une party s'ils arrivaient à en trouver une. Reece fit les réservations à l'hôtel et réussit à se faire inviter à une soirée.

Elle devait avoir lieu sur un yacht, un superbe bateau blanc aux cuivres rutilants, qui était amarré sur les quais de l'Hudson, depuis son retour de croisière dans le sud de la France en 1939.

La soirée s'annonçait très huppée et Eleanor décida de mettre une robe longue de Bitsy qui était noire avec des manches très fines resserrées aux poignets et un décolleté plongeant. Elles la raccourcirent de cinq centimètres pour qu'elle tombât juste sur ses sandales argentées et Bitsy appela le coiffeur visagiste new-yorkais de sa tante qui envoya son coiffeur vedette et une manucure dans la chambre d'Eleanor au Plaza. Elle fut prête à six heures et demie ce samedi-là, après deux heures de préparatifs : elle arborait un vernis à ongles rose pâle et une élégante couronne de tresses. « Merci », murmura-t-elle quand on l'autorisa enfin à se retourner pour se contempler dans le miroir. « Oh, merci beaucoup. »

Elle s'habilla, se mit une pointe de rouge à lèvres d'un rose délicat et se poudra pour que ses joues ne luisent pas. A sept heures, quand Bliss frappa à sa porte, elle était fin prête. Elle toucha sa modeste poitrine pour vérifier une dernière fois que les épingles de nourrice qui retenaient son soutien-gorge étaient bien en place, drapa sa capeline noire sur son bras et se regarda attentivement dans la glace en pied de la porte de la salle de bains. Et une fois de plus, elle sourit.

« Pas mal », dit Bliss dans un sourire lorsqu'elle ouvrit la porte. « Ravissant », s'exclama Reece quand ils le retrouvèrent au rez-de-chaussée devant l'ascenseur. Puis, bras dessus bras dessous, tous trois traversèrent le hall de l'hôtel d'un pas nonchalant, passèrent devant Palm Court où deux musiciens d'un certain âge, en queue-de-pie et cravate blanche, jouaient *Sentimental Journey* au piano et au violon et enfin devant l'entrée de l'Edwardian Room où commençait à résonner à cette heure le cliquetis des verres parmi les conversations feutrées.

Le portier les accompagna jusqu'à la Plymouth délabrée de Reece et ils s'y engouffrèrent. « Je suis toujours coincée au milieu. C'est toujours comme ça ! » se lamenta Eleanor et ils traversèrent la ville jusqu'aux quais de l'Hudson où le yacht scintillait de mille lumières et où ils furent accueillis par l'écho de l'orchestre qui jouait à bord.

Une coupe de champagne à la main, les Trois Enfants terribles se dirigèrent vers la proue du bateau en se frayant un passage parmi des hommes en smoking et des femmes qui portaient des colliers de perles sur leurs gorges délicates. La lune, qui n'en était qu'à son second quartier, se reflétait dans les eaux sombres et profondes ; le yacht rompit ses amarres et, dans les soutes, le ronronnement des moteurs s'enfla en un ronflement régulier.

Ils dansèrent entre eux ainsi qu'avec d'autres partenaires et goûtèrent au caviar enfoui dans les ailes de glace de cygnes translucides. Il était plus de minuit lorsqu'ils s'arrêtèrent au bar pour prendre une dernière coupe de champagne. Un instant plus tard, une jeune femme émergea de la foule.

Elle portait une robe de satin argenté qui scintillait sous les lumières et ondulait en ombres chatoyantes à chacun de ses gestes. Ses cheveux noirs, mollement retenus sur la nuque, tombaient en une cascade de boucles sur son long cou blanc. Elle avait de minuscules boucles d'oreilles en diamant qui scintillaient sous la lumière et étincelaient comme ses yeux sombres.

Eleanor sentit soudain des gouttes de sueur perler entre ses seins; les épingles de nourrice qui retenaient son soutien-gorge lui faisaient mal. Elle aurait voulu qu'ils ne fussent jamais venus ici, et que cette femme fût à des millions de kilomètres.

La femme embrassa alors Reece qui se mit à rire en se penchant vers elle pour l'embrasser dans le cou. Son frère, toujours accoudé au bar, se retourna. La femme à la robe argentée leva les yeux vers lui et lui sourit. Bliss Houston Harlow, le jeune homme maigre aux cheveux d'or, s'inclina devant elle.

« Et tu sais ce qui se passe en ce moment? » dit Eleanor. Reece la regarda d'un air surpris.

Eleanor pataugeait dans le bassin devant le Plaza. D'une main, elle tenait le bas de sa robe, et de l'autre, tentait de garder son équilibre. Elle vacilla. Le bas de sa robe faillit toucher l'eau, puis elle réussit à se remettre d'aplomb.

Elle grimaça un sourire à Reece et, de rage, donna un coup de pied dans l'eau qui éclaboussa son pantalon. « A l'heure qu'il est, elle s'est probablement jetée sur mon frère, l'a cloué au sol dans cette chambre d'hôtel et lui fait l'amour avec passion et frénésie sur cette saleté de tapis. »

15

Sans savoir vraiment ce qui allait arriver, mais en étant convaincus qu'ils allaient le faire ensemble, Bliss Harlow et Caroline Forsythe Harrington, mère d'une petite fille et veuve d'un jeune pilote américain, quittèrent le yacht la main dans la main. Il alla chercher son étole de renard blanc, attendit que le bateau arrivât au terme de son voyage autour de Manhattan et l'entraîna sur la passerelle pour retrouver la terre ferme tandis que les dernières mesures d'une valse se perdaient dans la nuit.

Les rues pavées étaient plongées dans l'obscurité. Ils se dirigèrent vers la Onzième Avenue qui était mieux éclairée et où circulaient des taxis, le bruit de leurs pas résonnant faiblement dans le silence des entrepôts alignés sur les quais. Sur la banquette arrière du taxi, Bliss contempla le visage de Caroline encadré par son étole de renard; les lumières de la ville éclairaient un instant ses traits fins qui disparaissaient aussitôt pour réapparaître à la faveur d'un autre lampadaire. Il l'attira contre lui, effleura sa joue de ses lèvres et sentit soudain le désir monter en lui. Elle se tourna vers lui, glissa la main sous son manteau et lui offrit sa bouche. Les lèvres entrouvertes, ils s'abandonnèrent à un long baiser qui les laissa médusés et elle sentit son corps céder à son désir et s'unir au sien. Ils s'écartèrent l'un de l'autre et restèrent assis calmement tandis que le taxi se faufilait entre les rares voitures des noctambules et se dirigeait à l'est vers la Cinquième Avenue, puis remontait vers le nord en direction du parc.

Quelques notes de piano s'échappaient de Palm Court et résonnaient dans le hall du Plaza cependant que les rires qui fusaient d'Edwardian Room se perdaient dans les crescendos de la musique. Le bruit du tintement des verres, aussi frais qu'une source printanière, les enveloppa et ils se retrouvèrent soudain seuls dans leur propre univers.

Comme il allait chercher sa clé à la réception, elle l'attendit devant l'ascenseur, puis ils montèrent en silence jusqu'au neuvième étage et longèrent les couloirs recouverts de moquette pour arriver enfin à sa chambre. Il ouvrit la porte et Caroline entra. Il retira délicatement son étole de renard, la déposa sur un fauteuil Queen Ann et, dans la douce pénombre, l'entraîna jusqu'aux baies vitrées et ouvrit les rideaux.

Le croissant de lune était haut dans le ciel. Les réverbères jetaient des reflets dorés sur Central Park South et scintillaient le long des allées dans la verdure. A gauche, ils apercevaient les tours et les tourelles du Dakota dans Central Park West qui se profilaient à l'horizon. A droite, dans les immeubles de la Cinquième Avenue, quelques fenêtres étaient encore éclairées et semblaient disséminées comme les maillons d'une chaîne invisible. Une limousine passa à faible allure, suivie par une voiture à cheval dont les lanternes oscillaient au rythme de la monture et qui disparut dans la nuit. Puis il n'y eut plus que les rues désertes et le parc silencieux qui n'était plus qu'un immense jardin rien que pour eux.

Il passa ses bras autour de ses épaules et, comme elle se serrait contre lui, son cœur se mit à battre plus fort. Sa langue effleura son oreille et il la sentit frissonner de plaisir; le plaisir semblait monter en elle au même rythme que le sien. Il baissa les yeux vers ce visage tendu vers lui et comprit qu'il n'avait jamais rien désiré si ardemment que le corps de cette femme.

« Je te veux », murmura-t-il. Il la prit par le cou et elle se blottit un instant dans ses bras. « Prends-moi », dit-elle.

Il se pencha vers elle et l'embrassa tendrement, délicatement sur les lèvres, puis il baisa son front qui semblait sculpté en des lignes parfaites. Leurs mains s'enlacèrent et, ensemble, ils soulevèrent sa robe longue, la passèrent par-dessus sa tête et la laissèrent glisser au sol où elle se répandit en volutes de satin. Elle apparut devant lui, presque nue; seules, quelques touches de dentelle cachaient ses seins et ses jarretelles rose pâle retenaient ses bas de soie qui gainaient ses cuisses effilées. Il libéra sa poitrine et prit ses seins épanouis dans ses mains. Son doigt joua sur ses tétons sombres jusqu'à ce qu'ils pointent et se dressent sous les reflets de la lune. Il caressa son ventre, puis ses cuisses qui frissonnèrent sous sa main.

Elle recula d'un pas, son regard trahissant son désir et commença à retirer ses épingles à cheveux. Ses cheveux s'échappèrent en une cascade de boucles sombres qui retombèrent sur ses épaules. Elle glissa un doigt sous sa cravate, tira dessus et la regarda se dénouer sous ses yeux. Puis sa main remonta vers son bouton de col. Il l'entendit rebondir à terre et sentit sa main qui descendait tout doucement le long de sa poitrine, enlevant le premier bouton, puis le deuxième et poursuivant sa lente progression. Quand elle en arriva au gilet, elle s'arrêta et, de quelques mouvements rapides, Bliss termina de se déshabiller et la prit dans ses bras. Il sentit son corps contre le sien et s'abandonna aux vagues de désir qui l'envahirent. Il glissa à terre avec elle dans un tourbillon de plaisir, goûtant l'odeur, la musique et les frémissements de son corps. « Maintenant, le supplia-t-elle, maintenant. » La dentelle céda sous ses doigts et il plongea dans son corps chaud et humide. Une fois, deux fois... et déjà, il s'oubliait, se noyant en elle.

Il resta, un moment, le visage enfoui entre ses cuisses d'un blanc délicat, flottant entre les mystères de son corps et les murmures de sa voix douce et profonde. Il se sentait dans un état second; il remua légèrement et voulut la reprendre.

Il la souleva de terre et la prit dans ses bras, la serrant tendrement contre lui tandis qu'il se redressait; ses cheveux bruns retombèrent sur son épaule et son bras. Il la porta jusqu'au lit et, lorsqu'il découvrit la blancheur de son corps qui se dessinait dans l'obscurité, il sentit de nouveau le désir monter en lui. Ses jarretelles suivaient encore la courbe de ses hanches et ses bas de soie gainaient toujours ses longues jambes. Mais il la voulait toute à lui et se pencha vers elle pour la déshabiller complètement.

Elle était nue devant lui. Elle tendit la main vers lui, s'empara de la sienne et la guida vers son ventre. Elle avait un sourire et une voix d'une infinie douceur. « Je vais te montrer, murmura-t-elle.

— Non », dit-il tendrement.

Sa bouche dévora la sienne en un baiser possessif et

violent. Ses lèvres s'attardèrent sur sa poitrine et sur son ventre, puis disparurent entre ses cuisses. Elle hurla, mais il l'obligea à se soumettre; puis elle se cambra et il la domina de sa virilité. Il la pénétra profondément et l'entraîna jusqu'à la jouissance. Elle fondit en larmes dans ses bras et s'accrocha à lui; il la serra contre lui en la berçant : il la voulait encore. Son regard plongea dans le sien et leurs corps se rencontrèrent une fois de plus pour assouvir la violence de leur désir.

Une heure plus tard, une coupe de champagne à la main, Bliss leva les yeux de son verre et contempla le corps délicat et comblé qui gisait à ses côtés dans la douce lumière de la lampe de chevet. « Quand vas-tu m'épouser? lui demanda-t-il.

— Demain ? » dit-elle en riant.

Elle but une gorgée de champagne et poursuivit : « J'ai déjà été mariée, tu sais, et j'ai un bébé. Une petite fille qui s'appelle Maggie et qui n'a même un an encore. »

Il l'attira contre lui. « Je t'aime. Et j'aimerai ta petite fille aussi. » Il s'arrêta et la regarda droit dans les yeux avant d'ajouter : « Je t'aime, Caroline. »

Elle se redressa pour l'embrasser sur les lèvres.

« Je te veux, murmura-t-il. Toi et ta petite Maggie.

— Que vont dire tes parents? » demanda-t-elle.

Il l'embrassa. « Ils s'y feront... Avec le temps. Et les tiens?

— Ils s'y feront aussi, dit-elle dans un sourire. Avec le temps. »

Une idée lui traversa soudain l'esprit et Bliss éclata de rire. « Et en plus, je suis riche. » Pour la première fois de sa vie, il était heureux de l'être.

« Très?

— Oui, très.

— C'est bien, dit-elle. Moi aussi. Enfin relativement.

— C'est parfait. Alors marions-nous aujourd'hui. »

Deux heures plus tard, Reece et Eleanor ouvrirent la porte de la chambre 918 avec la clé de Reece. Les rayons de soleil se profilaient à peine sur l'épais tapis Wilton. Les draps et les couvertures gisaient, pêle-mêle, au milieu du lit où on avait abandonné deux verres et une bouteille vide d'un excellent champagne sur un plateau.

Reece alluma la lumière dans la salle de bains. Deux serviettes mouillées traînaient par terre et deux autres pendaient, en désordre, sur les porte-serviettes. L'eau coulait encore dans la baignoire. Il ferma le robinet et retourna dans la chambre d'un pas nonchalant.

Eleanor paraissait perdue; elle était blême et son regard était marqué. Il haussa les épaules. « Je suppose que tu avais raison, ma belle. Ils ont dû faire l'amour avec passion et frénésie.

— Je ne suis pas aveugle, tu sais. » Elle se détourna et aperçut le petit mot.

Elle le saisit, mais ses mains se mirent à trembler et elle le tendit à Reece. Il le déplia et le lut.

« Chère Eleanor, cher Reece. » Le griffonnage de Bliss commençait en ces termes.

Chère Eleanor, cher Reece,

Nous allons nous marier. Eleanor, sois gentille de le dire à maman. Reece, transmets mes excuses et tout ça à Princeton. Ne vous en faites pas. Ne vous inquiétez pas.

Tendrement,
Bliss.

« Je suis désolé, Eleanor », dit-il en lui tendant la lettre.

Elle la lut deux fois. « Faisons nos bagages. Je veux partir. » La petite boule de papier froissé gisait sur le tapis.

Laissant traîner à terre la capeline noire de Bitsy, Eleanor longea le couloir qui menait à sa chambre. D'un coup de pied, elle retira ses sandales argentées et passa la robe de Bitsy par-dessus sa tête, puis elle enleva les épingles de nourrice de son soutien-gorge en prenant soin d'éviter la glace.

Elle prit une douche, se frotta avec une serviette-éponge et s'habilla. Elle tira ses cheveux mouillés pour en faire une queue de cheval et enfila les vêtements qu'elle avait mis la veille pour voyager : un chemisier rose avec un col Claudine, un kilt écossais de collégienne avec une épingle argentée qui maintenait le bas de la jupe fermé, des chaussettes bleu marine et des mocassins à pompons. Elle jeta la robe du soir dans sa valise qu'elle referma d'un geste brusque.

Reece l'attendait dans le hall. Il avait réglé les chambres et déposé son unique sac de voyage devant l'entrée. On leur amena la voiture du garage. Ils sortirent dans la rue et une légère bruine commença à tomber. Reece mit sa veste sur les épaules d'Eleanor. « Oh, mon Dieu, gémit-elle en sanglotant sur son épaule. Tu sais ce que ma mère va faire ? Elle va le tuer. »

Reece, ému par son chagrin qu'il ne comprenait qu'à moitié, la serra contre lui. Puis il la conduisit à la voiture et la ramena à Bryn Mawr.

Ils roulèrent avec la capote ouverte malgré la pluie. Reece voulut protester, mais Eleanor lui lança d'un ton véhément : « Au diable la pluie. » Le crachin cessa lorsqu'ils arrivèrent au New Jersey et ils séchèrent sous les rayons du soleil et les bourrasques de vent qui soufflaient sur l'autoroute.

Ils s'arrêtèrent dans un café au bord de la route pour prendre le petit déjeuner. Reece commanda du café, des œufs sur le plat, du bacon et des crêpes.

« Où crois-tu qu'ils soient en ce moment, Reece ? lui demanda-t-elle. Qu'est-ce que je vais dire ? Comment vais-je l'annoncer à ma mère ? Mon Dieu, je ne sais même pas qui elle est.

— Tout se passera très bien, Eleanor. Écoute, c'est vraiment une fille charmante...

— Une *fille* charmante ! Alfred, je ne peux vraiment pas dire à ma mère que c'est une fille charmante. Elle penserait que j'ai perdu la tête.

— Mais elle est vraiment charmante, Eleanor. Tu verras. Mon père était en affaires avec le sien à un moment et nous sommes allés un jour ensemble à un cours de danse ou quelque chose comme ça. Je veux dire... tu sais, on se voyait de temps en temps. Mais je l'ai toujours beaucoup aimée et je suis sûr que tu l'aimeras aussi.

— Elle a de l'argent ? Elle est juive ? Et quel âge a-t-elle,

Reece? Je veux dire... Ma mère *va* poser des questions de ce genre, tu comprends.

— Elle a le même âge que moi et... non, elle ne l'épouse pas pour son argent et elle n'est pas juive. En fait, elle est catholique.

— C'est parfait. Elle est plus vieille que lui et... J'espère que ce n'est pas une catholique du genre... grenouille de bénitier? Dans le style chapelet et eau bénite? »

Reece éclata de rire. «Franchement Eleanor, tu as eu l'impression qu'elle était du genre chapelet et eau bénite? »

Eleanor eut un rire étranglé qui se transforma en sanglots et, lorsque la serveuse leur apporta la commande, elle se mit à tourner inlassablement sa petite cuillère dans sa tasse et fit une tache de café sur son chemisier rose.

Empruntant des autoroutes où les automobilistes du dimanche roulaient tranquillement, ils repartirent vers le sud. Eleanor s'était murée dans son silence et Reece s'était plongé dans les souvenirs d'un été lointain sur une plage de West Hampton.

Il avait tout de suite aimé la petite fille pétillante, aux cheveux bruns et bouclés, qu'il avait aperçue sur la plage ce jour-là. Elle avait échappé à la surveillance de sa gouvernante et avait couru aussi loin et aussi vite que possible pour aller construire des châteaux de sable et marcher sur la grève pendant des kilomètres pour ramasser des coquillages, des épaves échouées sur le rivage et des débris de verre polis par le ressac. Il y avait une photo d'eux deux qui traînait quelque part dans un album dans l'appartement de West End Avenue : on y voyait un petit garçon maigrichon qui portait un short bleu et grimaçait un sourire, illuminant son visage bronzé et découvrant ses dents de travers et une petite fille, Caroline, qui avait alors dix ans; elle portait un maillot de bain en laine encore mouillé et ses traits délicats prouvaient déjà qu'elle deviendrait une très belle femme. C'était juste un cliché en noir et blanc, mais il avait immortalisé un moment d'une grande pureté. Les vagues déferlaient sur l'immense plage de sable blanc; à l'ombre du porche, la chaise de Caroline grinçait et il sentait les planches en bois granuleuses sous ses pieds nus, une odeur de sel flottait dans l'air et quelqu'un lui disait de se tenir bien droit sur sa chaise. Puis on entendit le déclic de l'appareil photo qui allait immortaliser un été qui avait défilé, jour après jour, dans ces villages qu'il traversait maintenant avec Eleanor, contournant Philadelphie et s'engageant à vive allure dans Main Line.

Il était presque une heure lorsqu'ils arrivèrent à Bryn Mawr. Ils tournèrent dans Old Gulph Road et longèrent la rue bordée d'arbres qui menait à Denbigh Hall où logeait Eleanor. Devant eux, se dressait le clocher de Taylor Hall où les aiguilles de l'horloge marquaient une heure.

« Tu veux bien monter dans ma chambre et rester un peu avec moi? lui demanda Eleanor. Tu veux bien? Je n'ai pas envie que tu t'en ailles, reste encore un peu.

— Mais enfin, Eleanor. Vous avez des règlements concernant les visites masculines. »

Elle haussa les épaules. « Nous avons des règlements à propos de tout. »

Le campus était très calme en ce dimanche après-midi. Les bâtiments néo-gothiques en pierre grise étaient disposés sur huit acres couverts de pelouses. Au loin, deux jeunes filles à la chevelure éclatante se promenaient dans le parc, les bras chargés de livres. Reece se gara et ils montèrent les quelques marches qui menaient aux portes voûtées de Denbigh Hall.

Tout était très calme dans le bâtiment. L'énorme porte en chêne se referma derrière eux et Reece posa le sac d'Eleanor par terre. L'étudiante, qui était de service au standard, fit un petit signe à Eleanor et se replongea dans son livre. Reece s'appuya contre le mur. Il comprit soudain que la conduite de Bliss l'avait autant atteint qu'Eleanor, d'une certaine façon; comme elle, il se sentait perdu et désemparé. L'atmosphère paisible de ce lieu avec ses parquets de bois sombre et ses hauts plafonds, tout cela lui donnait un sentiment de sécurité; il y retrouvait un monde familier et rassurant : cela lui rendit une certaine sérénité et lui fit oublier sa lassitude et la confusion de ses sentiments.

Il entendit un bruit de pas précipités dans l'escalier et leva les yeux. Bitsy Wade fit son apparition. Elle l'ignora et se dirigea vers le standard.

« Gloria, je n'arrive pas à trouver qui que ce soit, se plaignit-elle. Viens m'aider. J'ai un problème avec la porte des toilettes. Elle est coincée et je *meurs* d'envie d'y aller. »

Gloria leva les yeux de son livre, puis son regard se fixa sur les touches du standard.

« Oh, allez, viens, la supplia Bitsy. Il y en a pour une minute et il n'y a absolument *personne* dans les parages. »

Gloria posa son livre, du côté de la couverture. Reece aperçut le titre, il s'agissait de *Theory of Economics* de Keynes. Elle abandonna son bureau et suivit Bitsy dans l'escalier.

Une seconde plus tard, Eleanor fit un signe à Reece. Il prit sa canne et le sac d'Eleanor, monta l'escalier, passa devant le portrait du président de Bryn Mawr, Mrs. Mc Bride, et longea le couloir qui menait aux appartements de Bitsy et Eleanor.

Quelques instants après, Bitsy entra en pouffant de rire. Ils semblaient abattus et ne disaient pas un mot. Elle prit soudain conscience de la situation, retrouva son calme et les fixa d'un air inquiet. « Qu'est-il arrivé, Eleanor? demanda-t-elle. Que *se passe-t-il* ici? » Les mains sur les hanches, elle se tenait devant eux dans son short de tennis blanc qui faisait ressortir le hâle doré de ses longues jambes.

« Mon imbécile de frère est parti se marier », dit Eleanor, puis elle ramassa le sac de livres et la raquette de tennis de Bitsy, les lui fourra dans les bras et ouvrit la porte. « Je t'en reparlerai plus tard. Pour l'instant, il faut que je discute avec Reece. »

Reece s'enfonça dans un vieux fauteuil de cuir, Eleanor se pelotonna dans un autre et commença à parler. Elle parla de Bliss, du caractère sombre de leur père, de leur mère et des espoirs qu'elle avait mis en eux, et de la responsabilité qu'elle éprouvait envers Bliss à cause de l'amour que leur mère lui portait. Elle parla de discussions acharnées et de longs moments de silence, des poneys de leur enfance qui étaient morts depuis longtemps, d'un ours en peluche qu'ils avaient adoré tous deux et du déchirement qu'elle ressentait comme si elle avait perdu une partie d'elle-même.

Elle parla jusqu'à ce que le ciel se perdît dans des tons de gris cendré; elle avait quitté son fauteuil et s'était assise aux pieds de Reece en s'appuyant contre ses jambes. La main sur son épaule, il sentait la douce chaleur de son cou. Il jouait avec une mèche de ses cheveux. Il l'entendit soudain pousser un profond soupir, puis son corps fut secoué de sanglots.

Il s'agenouilla devant elle, prit son menton tremblotant dans sa main, sortit un grand mouchoir blanc de sa poche et sécha tendrement ses larmes. Puis il se pencha vers elle et ses lèvres rencontrèrent les siennes. Pleurant toujours, elle le serra dans ses bras. Eleanor s'accrocha à son cou, il se redressa et l'entraîna vers le lit.

Il effleura son visage alors qu'ils s'allongeaient, puis il l'enlaça et la caressa jusqu'à ce qu'elle cessât de pleurer. Puis il tendit le bras vers la lampe de chevet, alluma la lumière et, dans cette pénombre rassurante, ils se regardèrent les yeux dans les yeux. Elle ne l'arrêta pas lorsqu'il défit le crochet de sa jupe et la lui retira tout doucement. Un à un, son chemisier, son soutien-gorge, ses mocassins, ses chaussettes et son slip de coton blanc tombèrent à terre. Il se redressa et se déshabilla, calmement, lentement. Elle lui ouvrit les bras et il se glissa à son côté. Lorsqu'il la pénétra, elle se mit à hurler et il voulut se retirer, mais ses bras se refermèrent sur lui et elle se serra contre lui plus fort, encore plus fort.

16

Eleanor n'assista pas à la remise des diplômes de la promotion de 45. La musique des « grands jours » s'éleva puis retomba et on lança des confettis et des serpentins pour célébrer la fin de la guerre qui s'était enfin achevée en mai dernier en Europe. Mais Eleanor n'était pas présente. Elle avait passé ses examens de français, latin et botanique et présenté un mémoire sur l'histoire politique européenne

avant la Renaissance et le drame anglais de l'époque médié-
vale. Elle avait présenté sa thèse sur « les structures politiques des guildes en Allemagne dans les années 1540 » et
demandé aussitôt qu'on remontât ses malles de la remise et
sortît ses valises posées sur la planchette supérieure de la
penderie. Elle avait ensuite vidé ses placards et retiré ses
chemises Oxford, ses pulls en shetland, ses robes d'après-
midi en soie et ses jupes en laine; plié soigneusement
tous ses vêtements dans du papier de soie, ciré ses douze
paires de chaussures en cuir et passé au blanc ses deux
paires de tennis. Elle avait remis ses six chapeaux dans leur
carton respectif, ses huit paires de gants dans leur étui en
satin et glissé son bracelet à breloques ainsi que son collier
de perles dans une pochette de velours fermée par un
cordonnet.

Elle avait demandé un entretien personnel avec le président de l'université, Mrs. Mc Bride. Un problème d'ordre
familial la rappelait d'urgence chez elle. Il lui était donc
impossible de rester pour assister aux cérémonies de la
remise des diplômes. Et elle lui demanda si on pourrait tout
simplement lui envoyer le sien par la poste. Mrs. Mc Bride
lui exprima ses regrets mais ne lui posa aucune question.
Elle félicita Eleanor qui avait obtenu une moyenne de 3.4 à
ses examens et lui dit qu'elle était sûre qu'Eleanor garderait
en elle l'esprit de Bryn Mawr fait de grandeur et de
discipline et apporterait sa contribution au monde supérieur
auquel elle appartenait désormais.

Elle fit expédier ses malles, ses valises, ses cartons à
chapeaux et ses raquettes de tennis et se rendit avec Bitsy à
la Pennsylvania Railroad Station de Philadelphie. Tandis
que le train s'ébranlait et quittait la gare, son regard resta
fixé sur le visage en larmes de Bitsy qui ne fut bientôt plus
qu'un point à l'horizon. Elles se dirent au revoir de la main,
puis Bitsy disparut dans un nuage de fumée.

Eleanor téléphona à sa mère de Chicago. Elle redoutait
cette conversation. Elle y avait songé pendant tout le trajet et
ses pensées l'avaient empêchée de trouver le sommeil sur
son étroite couchette. Il était presque midi quand elle arriva
à Chicago et elle avait trois heures devant elle avant sa
correspondance. Elle prit un tramway jusqu'à Palmer House

où elle déjeuna, puis elle retourna à la gare à deux heures et demie et passa son coup de téléphone.

Elle entendit la voix de sa mère dans le récepteur : « Eleanor? » dit-elle. Puis, d'un ton qui trahissait une inquiétude soudaine, elle demanda : « Que se passe-t-il, ma chérie? Pourquoi appelles-tu?

— Il n'y a rien de spécial, maman. Enfin, pas vraiment. Je suis sûre que tout se passera très bien. Je voulais simplement t'annoncer que Bliss vient de se marier et qu'il est parti faire un petit voyage. » A l'autre bout du fil, le silence se fit, mais elle continua à bavarder d'un ton léger, étoffant son propos avec brio des quelques détails qu'elle conaissait. S'arrêtant au milieu d'une phrase, elle se tut enfin et attendit que sa mère reprît la parole. Elle parla d'une voix lasse quand elle se décida enfin à prononcer quelques mots.

« Et toi, Eleanor? Tu t'en vas aussi?

— Non... non. J'ai annulé tout ça. Et je me suis fait dispenser pour la cérémonie des diplômes et tous ces machins-là. Je rentre à la maison.

— Oh, Eleanor... » Sa mère était partagée entre le soulagement et le regret. « Je croyais que tu tenais tant à tout cela... à ce voyage et à...

— Oui, je sais. Mais c'est trop tard de toute façon, maintenant. Je suis à Chicago; on annonce mon train. J'arriverai à Dallas après-demain par le train du matin.

— Nous viendrons te chercher, Eleanor. Nous t'attendrons à la gare », ajouta sa mère et, sur ces mots, Eleanor raccrocha. Elle s'assit dans la cabine téléphonique, observa les numéros sur le cadran et, quelques instants plus tard, elle entendit la voix déformée et étouffée qui annonçait son train et se répercutait dans toute la gare.

Elle se dirigea vers le quai et se fraya un chemin parmi le flot de la foule qui déferlait en tous sens. Le sifflement ininterrompu des jets de vapeur couvrait presque la voix stridente de l'employé qui répétait : « En voiture. En voiture, s'il vous plaît », tout en l'aidant à monter dans le train. Puis, tandis qu'elle s'installait sur la banquette du compartiment 8J, elle entendit le coup de sifflet, suivi du bruit métallique des bielles motrices qui se mettaient en marche et des roues qui commençaient à tourner sur les rails.

Les lumières baissèrent; elle s'enfonça dans le cuir moelleux de la banquette rouge et posa son escarpin de vernis noir sur celle d'en face. Elle avait passé ce coup de téléphone et elle était en route pour Dallas.

Au sortir d'un long tunnel, la locomotive cracha un énorme nuage de fumée noire et de cendres incandescentes qui se dispersa et découvrit les kilomètres de rails qui s'étiraient à l'infini et les fourgons à bestiaux cabossés où s'étalaient en grosses lettres blanches les inscriptions « Santa Fe » et « B. B. & O. » Au loin, on apercevait des masures et, encore plus loin, des champs d'herbes folles qui flamboyaient sous les derniers rayons du soleil en cette fin d'après-midi. Elle se leva, retira sa veste de tailleur et l'accrocha derrière la porte. Puis elle s'arrêta devant la petite glace installée au-dessus de la banquette, ramena ses cheveux en arrière et essuya une traînée de fumée noire qu'elle avait sur la joue. Elle commanda un thé et, lorsqu'on le lui apporta, elle s'assit, ses longues jambes gainées de bas de soie noire croisées l'une sur l'autre, et posa sa tasse et sa soucoupe sur ses genoux. Elle regarda le paysage défiler sous ses yeux et se demanda ce qu'elle allait faire maintenant.

Elle savait qu'elle était seule, aussi seule, aussi perdue et aussi blessée que toujours. Bliss n'avait pas seulement abandonné tout leur passé et toute leur vie commune. Il avait soudain sauté dans un autre monde et quitté à jamais le cercle de leur univers personnel, la laissant dans un désarroi terrifiant. Il lui semblait qu'il l'avait trahie et le sentiment d'avoir perdu quelque chose ne l'en oppressait que davantage.

Elle voulait s'abandonner tout entière à cette sensation déchirante. Elle avait besoin de parcourir ces kilomètres qui la ramenaient chez elle, dans ce train où le temps avait suspendu son cours entre l'Eleanor d'hier et celle de demain. Elle éprouvait un besoin de solitude qui lui avait été jusqu'alors inconnu : elle voulait voir clair en elle sans s'embarrasser de tout le fatras du passé.

Elle but son thé à petites gorgées tout en regardant son reflet dans la vitre plongée dans une pénombre crépusculaire. Elle y aperçut un visage mince qui sortait tout juste de l'adolescence, qui devenait plus anguleux et dont les contours commençaient à s'affirmer. De son doigt effilé, elle effleura sa joue, puis passa la langue sur le bout de son doigt et lissa ses sourcils. Et elle se demanda si elle avait jamais ressemblé à autre chose qu'à une version androgyne de Bliss, qui, curieusement, paraissait beaucoup plus jeune. Elle avait le même nez droit, les mêmes sourcils bien dessinés et une bouche légèrement plus charnue que la sienne. A dix-huit ans, il avait déjà l'air d'un homme. Et elle, à vingt et un ans, avait toujours l'air d'une jeune fille malgré son tailleur de demi-saison et son chemisier en soie qui étaient à la dernière mode et de toute première qualité.

Elle réalisa soudain que les week-ends à New York ou les années passées à Bryn Mawr avaient peu marqué cette jeune fille qui se reflétait dans la vitre. Elle était toujours la même gamine et, il y a un mois encore, elle aurait pu affirmer ce qu'elle répétait depuis l'âge de dix ans. Ne vous inquiétez pas pour Bliss. Un jour, Bliss deviendra un adulte et il occupera la place qui lui revient. Sa place, ils le savaient depuis toujours, était à Earth, au *Bugle*. Quant à elle, il lui fallait développer ses possibilités, voyager, élargir son horizon et elle pourrait alors, malgré son pacte scellé avec Bitsy, trouver un mari. Ce serait probablement un homme convenable, Texan de préférence et, si possible, quelqu'un avec qui ils puissent « parler », comme disait sa mère. Ce qui voulait dire un homme riche dont les activités, dans l'idéal, seraient liées au milieu journalistique et dont la fortune se fondrait avec la leur grâce à un de ces mariages d'autrefois où se mêlaient le sang, la puissance et l'argent. Ils s'installeraient à Houston, à Austin ou à Dallas. Ils seraient invités à des dîners élégants et, évidemment, auraient plusieurs enfants. Et ils iraient tous les ans faire un voyage en Europe... s'il y avait encore quelque chose d'intéressant à voir en Europe après la guerre. Tout cela avait été planifié, chaque élément de leur avenir, jusqu'au jour où Bliss avait choisi la liberté et s'était enfui.

Elle termina son thé, resta le menton appuyé sur sa main et réfléchit. Elle pensa à Bliss, aux guildes allemandes dans les années 1540, à Bitsy et aux autres filles de Bryn Mawr, à la vie qu'ils avaient connue jusqu'alors et à celle qu'ils allaient découvrir dans l'avenir. Elle songea aussi à Reece et au jour où elle avait perdu sa virginité. Sur le moment, elle n'y avait pas pensé en ces termes et, encore aujourd'hui, elle n'avait pas l'impression d'avoir perdu quelque chose. Elle se rappelait que Reece lui avait apporté réconfort et amour, qu'il l'aimait tendrement et qu'il avait tenté de lui rendre ce que Bliss lui avait pris. Une pensée lui traversa l'esprit : en fait, elle s'était lancée à la poursuite de Bliss, s'était ruée derrière son ombre pour vivre avec lui les tout derniers instants de leur enfance car elle ne supportait pas l'idée que quelqu'un pût l'abandonner derrière lui. Mais elle chassa aussitôt cette image. Elle revit la douce pénombre de la chambre et se souvint qu'en faisant l'amour, ils s'étaient dit au revoir d'une certaine façon.

Elle songea à la place qui lui était attribuée dans la vie, aux projets, aux espoirs et aux décisions qui lui étaient imposées. Vers six heures, elle entendit l'employé du wagon-restaurant qui se rapprochait de son compartiment. « Premier service. Premier service. » Il frappa alors à sa porte et lui sourit.

« Vous allez manger, ma petite demoiselle? Il y a des steaks ce soir, mais il n'y en aura peut-être plus après le premier service. »

Elle acquiesça d'un signe de tête, voulut prendre sa veste, puis se ravisa. De toute façon, personne ne la prenait pour une adulte, pas même l'employé du wagon-restaurant. Elle laissa sa veste dans son compartiment.

Le wagon-restaurant était presque vide et le maître d'hôtel la conduisit à une table près de la fenêtre. On y avait disposé une nappe de lin blanc très épaisse et agréable au toucher. L'assiette en argent massif était très lourde et scintillait sous le faisceau de la lampe et, dans le soliflore, on avait glissé une minuscule rose en bouton, une rose jaune du Texas dans ce train texan qui roulait vers le Sud.

Un serveur prit sa serviette blanche pliée avec raffinement, l'ouvrit et la déposa sur ses cuisses. Elle commanda un steak et se tourna vers la fenêtre. Derrière son propre reflet et derrière celui du wagon-restaurant qui poursuivait sa route dans la nuit sombre, elle apercevait au loin les lumières d'une ville qui brillaient dans l'obscurité. Elle regarda les petits points lumineux perdus dans la nuit puis ils disparurent. Elle appuya alors son menton sur sa main et se demanda qui elle était et où elle allait.

Le train poursuivit sa route vers le Sud encore tout un jour et toute une nuit, voyage ponctué d'innombrables arrêts dans d'innombrables villes : Urbana, Shelbyville, Vandalia, St. Louis, Walnut Ridge, Pine Bluff. Les gares grouillaient de monde : des familles entières étaient venues accueillir les soldats qui rentraient au pays et qui leur faisaient signe de la portière. Sur les quais, s'entassaient les sacs des militaires et les cantines des officiers. Le train reprenait aussitôt sa course folle, franchissant tunnels, ponts et rivières et s'arrêtant une fois de plus dans une nouvelle ville dont le nom résonnait dans le haut-parleur. Il poursuivait inlassablement sa route à travers le pays, imposant sa cadence implacable à Eleanor ; ses pensées se bousculaient au même rythme que le train qui avançait sur les rails, emportant avec lui une jeune fille qui s'abandonnait à sa vitesse et à sa puissance vertigineuses. Et, enfin, elle sut ce qu'elle allait faire.

Si sa vie jusqu'à présent était toute tracée, elle était désormais libérée de ses chaînes. Jusqu'à ce jour, elle n'avait connu qu'une période d'attente, un prélude qui allait lui ouvrir les portes de sa propre vie. Maintenant, elle en était consciente et elle savait qu'elle voulait la place que Bliss Houston Harlow avait laissée... et qu'elle la prendrait.

Des années plus tard, alors que Bitsy Wade avait enfin perdu le surnom qu'on lui avait donné à l'école primaire et était devenue le président de l'université de Bryn Mawr, elle avait invité Eleanor à venir une fois de plus sur la côte Est pour prononcer le discours magistral marquant la remise des diplômes de la promotion 74 devant les étudiantes de Bryn Mawr. Eleanor s'était alors souvenue du propre chemin qu'elle avait parcouru lors de ce voyage en train et cela avait constitué le point fort de son propos sur les espoirs qu'on place en son avenir et le sens de la responsabilité personnelle.

« Nous sommes », avait dit Eleanor en ce jour de juin qui annonçait la fin proche d'une nouvelle guerre, « nous sommes les créatures de notre propre invention. Nous sommes peut-être marqués par notre passé ou par notre époque ou même par quelque rêve fou engendré dans l'esprit du destin, mais au bout du compte, c'est nous qui créons notre propre vie. C'est là notre tragédie et notre sort si cruel. »

Et Honor Lee Disston Wade, dans sa robe noire ornée de l'épitoge officielle multicolore, et Alfred Reece, qui se tenait en retrait derrière les chênes et les rangées de chaises pliantes, comprirent qu'Eleanor ne s'adressait pas seulement aux jeunes femmes de Bryn Mawr, mais aussi à elle-même et qu'elle repensait à la décision qu'elle avait prise un soir dans un train alors qu'il poursuivait son chemin dans la nuit.

17

Elle retrouva sa chambre jaune à côté de la nursery au troisième étage et commença à travailler au journal. « Juste pour quelque temps », avait-elle dit à sa mère car, au départ, elle n'était pas certaine d'y être la bienvenue.

« Non, ma chérie, avait répliqué Amelia. Je préférerais autre chose pour toi. On donne des soirées à Houston... tu devrais y aller. Amuse-toi, ma chérie.

— J'ai déjà connu tout cela à l'université », avait-elle répondu. Elle déclina les invitations et s'assura que Rosie la réveillât tous les matins à six heures en lui apportant une tasse de café préparé par Matty. A sept heures, elle franchissait la porte d'entrée d'un pas alerte, descendait les quelques marches et se dirigeait vers Duke qui lui avait amené devant le perron sa voiture de sport noire, cadeau d'Amelia pour marquer sa brillante réussite à ses examens de fin d'études. Cinq minutes plus tard, elle montait l'escalier du *Bugle* et se rendait dans l'ancien entrepôt situé au bout du couloir donnant sur le bureau de sa mère.

On avait nettoyé et repeint la pièce, on y avait installé un vieux bureau en bois près de la fenêtre et un meuble de rangement et on avait posé une ligne de téléphone. Elle déjeunait avec Ernst Liepman et discutait longuement avec lui, passait des heures avec les comptables et, pendant des journées entières, parcourait les différentes villes du Texas en compagnie des responsables des placards de publicité pour apprendre à vendre des espaces. Et, le soir, elle écoutait Amelia.

Sa mère approchait de la cinquantaine. Elle était toujours aussi mince et ses cheveux étaient toujours aussi blonds ; elle les avait laissés repousser et les portait tirés en arrière et retenus par un nœud qu'on apercevait à peine sous les bords de ses chapeaux. Elle ne lui parlait jamais de Bliss ; elle lui parlait uniquement du journal.

Elle avait tenté de retrouver la trace de son fils. Au début, elle avait poursuivi ses recherches avec ordre et méthode, mais ensuite, la colère et une angoisse croissante lui avaient dicté sa conduite. Cependant, personne ne savait où Bliss était parti et le père de la jeune femme ne s'en souciait plus. Au cours de leur unique et brève conversation au téléphone, il avait dit à Amelia que sa femme et lui s'en lavaient les mains ; le sort de leur fille ne leur importait plus. Elle avait écouté un moment les grésillements au bout du fil puis s'était décidée à reposer le combiné. Plus tard, quand les chèques de Bliss commencèrent à arriver dans les banques du Texas, elle avait écrit à son fils. Mais sa lettre était restée sans réponse.

Elle avait trouvé un certain réconfort dans la présence d'Eleanor et, de plus en plus, cela lui donnait une impression de paix. C'était agréable de savoir qu'elle était là et c'était encore mieux de penser que sa fille avait fait ce choix de son propre chef. C'est dans cet esprit qu'elle lui parlait de son travail et du fonctionnement du journal. Et Eleanor l'écoutait attentivement, assimilant tous ces éléments.

L'entreprise s'était développée pendant la guerre. Les six hebdomadaires distribués dans les villes situées à l'est de Dallas étaient maintenant au nombre de douze et disposaient d'une large audience dans la périphérie de cette ville qu'on commençait à appeler le Grand D. Ils passaient au marbre dans la nuit du jeudi au vendredi. Ces soirs-là, on commandait des sandwiches et des plats de poisson-chat dans un restaurant situé sur la R. 30. Amelia et miss Leslie quittaient leurs bureaux à l'ombre du gommier et rejoignaient la salle des presses. Ernst Liepman était là aussi ainsi qu'un ou deux rédacteurs en chef responsables des publications de la couronne de Dallas. Ils s'installaient autour d'une plaque pour vérifier la première épreuve et la corriger avant de l'envoyer au marbre, puis se baladaient dans les allées en parlant métier avec les imprimeurs qui mettaient en place les blocs encreurs et les plaques. A sept heures, les rotatives commençaient à tourner; le grondement régulier des machines envahissait la pièce tandis que les feuilles blanches tombaient de leur chariot pour être happées et rejetées à l'autre bout sur les piles. Vers minuit, un quart de million de premières pages sortaient des presses; on avait imprimé à la une des articles de caractère local et l'en-tête correspondait à l'un des journaux du groupe : le *Bugle-Times*, le *Fortune* ou le *Busy Bee*. A deux heures, on glissait les pages du milieu, dont les articles étaient pratiquement identiques et qu'on avait composés pendant la semaine, entre le double feuillet de couverturè. Et à quatre heures, les camions se mettaient en route vers le sud, empruntant la R. 30, et se dirigeaient vers Dallas et les villes encore endormies des environs.

Eleanor aimait beaucoup l'atmosphère de ces soirs-là; elle aimait le bruit des machines, les plaisanteries de chacun et les conversations décontractées de ces hommes qui connaissaient bien leur métier et le lui apprenaient au fil des événements. Cependant, quelques mois plus tard, elle acquit la conviction que tout cela appartenait au passé. A l'époque, elle avait fait la connaissance de Michael Murphy, le numéro deux de KLIP. Et, comme lui, elle se passionnait pour les images qui sautaient dans cette boîte munie d'un écran de dix-huit centimètres.

« Vous prenez un verre ? » lui avait-elle proposé plusieurs fois après le travail. Ils avaient alors pris un pack de six bières Pearl et s'étaient installés dans son bureau où ils avaient discuté jusque tard dans la nuit.

Né et élevé en Californie, il s'était embarqué pour Guadalcanal où il avait échoué dans un abri préfabriqué de l'armée et travaillé pour la chaîne Mosquito, diffusant Frank Sinatra et son *You'd Be So Nice to Come Home To* dans tout le Sud-Pacifique. En 1944, il était rentré aux U.S.A. et avait trouvé un emploi dans une station de radio dans une ville du Texas dont il n'avait jamais entendu parler jusqu'alors. La plupart des marines rapportaient des souvenirs de la guerre : des casques, des fourreaux de sabre ou des mitrailleuses japonaises. Michael, lui, avait rapporté cette boîte avec un écran.

Elles étaient sorties sur le marché peu avant la guerre, puis les militaires et les brigades de police des grandes villes s'en étaient emparés pour l'entraînement des membres de la défense passive. Michael pensait qu'on allait les relancer... et à une très grande échelle.

« Regardez, je vais la brancher », avait-il dit à Eleanor la première fois qu'elle était venue à son bureau au KLIP. Elle était assise dans l'obscurité et ouvrait une boîte de bière pendant que Michael tripotait les boutons de l'antenne qu'il avait accrochée sur la fenêtre avec les moyens du bord. Au début, ils ne distinguèrent rien hormis une lumière blanche assez sinistre qui se reflétait sur l'écran et une voix étouffée et déformée qu'ils percevaient à peine. La lumière clignota puis Michael lui dit : « Regardez. »

Des mains apparurent sur l'écran. C'étaient des mains de femme. Eleanor finit par les voir et elle aperçut autre chose. « Qu'est-ce que c'est que ça ? murmura-t-elle.

— Une salade, répondit Michael. On est tombé sur une espèce de leçon de cuisine. Ça vient de Chicago. Regardez, elle tourne une salade. »

Un visage, troué d'un large sourire, se dessina sur l'écran puis se perdit dans des lignes zébrées. L'écran était de nouveau vide.

Des lumières réapparurent ; Michael, qui buvait sa bière au goulot et souriait de plaisir, se tenait au-dessus d'elle.

Le lendemain, Eleanor se rua dans le bureau de sa mère, prit sur les étagères les rapports annuels de C.B.S. et de N.B.C. des dix dernières années et, un mois plus tard, lui annonça que la télévision c'était l'avenir : le leur mais aussi celui de tout le monde.

Will Harlow observait sa fille et n'intervenait jamais...
D'une certaine façon, sa passion pour son travail lui rappelait celle d'Amelia. Elles avaient toutes les deux cette espèce
d'énergie féroce qu'il avait connue autrefois lui aussi, mais
qu'on avait tuée en lui depuis si longtemps qu'il ne la
regrettait même plus. Il avait rendu les armes et avait trouvé
une certaine harmonie dans sa vie : il s'occupait de ses
malades et, au fil des années, il s'était senti de moins en
moins motivé pour faire de longs trajets et avait réduit ses
activités. Il laissait la place aux jeunes qui revenaient de la
guerre et rentraient chez eux.

Il regrettait l'absence de Bliss. Il sentait confusément qu'il
l'avait perdu à un moment alors qu'il n'était encore qu'un
enfant, mais il avait aimé ce petit garçon sérieux et silencieux et il était heureux qu'il ait pu échapper à Amelia et à
ses funestes projets. Maintenant, Will avait Eleanor, ses
copains et ses amis, une partie de cartes de temps en temps
et un petit bourbon de temps à autre. Et il avait aussi Anna
Janes. Tous les jeudis et tous les samedis après-midi, il
sortait son costume de lin blanc, enfilait la veste sur sa
poitrine maigrichonne et prenait sa voiture pour aller jouer
au poker avec son vieil ami Bill Henry à Tyler, disait-il. Et
tous les dimanches, au petit déjeuner, Amelia lui demandait : « Et comment va Bill Henry, Will ? J'espère que tu as
gagné. » Et c'était tout. Il avait sa vie et elle, la sienne.

Puis, au printemps de 1948, Ben Rawlings gravit les marches du perron de la grande maison blanche et, l'automne
suivant, Eleanor et lui se marièrent. Will Harlow estima
alors que son rôle était terminé et qu'il pouvait se libérer de
l'engagement qu'il avait respecté pendant des années.

Parti de rien et millionnaire à l'âge de vingt-huit ans, Ben
Rawlings était le fils unique d'un fermier qui avait quelques
terres dans les collines rocailleuses des environs d'El Paso
dans l'ouest du Texas. On ne parlait guère à la table des
Rawlings et ils n'avaient pas beaucoup d'argent, mais, bien
que Susan Rawlings ne connût pas grand-chose aux livres,
elle avait toujours dit que son fils était intelligent et qu'un
jour, il deviendrait quelqu'un. Il avait dix-sept ans lorsqu'elle
mourut et, un an plus tard, Ben Rawlings déposa une

demande pour entrer à l'université du Texas; en un certain sens, il l'avait fait en souvenir de sa mère. L'université, lui disait-elle, te mettra le pied à l'étrier, ce sera un tremplin pour ta vie future.

Dès le début de la guerre, il s'était porté volontaire et avait obtenu le grade de capitaine quand sa division avait rejoint les forces armées qui déferlaient sur les plages de Normandie. Après la guerre, il était rentré chez lui pour découvrir que son père était mort depuis un mois et que la ville d'El Paso connaissait un développement fulgurant. Il avait alors vendu le ranch, acheté des terrains en ville, les avait revendus avec un coquet bénéfice et avait investi dans la promotion immobilière dans tout le Sud-Ouest. Puis il avait eu envie de se lancer dans autre chose.

Il avait trente ans maintenant. Il mesurait plus d'un mètre quatre-vingts. Les cheveux châtains, les yeux bruns, il avait un caractère accommodant, prenait les choses du bon côté et parlait avec un accent légèrement traînant. La banque lui semblait être la meilleure voie pour lui et, lorsque la State Bank of Earth fut à vendre, il fit le voyage pour se rendre dans le nord-est de l'État.

L'établissement ne s'était jamais relevé de la dépression et du retrait de fonds soudain d'Amelia. Après le départ de Noah Carr qui avait fini par quitter la ville à la fin des années trente, la First Bank de Daingerfield en avait repris la direction, mais, même à l'époque, il était déjà trop tard. Les clients avaient déjà retiré leur argent et ouvert des comptes dans de nouvelles banques qui s'étaient créées dans d'autres villes le long de l'autoroute. Et aujourd'hui, elle était de nouveau à vendre.

En ce printemps de 1948, Ben mit deux jours pour venir d'El Paso en voiture. Il regardait le paysage défiler sous ses yeux, cette terre brune et sèche où se dressait parfois une colline érodée ou un champ de prosopis qui ployaient sous le vent chaud, un pays sauvage qui s'étendait à perte de vue sous un immense ciel uniformément bleu. Après la traversée de Dallas, il découvrit des oasis verdoyantes qui laissèrent place à des champs fertiles et enfin il arriva dans les collines plantées de pins de l'est du Texas. Il aima aussitôt ces grands pins, cette terre noire et ce pays accueillant où les

champs regorgeaient de cultures. Cette région était plus
hospitalière que celle d'où il venait et il sut aussitôt qu'il
allait se porter acquéreur. Cet endroit lui plaisait et, quels
que soient les problèmes qu'il pourrait avoir avec la banque,
il était sûr de pouvoir les résoudre.

Une semaine plus tard, par un dimanche printanier, le
compromis de vente en poche, il se rendit à la sortie de la
ville pour faire la connaissance des Harlow. Lorsque Ben
avait parcouru les dossiers de la banque depuis sa fondation,
il lui avait semblé qu'il n'y avait pas grand-chose à Earth en
dehors des Harlow. Ils avaient participé à la création de la
ville, possédaient des terres au nord et à l'ouest et étaient
propriétaires de tous les journaux. Cela lui parut intéressant.
Au Texas, on ne faisait pas fortune dans la presse; on
s'enrichissait avec le bétail comme les grands pontes, ou
dans le pétrole comme le vieux Hunt ou Sid Richardson,
mais pas dans le monde de la presse. Il leur avait donc
envoyé un petit mot chez eux, avait accepté leur invitation
qui le conviait à venir prendre un verre le lendemain et, à
quatre heures, en ce dimanche après-midi, il se dirigea vers
les abords de la ville et monta la colline à travers la haie de
peupliers.

Dès le premier abord, il sentit qu'il n'avait jamais rencontré des Texans comme eux jusqu'à présent. Ils avaient de la
classe, de l'assurance et de l'élégance. Amelia Harlow
donnait le ton; dès qu'il avait gravi les marches du perron où
elle l'attendait dans l'ombre fraîche et verte du porche,
quelque chose l'avait aussitôt attiré vers cette femme.

Son mari était là aussi; il se reposait dans un fauteuil
en osier. Lorsque Ben monta l'escalier et lui tendit une
main fine et hâlée pour le saluer, il se leva. Il avait une
silhouette efflanquée et son costume tombait mollement;
personnage calme, il restait en retrait par rapport à sa
femme.

Leur fille était blonde et avait des yeux gris très froids.
Elle se pencha vers lui; une de ses sandales se balançait au
bout de son pied fin qui prolongeait une jambe svelte et
effilée. « Bienvenue à Earth, Mr. Rawlings », lui dit-elle dans
un sourire et elle l'invita à s'asseoir à son côté.

Voilà ce qu'étaient les Harlow chez eux et il sentit dès le

premier instant que les autres gens n'étaient pas aussi vrais qu'eux.

Ben Rawlings fit la cour à Eleanor Harlow comme il avait toujours tout fait dans la vie : il arborait un sourire détaché et était absolument convaincu que lorsqu'on veut quelque chose, il suffit d'y aller et on l'obtient.

Une semaine après s'être installé à Earth, il l'entr'aperçut alors qu'elle tournait au coin de Main Street. Il accéléra le pas pour la rattraper. « Je vous invite à dîner ce soir si vous me promettez de bien vous tenir », lui dit-il et il la vit faire volte-face sous l'effet de la surprise.

« C'est un rendez-vous galant que vous me proposez, Mr. Rawlings?

— Oui, plus ou moins. Enfin, plutôt plus que moins. » Il sourit lorsqu'il la vit rougir.

Il passa la prendre à sept heures et l'emmena dans une brasserie où on servait de la bière et des steaks qui se trouvait à quatre-vingts kilomètres de là dans les collines. « Je vais mourir de faim avant d'arriver, lança-t-elle en boudant.

— C'est parfait », répliqua-t-il.

De la sciure de bois traînait par terre, des nappes en toile cirée à carreaux rouges recouvraient de longues tables envahies d'énormes chopes de bière où s'affalaient les mains rugueuses des fermiers qui avaient retroussé leurs manches. « Très élégant », dit-elle en faisant la moue, mais il avait remarqué que son regard s'était éclairé lorsqu'ils avaient poussé la porte à double battant et il se pencha vers elle pour l'embrasser dans le cou.

Depuis qu'elle était rentrée chez elle en quittant l'université, c'était la première fois qu'un homme lui proposait de sortir, lui avoua-t-elle pendant le dîner. « Ils sont probablement terrifiés, lui dit-il.

— Vous croyez? Et je vous terrifie aussi, Mr. Rawlings?

— A peine. Mangez votre steak. »

Au moment du café, ils parlèrent de la banque, de la télévision et du journal, puis ils discutèrent de la vie des gens qui étaient élevés dans de petites villes du Texas et qui

partaient pour y revenir ensuite. Il commanda deux autres
cafés, puis la raccompagna chez elle et il était minuit passé
lorsqu'il s'engagea dans l'allée en gravier.

« Merci », dit-elle en ouvrant la portière. Il la retint et lui
prit la main. Ils restèrent assis dans la voiture et se
regardèrent à la lumière du porche. « J'ai acheté une maison
dans Willow Street l'autre jour, dit-il enfin. J'ai envie d'y
aller et de faire l'amour avec vous. »

Eleanor baissa les yeux vers la main qui avait saisi la
sienne; elle paraissait si fragile dans cette grande main
carrée et bronzée. Elle sentit quelque chose parcourir son
corps et accepta d'un signe de tête.

Il redescendit Main Street, tourna à droite dans Willow
Street, dépassa l'école et s'arrêta à la hauteur du pâté de
maisons suivant. Les derniers échos de leurs pas sur les sols
nus résonnaient encore quand il ouvrit la porte de la
chambre située en retrait de la rue. Il n'alluma pas la
lumière. Elle était déjà dans ses bras et leurs mains, brûlant
de découvrir la nudité de l'autre, partaient à la recherche de
ce corps étranger.

Elle sentit son souffle sur sa poitrine et ses cuisses et, un
instant plus tard, se retrouva sur le lit. Sa respiration se fit
haletante et étouffée jusqu'à ce qu'il se déshabillât enfin et
s'enfouît en elle. Ils restèrent alors complètement immobiles
et se regardèrent dans l'obscurité.

Elle réalisa qu'elle n'avait souhaité que cela toute la
soirée : elle voulait qu'il la prît et la dominât ainsi. Maintenant, elle le sentait en elle, sa présence forte et chaude
assouvissait complètement son désir. Elle tendit la main vers
son visage et suivit la ligne de ses sourcils, puis découvrit la
fossette presque invisible qui se cachait au creux de son
menton. Elle lui sourit et il lui rendit son sourire en
repoussant délicatement les boucles emmêlées qui tombaient sur son visage, puis il l'embrassa sur le front. Il
l'entendit soupirer et s'enfonça plus profondément en elle;
elle se mit soudain à gémir. Il la pénétra encore dévorant sa
bouche de baisers, et sentit ses jambes l'enserrer dans la
pénombre.

Deux heures plus tard, il la raccompagna de nouveau chez
elle. Il ne dit pas un mot; il la tint simplement un moment

contre lui sous le porche, une main jouant dans ses cheveux et l'autre s'attardant sur la blouse sombre qui cachait ses petits seins. Elle le regarda partir et, quand Rosie la réveilla le lendemain matin, il lui sembla étrange de ne pas le trouver à son côté lorsqu'elle tendit la main sur le drap.

Ils se marièrent en octobre; dans les jours qui suivirent leur lune de miel, il tenta de la réconforter quand Will Harlow commença à se montrer en public avec sa maîtresse. Mais rien ne l'avait préparé à sa réaction : elle était folle de rage et, à la limite de l'hystérie, s'était soudain mise à sangloter en se lamentant contre un certain Bliss qui n'était autre que son frère jumeau.

Eleanor s'était toujours refusée à admettre que son père ne jouait pas aux cartes le jeudi et le samedi après-midi. Un jour, il avait parlé de Tyler; ses souvenirs lui étaient alors brusquement revenus en mémoire et elle avait compris, mais aussitôt tout oublié.

Amelia avait sauvegardé les apparences et Eleanor avait conservé ses illusions. Dans son esprit, son père était resté fidèle à l'image que lui avaient laissée les souvenirs de son enfance : il était toujours le bel homme encore jeune d'autrefois, qui tirait gentiment sur ses nattes ou prenait son menton entre ses mains effilées et tannées. Elle aimait l'odeur qui se dégageait de lui, ce mélange de relents d'hôpital, de linge fraîchement lavé et de désinfectant qui se confondait avec les effluves discrets du bourbon. Elle ne voulait pas en savoir plus sur lui; ainsi en avait-elle décidé.

Et elle garda les yeux fermés jusqu'au jour où elle aperçut son père et Anna Janes dans la vieille Ford dans une rue de Daingerfield.

A midi, elle se rendit au bureau de Ben à la banque et il la ramena à leur maison de Willow Street. Elle pleura dans ses bras jusque tard dans la nuit et finit par exploser de colère, accusant son frère de mille turpitudes dont certaines lui échappèrent. « Ce n'est pas juste, hurlait-elle. Il devrait être là... sa place est ici. Je hais sa femme... Je la déteste. »

Ben l'attira contre lui et la serra tendrement. « Calme-toi, mon amour », murmura-t-il. Mais elle ne pouvait se repren-

dre et, lorsque Ben la porta jusqu'au lit et commença à lui
faire l'amour, elle était toujours en larmes. « Je veux que tout
cela disparaisse de ma vie... tout », gémit-elle.

Deux jours plus tard, Rosie et son fils George aperçurent le
Dr Will et sa bonne amie au Bijou à Mount Pleasant; ils
étaient allés voir Rosalind Russell dans son nouveau film :
Tell It to the Judge. Rosie raconta aussitôt toute l'histoire à
son amie Betty qui travaillait au service des expéditions au
journal. Ils étaient installés au balcon, George et elle, et
regardaient les Blancs en bas quand ils les avaient surpris.
« Ils mangeaient du pop-corn et ils s'amusaient bien », avait
ajouté Rosie en secouant tristement la tête.

Matty lui dit de se taire, mais il était déjà trop tard. Au
journal, les secrétaires se retranchaient dans un silence
soudain dès qu'Eleanor apparaissait et, en ville, les commerçants l'accueillaient avec une jovialité trop débordante.
Elle avait l'impression qu'il l'avait trahie en l'emmenant à
Tyler quand elle avait treize ans et elle en était profondément blessée. Elle haïssait son père de lui avoir fait cela et
d'avoir éprouvé le besoin de dire à sa mère : « Je ne le
savais pas. Je te jure que je ne le savais pas. » Elle se
demanda alors si sa mère connaissait jusqu'à l'existence
d'Anna Janes et fut surprise de sa découverte lorsqu'il
devint impossible de feindre plus longtemps l'ignorance.
Eleanor fut encore plus étonnée d'apprendre qu'ils avaient
conclu un marché.

« Mais il n'a jamais été question de démonstrations en
public, affirma Amelia. Je suis désolée que tu l'aies appris.
Je comprends combien tu dois souffrir.

— Je l'avais rencontrée une fois », dit Eleanor, puis elle
s'assit comme une enfant sur le divan du bureau de sa mère
et éclata en larmes, incapable de se dominer.

Ce samedi-là, Amelia attendit le retour de Will, frappa à la
porte de sa chambre et entra.

Will Harlow se retourna, stupéfait. Puis il défit son nœud
de cravate tout en la regardant alors qu'elle l'accusait d'un
ton persifleur et se dressait dans cette chambre qui avait été
autrefois la leur. « Quel besoin as-tu eu de t'afficher ainsi?
murmura-t-elle. Pourquoi as-tu emmené cette enfant chez
elle? Était-ce vraiment nécessaire?

— Elle ne savait pas, Amelia. C'était juste...

— C'était une enfant, Will. Tu n'avais pas le droit.

— Je te l'ai déjà dit... elle ne savait pas. » Une soudaine colère perça dans sa voix.

« Et maintenant? Maintenant, elle le sait. Maintenant, tout le monde est au courant. C'est exact, non? Tout le Texas connaît l'existence de ta maîtresse. »

Il regarda Amelia qui se tenait devant lui, le visage blême et dur. « Assieds-toi, Amelia, dit-il enfin. Nous avons à parler. »

Même Ben Rawlings fut surpris d'apprendre qu'après toutes ces années, Will Harlow voulait divorcer et reprendre sa liberté pour épouser son Anna Janes. Il était assis avec Eleanor dans le bureau d'Amelia en ce dimanche matin et fixait les piles de journaux qui encombraient sa table de travail et baignaient dans une lumière blafarde.

« Et il m'a donc priée de vendre le journal, poursuivit Amelia. Le journal et la station de radio. Il veut que je vende tout. Tout lui appartient, comme il s'est plu à me le rappeler, et il veut du liquide. »

Ben jeta un coup d'œil vers sa femme qui était assise à côté de lui. Elle paraissait très jeune avec sa queue de cheval et sa poitrine qu'on devinait à peine sous la vieille chemise qu'elle lui avait empruntée et qu'elle avait nouée à la taille sur son jean. « Oh », murmura-t-elle. Ce furent là ses seules paroles, comme un enfant qui en reste le souffle coupé.

Eleanor ne se sentait pas jeune. D'ailleurs, au départ, elle ne sentit rien du tout. Elle savait seulement qu'elle avait versé toutes les larmes de son corps sur les beaux papas et les frères jumeaux qui étaient partis et que, désormais, le temps des pleurs était terminé. Elle était seule et devait se débrouiller sans l'aide de personne.

Elle était assise dans le bureau de direction du journal qui était calme en ce dimanche. Une fois de plus, les feuilles du gommier viraient au rouge à l'approche de l'automne. Elle n'avait sans doute jamais formulé cette pensée consciemment, songea-t-elle, mais elle était là, quelque part au fond de son cerveau, depuis son retour à Earth : elle savait qu'un jour, ce bureau serait le sien.

Elle leva les yeux vers sa mère. Elles n'avaient jamais été très liées comme le sont d'ordinaire les mères avec leurs filles. Elles n'avaient jamais eu de longues conversations ensemble et n'avaient jamais fait des courses des après-midi entiers. Pourtant, Eleanor lut à livre ouvert sur le visage de sa mère : il était marqué par la souffrance. Et elle éprouvait la même douleur, la même rage impuissante à l'idée d'abandonner ce qui leur appartenait.

« Maman, dit-elle enfin, je pense que nous devrions faire quelque chose, tu ne crois pas ? »

Par la suite, Ben Rawlings songea qu'elles auraient pu choisir d'autres moyens; cependant, rien n'aurait pu être plus efficace que le plan échafaudé par sa belle-mère après mûre réflexion. Il était cruel, mais les exigences de Will Harlow l'étaient aussi et Ben leur ouvrit donc les portes de sa banque en ce dimanche matin et regarda les deux voitures s'éloigner et se diriger vers le sud.

Duke avait pris le volant de la Lincoln grise, Amelia et Eleanor s'étaient installées sur la banquette arrière. George les suivait dans la Cadillac noire. Une heure plus tard, ils s'engagèrent dans une rue tranquille de Tyler, descendirent de voiture et remontèrent l'allée de briquettes qui menait à la porte d'entrée peinte en blanc.

Le salon d'Anna Janes était étroit et sombre, les meubles étaient lourds et on apercevait à peine le jardin de roses flamboyantes à travers les vitres. Le tapis était fatigué comme le napperon vert bordé de franges posé sur le piano droit, mais tout était très propre et parfaitement en ordre; aussi impeccable et aussi bien rangé que dans le souvenir d'Eleanor.

Elle songea à la mère de miss Janes, mais plus de dix ans s'étaient écoulés depuis sa dernière visite, et elle devait être morte maintenant. Son père était probablement allé à l'enterrement et il avait sans doute serré miss Janes dans ses bras. Elle se demanda si miss Janes avait pleuré ou si elle s'était contenue comme elle le faisait en ce moment; les mains croisées sur ses genoux, elle était assise, droite comme un piquet, au bord d'un fauteuil à oreillettes. Elle avait une charpente assez lourde, mais ses cils étaient étonnamment longs et bien recourbés. Eleanor avait oublié ce détail.

Elle détourna les yeux et son regard se fixa sur sa mère, cette femme était infiniment plus belle que sa rivale et cela en était presque gênant. Amelia parlait d'une voix basse et pondérée comme si elle s'adressait à un enfant qui aurait commis une faute et causé beaucoup de problèmes à tout le monde.

« Malheureusement, lui expliquait-elle, il est hors de question d'envisager un divorce. Si l'on vous a bernée, croyez bien que j'en suis désolée, miss Janes. Mais nous ne divorcerons pas. Nous ne divorcerons jamais. »

Eleanor avait les yeux rivés au sol. Elle admirait le calme et la pondération de sa mère.

« Le problème n'est plus de votre ressort, poursuivit Amelia. Nous y avons longuement réfléchi et nous avons pris une décision, mon mari et moi-même ainsi que notre fille. » Elle fit un signe vers Eleanor. « Nous pensons tous qu'il vaudrait mieux que vous quittiez le Texas et que vous refassiez votre vie de votre côté. Si jamais vous vous y opposez, et je suis prête à vous verser vingt-cinq mille dollars en liquide pour faciliter votre départ, je me verrai dans l'obligation d'user de mon influence auprès du directeur de l'école de Tyler. » Elle s'arrêta un moment et attendit avant de reprendre. « Je pourrais éventuellement entreprendre une série d'éditoriaux sur le déclin des valeurs morales de nos maîtres d'école ici au Texas. Et je pourrais vous citer en exemple, miss Janes. »

Amelia se tourna alors vers Eleanor. Celle-ci tendit l'attaché-case à sa mère et l'observa tandis qu'Amelia l'ouvrait, puis le refermait et déposait une liasse de billets sur un meuble de toilette victorien aux lignes assez lourdes. « Inutile de vous préciser, miss Janes, que nous espérons tous éviter d'en arriver là. »

Anna Janes accusa le choc, puis elle releva la tête pour regarder cette femme qui lui faisait face. Elle était presque certaine qu'Amelia Harlow avait menti à propos de Will et, pendant un instant, elle espéra que sa fille allait se lever d'un bond pour hurler la vérité. Eleanor était ravissante et guère plus jeune qu'elle au moment où elle avait pris Will Harlow pour amant; il y avait presque dix-sept ans de cela. Elle retrouvait Will dans sa fille et il en avait toujours été

ainsi même lorsqu'elle n'était qu'une adolescente déginган-
dée avec ses grandes chaussettes et ses longues nattes
blondes comme les blés. A ses yeux, la charmante fille de
Will n'avait absolument rien de sa mère. Elle était la fille
dont elle avait toujours rêvé, la fille qu'elle aurait pu avoir si
Will l'avait épousée comme il le lui avait promis au tout
début de leur liaison. S'il avait laissé sa femme à son cher
journal pour devenir son mari et lui donner des enfants
qu'elle aurait pu élever et aimer.

Elle songea qu'elle aurait pu se lever, se dresser devant
elle et lui hurler au visage de toutes ses forces : *Sortez.
Regardez-moi vous le prendre. Et allez jaser auprès du
directeur de l'école. Allez écrire vos éditoriaux. Je m'en
fiche.*

Mais c'était faux : cela lui tenait à cœur. Elle avait
quarante-cinq ans et elle savait qu'elle n'aurait jamais plus
une fille comme Eleanor. Toute sa vie tenait dans la plaque
de bronze qu'on lui avait remise un jour au titre de la
maîtresse d'école la plus appréciée de la ville de Tyler,
Texas. Dans la vie, elle n'avait que cela et un homme qu'elle
attendait depuis dix-sept ans en espérant l'épouser.

Elle lança un nouveau coup d'œil vers Eleanor ; son
chagrin avait un goût d'amertume : son espoir de voir les
choses évoluer et de changer elle-même semblait si vain.
Elle aurait voulu être plus forte ou plus audacieuse, ou
retrouver sa jeunesse et tomber amoureuse d'un autre
homme.

« Oui, dit-elle enfin. Je vais partir.

— Dans ce cas, j'aimerais que vous écriviez une lettre au
docteur. Je préfère avoir tout cela par écrit. »

Anna fondit soudain en larmes et se dirigea vers un petit
bureau pour prendre un bloc et un stylo. « Voulez-vous
l'écrire à ma place, Mrs. Harlow ? demanda-t-elle gentiment.
Ou puis-je lui écrire moi-même ma lettre d'adieu ?

— Écrivez ce que vous voulez, répliqua Amelia. Tout ce
que vous voulez. »

Duke attendait derrière avec la Cadillac noire. Elles
rentrèrent avec George ; les yeux fixés sur la veste noire du
jeune chauffeur, qui se tenait bien droit avec sa casquette
sur la tête, elles ne prononcèrent pas un mot pendant le
chemin du retour.

Ce soir-là, Amelia laissa la lettre dans la chambre de Will. Elle la posa sur la table de nuit et s'interrogea sur l'amour; tandis qu'elle suivait le couloir qui menait à sa chambre, elle se demanda quel genre de mépris Will lui avait inspiré pour lui dicter ce geste : elle avait à peine entrouvert l'attaché-case et n'avait proposé à sa maîtresse que la moitié de la somme qu'elle avait apportée.

Le lendemain matin, Eleanor appela son père au bureau pour lui proposer de déjeuner avec elle. Son infirmière ne répondit pas au téléphone; peu après dix heures, elle décida d'aller au cabinet pour lui laisser un petit mot. Elle mit ses papiers de côté, prit sa veste et descendit l'escalier qui donnait sur la rue. Il faisait une douce journée d'automne et cela lui rendit espoir tandis qu'elle marchait d'un bon pas sur les trottoirs en bois. Tout irait bien désormais. Oui, tout allait bien se passer. La Ford était garée devant le bureau; à la poussière qui encrassait les jantes, on voyait la marque des ans. Elle donna un grand coup sur la capote en passant. Son père adorait ce tas de ferraille. Elle pourrait peut-être lui proposer de la remettre en état et de lui redonner un petit air de neuf.

La porte du bureau était légèrement entrouverte et elle regarda à l'intérieur d'un œil inquiet. La pièce était plongée dans l'obscurité et les rideaux étaient tirés. Il n'y avait personne à la réception; les quelques documents posés sur le bureau étaient empilés très soigneusement. Même le ventilateur était débranché. Elle s'apprêtait à partir quand elle aperçut son corps qui se balançait au bout de la corde dont il s'était servi pour se pendre.

Elle fixa son visage crispé et sa langue pendante, puis son regard s'arrêta sur une mèche de cheveux éclairée par un rayon de lumière qui filtrait juste de la fenêtre plongée dans l'ombre. Seule, la plainte d'Eleanor troubla le silence. Partie du tréfonds de son être, elle s'amplifia et se déchaîna pour exploser enfin en un cri déchirant.

La Havane, Cuba

Mai 1945

18

Un juge de paix du Maryland avait marié Bliss et Caroline. Puis toute la famille avait pris la route du Sud, Maggie, la fille de Caroline qui avait neuf mois, gazouillant gaiement en ce premier jour de vie commune.

Caroline Harrington ne se posait aucun problème, aucune question. Tout avait tout simplement marché tout de suite, merveilleusement bien et pour toujours. Pour Caroline, Bliss Harlow avec sa silhouette efflanquée, ses épaisses boucles blondes et ses yeux gris qui plongeaient dans les siens, représentait le summum du romantisme. Tous ses rêves étaient comblés.

Fille unique d'un courtier new-yorkais assez aisé et marié à une catholique fervente, elle avait appris très tôt à préserver les formes en apparence et à cacher son caractère volontaire et ses rêves les plus secrets derrière de ravissants sourires. Les Forsythe, qui n'étaient plus très jeunes lorsqu'elle était venue au monde, l'avaient beaucoup gâtée et lui avaient tout passé. Lorsqu'elle se conduisait bien, ils la trouvaient merveilleuse et, quand elle faisait une bêtise, ils la ramenaient dans sa chambre. Bébé adorable et potelé, elle devint une enfant si ravissante que Mary Margaret Forsythe était grisée devant la beauté impressionnante qu'elle avait engendrée. Elle se punissait de ce péché d'orgueil mais, son confesseur étant plus clément, elle commença à songer au jour où sa fille serait assez grande pour l'accompagner aux thés et aux déjeuners organisés pour recueillir des fonds destinés aux œuvres de charité auxquelles Mary Margaret consacrait toute sa vie.

Caroline grandit pratiquement seule dans l'immense
appartement sombre de Park Avenue. Elle avait pour toute
compagnie les jeunes bonnes fraîchement débarquées d'Ir-
lande, les gouvernantes qui entraient et sortaient de sa vie et
surtout, le plus souvent, les créations nées de son imagination romanesque. Son horizon s'élargit seulement le jour où
elle entra au collège de miss Porter dans le Connecticut. Elle
découvrit alors que tous les parents n'étaient pas de vieilles
gens et que toutes les maisons ne ressemblaient pas à des
tombes. Malgré ses problèmes avec les conjugaisons latines
et les interminables listes des rois anglais qu'elle n'arrivait
absolument pas à se mettre dans la tête, Caroline Forsythe,
qui avait alors treize ans, commença à penser que le monde
était une boîte de bonbons et qu'il attendait qu'elle les
grignotât couche après couche.

Caroline ne devint pas exactement la jeune fille dont sa
mère avait rêvé; cependant, cela se manifesta uniquement
par son refus de poursuivre ses études chez les religieuses
de Marymount. Mary Margaret comprit alors qu'elle avait
commis une erreur en l'inscrivant dans l'institution si en
vogue de miss Porter. Mais elle crut la menace écartée
quand Caroline accepta gentiment de faire ses débuts dans
le monde dans les soirées new-yorkaises où l'on dansait le
quadrille et de l'accompagner à ses déjeuners des dames de
charité. Sa mère savait peut-être que, le soir venu, elle
menait une vie beaucoup plus trépidante avec des gens
beaucoup plus excitants qui buvaient du gin, dansaient dans
des boîtes à la mode, conduisaient de superbes voitures et
passaient leurs étés à Southampton, mais elle choisit de
l'ignorer.

Ce fut au bar de l'un de ces night-clubs que Caroline
rencontra Tony Harrington. Il était très beau et avait fière
allure dans son uniforme rutilant de l'aviation et, indiscuta-
blement, on se l'arrachait cette saison à New York. Tout le
monde savait cela dans l'entourage de Caroline, hormis
Mary Margaret. Tony Harrington n'a aucune éducation,
disait-elle. Il n'est pas catholique, il n'a pas un sou et il n'en
aura jamais.

Les mains croisées sur les genoux, Caroline était assise
dans le salon silencieux de Park Avenue. L'atmosphère était

pesante. Ses pieds délicats chaussés d'escarpins noirs étaient sagement posés l'un à côté de l'autre sur le tapis oriental orné d'un motif sinistre. Elle leva les yeux vers sa mère, ses cils noirs et épais ourlant son regard, et lui mentit. « C'est trop tard, maman, murmura-t-elle. Il faut que je l'épouse. » Elle observa le visage de sa mère qui se glaça sous ses mots. « S'il te plaît, ne le dis pas à papa... s'il te plaît », supplia-t-elle. Elle fondit en larmes. « Et, tu sais, maman, il va se convertir. Il me l'a promis. »

Les Forsythe bénirent cette union : ils offrirent une jolie dot à leur fille et la marièrent à la cathédrale St. Patrick, puis ils envoyèrent le jeune couple Harrington à Saratoga pour son voyage de noces. Durant ce long week-end, Caroline apprit un nouveau mot : « baiser ». Tony le lui murmurait à l'oreille au cours de leurs ébats et cela l'excitait au plus haut point. Deux semaines plus tard, il reçut son ordre de mobilisation et s'envola pour l'Europe avec une photo de Caroline dans sa poche.

Il l'avait laissée dans l'appartement sombre de Park Avenue. Son jeune corps, qu'il avait éveillé au plaisir, se languissait de lui puis son ventre commença à s'arrondir. Six mois plus tard, il était mort.

Le soir où elle rencontra Bliss Harlow, elle cessa de s'interroger sur son avenir. A l'instant même où Alfred Reece le lui présenta, un désir qui était enfoui en elle resurgit soudain. Elle éprouva de violentes pulsions au creux de l'estomac et ses pensées furent emportées dans un tourbillon vertigineux. « Et dites-moi, Earth, Texas, s'enquit-elle, ça se trouve où exactement sur cette terre ?

— Nulle part », répondit Bliss en riant et il lui demanda de lui accorder la prochaine danse... et la suivante.

Il appela la réception de sa chambre du Plaza et réserva une voiture pour les conduire dans le Maryland. L'aube pointait à peine lorsqu'ils quittèrent l'hôtel pour monter dans la limousine noire. Ils démarrèrent devant Central Park South et s'arrêtèrent au feu rouge au coin de la Cinquième Avenue. Elle jeta un coup d'œil par la fenêtre et aperçut Reece et Eleanor qui pataugeaient dans le bassin à l'ombre de la nymphe de bronze dont le coquillage brillait sous le soleil du matin.

« Arrête, cria-t-elle. Oh, Bliss, écoute. Ça ferait tellement plaisir à Reece!

— Non. » Elle se détourna et il ajouta en secouant la tête : « Non, je ne peux pas. » La limousine traversa la Cinquième Avenue et, quelques instants plus tard, s'arrêta à l'angle de Park Avenue et de la 89ᵉ Rue.

Sous l'œil médusé du portier, Caroline se rua dans le hall et se précipita dans l'ascenseur. Elle réveilla le vieil employé vêtu d'un uniforme impeccable; il se frotta les yeux et l'emmena jusqu'au dixième étage. Elle entra, s'arrêta un instant devant la porte pour écouter le silence qui régnait dans l'appartement en cette heure matinale, puis retira ses chaussures et se faufila jusqu'à sa chambre en longeant le couloir tapissé de moquette.

Elle prit sur une étagère en haut de son placard une valise en cuir rouge qui tomba sur le sol avec un bruit sourd. Elle retint son souffle et tendit l'oreille. Puis, avec mille précautions, elle ouvrit les portes de la penderie et, enlevant sa robe en satin, elle se rappela l'instant où il l'avait glissée par-dessus sa tête quelques heures plus tôt et se mit à rougir. Elle regarda sa garde-robe bien fournie et chercha quelque chose à se mettre. Aujourd'hui, c'était le jour de son mariage et elle voulait être très belle. Elle allait rester des heures dans la voiture; il lui fallait donc un vêtement confortable et qui ne se froisse pas.

Elle finit par choisir une robe d'après-midi bleu pâle en crêpe de Chine très léger qui soulignait ses épaules et dont le décolleté en V se perdait en un drapé à la hauteur de la hanche gauche. Elle saisit sa boîte à bijoux et prit une broche composée de fleurs entrelacées d'or et de diamants pour retenir le drapé. Elle détacha ses cheveux devant la glace de la coiffeuse, les brossa en arrière pour donner un mouvement à ses boucles et mit un petit béret coquin qui retombait sur son œil droit. Il ressemblait à une galette bleu marine surmontée d'une plume et elle sourit en se regardant. Elle mit ses minuscules boucles d'oreilles en diamant, puis un peu de rouge à lèvres foncé — Rouge Passion Nº 17 — et un nuage de poudre. Elle se leva, lissa sa robe pour mettre en place les plis sur ses hanches et admira l'asymétrie de son chapeau incliné à droite et du drapé qui bouffait sur sa hanche gauche.

Elle fit ses bagages en silence, jetant pêle-mêle dans la valise de cuir rouge ses bas et sa lingerie, puis ses chaussures, ses robes et enfin sa boîte à bijoux. A pas furtifs, elle traversa la chambre et la salle de bains attenante et entra dans la nursery qui avait été la sienne quand elle était bébé.

La respiration de la jeune bonne d'enfant irlandaise prouvait qu'elle dormait; son visage rond était légèrement empourpré et elle avait la bouche entrouverte. Maggie sourit quand Caroline se pencha sur son berceau. Soulagée de sa charmante réaction, elle la prit dans ses bras. De sa main libre, elle attrapa des couches propres, une petite couverture blanche, des flacons et des vêtements d'enfant. Les bras surchargés, elle regagna sa chambre à pas de loup.

« Sois sage, ma chérie », murmura-t-elle lorsque sa fille se mit à gazouiller. « On va te mettre au sec en un rien de temps. » Elle la changea rapidement et eut enfin raison de Maggie qui se débattait avec ses petites jambes potelées et lui enfila un costume jaune à jabot. Puis elle jeta son manteau de vison sur ses épaules, cala Maggie sur sa hanche et saisit la valise qui lui parut soudain très lourde. Puis elle jeta un dernier regard dans la pièce.

La coiffeuse était garnie de volants blancs empesés assortis aux rideaux qui cachaient la vue plongeante sur Park Avenue. Sur le couvre-lit en satin vert pâle, on avait disposé un monceau de coussins ornés de rubans. Sur une étagère, on apercevait des albums bourrés de lettres, de petits bouquets de fleurs fanées et de vieux souvenirs pleins de secrets; à l'autre bout, trônait une poupée de chiffon défraîchie. Caroline posa sa valise par terre, se précipita sur la poupée, l'attrapa et la berça avec Maggie. Maintenant, elle était prête. Elle partait pour toujours. Elle ouvrit tout doucement la porte qui donnait dans le couloir et la referma derrière elle.

Mary Margaret Forsythe, personnage gris et sévère, l'y attendait. « Que signifie tout cela, Caroline? murmura-t-elle. Où comptes-tu aller?

— Je vais me marier, maman », dit-elle le regard étincelant puis elle lui parla de son merveilleux fiancé qui venait d'une drôle de petite ville baptiste du Texas.

« Tu vas me tuer, Caroline, tu entends? Me tuer », lança-t-elle en s'agrippant au pyjama à rayures rouge et blanc qu'elle portait sous sa robe de chambre rouge.

« Non, maman, sûrement pas », répondit Caroline en passant devant sa mère et en poursuivant son chemin.

« Caroline! » supplia sa mère.

Maggie se mit à pleurer et Caroline, soudain contente de sa clairvoyance, mit la poupée dans les bras du bébé qui l'attrapa en gazouillant. « Au revoir, maman, dit-elle. Embrasse papa pour moi. Je vous écrirai. »

Et elle était partie... Elle prit l'ascenseur, traversa le hall, se retrouva dans la limousine qui l'attendait et se jeta dans les bras de Bliss. Trois semaines plus tard, par une chaude journée de mai, ils se trouvaient sur le tramp qui contournait les hautes murailles du Castillo del Morro et entrait dans le port de La Havane.

19

A l'est de Cuba, les eaux bleu-vert du Gulf Stream lèchent le rivage et, à l'ouest, les eaux d'un bleu limpide de la mer des Caraïbes déferlent sur la grève. Entre ces deux côtes paradisiaques s'étend une île de cent trente kilomètres de long aussi effilée qu'un grain de café que se sont disputés pendant des siècles des pirates, des politiciens et des rois du sucre. Dans les années quarante, la guerre avait dévasté l'Europe mais, pour Cuba, le conflit lui avait permis de connaître enfin une phase de répit. A l'extrême pointe est de l'île se dessinait la baie de Guantanamo où était installée une base stratégique pour les bateaux de guerre américains qui avait apporté emplois et revenus aux habitants du Cuba. Le prix de la canne à sucre, qui poussait dans les vallées verdoyantes, avait doublé pendant la guerre et l'économie était florissante. Cuba était devenu un paradis miroitant au soleil dans ce monde las de la guerre.

Malgré ce qu'on avait pu leur dire, rien n'avait préparé Bliss et Caroline au spectacle qui s'offrit à leurs yeux. Des douzaines de petits bateaux de pêche se balançaient autour du paquebot et les voix des hommes et des gamins s'élevaient jusqu'aux coursives : ils hurlaient de leurs frêles embarcations proposant de tout aux passagers, depuis des fruits et du poisson frais jusqu'à des taxis et des chambres d'hôtel. Tandis que le bateau s'enfonçait dans le long goulet du port, ils perdirent de vue les vieilles murailles du château Morro et de La Punta et découvrirent à bâbord et à tribord des immeubles blancs accrochés aux flancs des falaises qui baignaient dans une lumière aveuglante. Devant eux se dressaient de somptueuses demeures alignées le long de la plage, telles des taches vertes tranchant sur le sable blond et, juste derrière, se profilaient les murs de la vieille ville de La Havane.

Des mouettes tournoyaient au-dessus des deux silhouettes accoudées au bastingage et le soleil de la fin de l'après-midi jetait des reflets argentés sur les flots qui dansaient sous la brise. Son petit doigt enfoui dans sa bouche en cerise et les yeux écarquillés, Maggie était blottie dans les bras de Bliss. Caroline, tête nue, portait des lunettes de soleil sur le bout de son nez. D'une main, elle se tenait pour garder son équilibre malgré le léger roulis du bateau; elle glissa son bras libre sous celui de Bliss et lui sourit. Il se pencha vers elle et l'embrassa. « C'est le plus beau spectacle que j'aie vu de ma vie... après toi bien sûr », dit-il et il l'embrassa une seconde fois.

Les bavardages surexcités, qui s'étaient élevés lors de leur entrée dans le port, s'étaient calmés maintenant; on n'entendait plus que le ronronnement des moteurs, le bruit des vagues qui venaient se briser contre la coque et la voix du capitaine qui dirigeait les manœuvres des marins pour accoster au quai.

Des porteurs installèrent leurs bagages à l'arrière d'une voiture à cheval, puis ils suivirent l'avenue Malecon, contournèrent le yacht-club et se dirigèrent vers le Prado. Ils prirent ensuite à gauche et s'engagèrent dans le boulevard ombragé de lauriers qui conduisait au cœur même de la ville. Les bâtiments blancs, qui s'alignaient le long de cette avenue élégante, étaient construits en pierre à chaux et se teintaient de reflets dorés sous la lumière de cette fin d'après-midi. Les cafés et les magasins étaient silencieux. Ils aperçurent devant eux le capitole et le parc, mais tournèrent vers la Plaza de la Fraternidad; les hôtels et d'immenses palmiers se dressaient sur la place. Ils choisirent le Grande, un petit hôtel blanc où il faisait sombre et frais. Ils prirent la somptueuse suite du dernier étage qui donnait sur un jardin à la végétation luxuriante. De la terrasse, ils entendaient la fontaine qui gargouillait au milieu des lauriers et des bougainvillées. Ayant surpris ce bruit, Maggie rampa sur la terrasse, se redressa en s'accrochant à la balustrade en fer forgé et regarda attentivement le jardin.

« Pa-pa », bredouilla-t-elle, tout excitée. « Pa-pa », répéta-t-elle en se tournant vers Bliss.

« Elle t'a appelé papa », s'exclama Caroline. Sa voix trahissait sa joie. « Tu as entendu? » Bliss saisit Maggie et la fit tournoyer dans les airs. Elle avait vraiment prononcé ce mot et s'était adressée à lui.

Quelques heures plus tard, alors que Maggie dormait dans la chambre voisine, Bliss et Caroline, tendrement enlacés, comprirent qu'ils formaient une vraie famille et qu'ils étaient arrivés au port. Ils se serrèrent l'un contre l'autre et leurs corps se rejoignirent, bercés par le clapotis de la fontaine.

Au départ, ils avaient prévu de rester une semaine ou deux à Cuba et de partir ensuite pour Grand Cayman à la Jamaïque ou encore à Pedro Cay. Mais les journées à La Havane s'étiraient paresseusement et le temps passait sans qu'on s'en rendît compte. Ils se promenaient dans les rues, s'installaient à la terrasse d'un bar où une douzaine de langues se mêlaient en une véritable cacophonie et prenaient un café ou un apéritif en écoutant les vendeurs de fleurs fraîches et de billets de loterie qui hurlaient pour attirer le client. Et les semaines s'écoulaient. L'après-midi, ils faisaient la sieste et, le soir, après l'arrivée de la bonne qui s'occupait de Maggie, ils allaient dîner au Templete qui donnait sur la baie ou le plus souvent sur le Prado au Floridita qui servait de la cuisine française. Constantino, le barman qui ne manquait pas d'esprit, avait créé le daïquiri frappé et, lorsqu'il en offrait un à Caroline, il l'accompagnait toujours d'une petite garniture et d'un compliment qu'il lui murmurait à l'oreille dans un espagnol rocailleux. Un jour, ils s'étaient enfoncés dans les terres jusqu'à El Sitio pour déguster de la *ropa vieja* et un vin rouge râpeux et avaient découvert une foule hurlante amassée autour d'un combat de coqs. Vers minuit, ils allaient prendre un dernier verre au Sloppy Joe's ou dans un autre club; au Sans Souci ou au Tropicana, par exemple, où l'on entendait le cliquetis incessant des jetons ramassés par les croupiers et où les girls faisaient une entrée fracassante en descendant des arbres dans le jardin. La boîte la plus proche de leur hôtel s'appelait le Zombie Club; l'orchestre était installé sur une plaque tournante dans le patio sous les arbres. La première fois que Bliss et Caroline allèrent y faire un tour, il se mit à pleuvoir; une douce pluie tropicale et les serveurs se précipitèrent pour installer une tente au-dessus de la piste de danse. Elle n'était pas très étanche mais cela leur était égal. Ils continuèrent à danser au rythme de la musique jusqu'à ce que les musiciens se mettent à bâiller et se décident à rentrer chez eux. Et ils prirent le chemin du retour, eux aussi, et retrouvèrent leur grand lit blanc.

Ils étaient mariés depuis un mois bientôt; ils faisaient toujours l'amour... encore et encore. Leur désir ne s'émoussait pas, il ne faisait que s'aiguiser. Presque chaque fois, Caroline avait l'impression que c'était différent. Parfois, les prémices duraient très longtemps et ils éprouvaient un plaisir intense et presque douloureux; leurs lèvres s'attardaient sur la peau de l'autre pendant des heures jusqu'à ce qu'ils se fondent l'un dans l'autre comme si leurs corps n'étaient plus que liquide. D'autres fois, ils n'échangeaient aucun baiser, aucun signe et partaient à l'assaut de l'autre, s'abandonnant uniquement à leur violent désir.

« Ne bouge pas », lui murmura-t-il ce soir-là, et elle s'offrit, totalement disponible, ouverte à tous ses caprices sous la lumière de la lune qui brillait très haut dans le ciel de La Havane.

Ils étaient installés à l'hôtel Grande depuis six semaines quand, un matin au petit déjeuner, Caroline découvrit une

annonce pour une villa à louer dans le *Havana Post*. Elle
était située à Jaimanitas, indiquait l'encart. Ce n'était pas
très loin. « Allons la voir, Bliss, dit-elle. Juste pour s'amuser.
Juste pour voir. »

Par une matinée si venteuse que les vagues se brisaient
contre les murs de soutènement de la grand-route Malecon,
ils franchirent les vingt-cinq kilomètres qui les séparaient
des abords de Jaimanitas. La villa, entourée de manguiers et
de lauriers qui donnaient une certaine fraîcheur et dessinaient des taches d'ombre dans le jardin, était d'un blanc
éclatant. Dans la maison, des tapis aux couleurs chatoyantes
étaient disposés sur les sols en tommettes et les meubles en
rotin et en bois foncé formaient un décor sobre face aux
murs en stuc blanc. Le vent tomba, l'air était léger. Le soleil
perçait les nuages et filtrait à travers les fenêtres étroites.
Une bonne les conduisit à la terrasse du second étage et ils
eurent un choc en découvrant la lumière aveuglante et la
vue sur le Gulf Stream.

« Oh, prenons-la, Bliss. Prenons-la, dit Caroline. On ne
peut pas ? »

Ils louèrent la villa et engagèrent du personnel : Manuel
pour faire la cuisine, Juanita pour le ménage et leur nièce,
Yolanda, pour s'occuper de Maggie. Ils achetèrent une Ford
décapotable d'occasion que Caroline repeignit en jaune vif
comme les taxis. Il leur semblait qu'ils étaient au paradis et
leur lune de miel aux Caraïbes qui, au départ, devait durer
quelques semaines, avait maintenant un goût d'éternité.

Les jours se succédaient les uns aux autres dans un monde
d'amour où les mots étaient presque inutiles. Manuel préparait des repas simples qu'il servait sur la terrasse. Ils
partaient en excursion dans leur voiture décapotable pour
découvrir les forêts marécageuses de palétuviers, les
champs de tabac, les plaines où paissait le bétail et les
hommes qui travaillaient dans les plantations de canne à
sucre. Les jours s'étiraient sous le soleil brûlant et les
averses tropicales qui s'abattaient brusquement ; ils se mettaient alors à l'abri sous les palétuviers en éclatant de
rire.

Au cours de l'une de leurs randonnées, ils firent la
connaissance d'une voisine, doña Silvia Losa de Docal, qui·

descendait d'une famille noble espagnole qui avait eu des prétentions sur Cuba au xviie siècle. Cette veuve aux cheveux noirs et lisses avait un teint de porcelaine et se tenait droite comme un I. Elle dirigeait les immenses plantations de canne à sucre qu'elle avait héritées de son mari avec une énergie qui stupéfiait Caroline. Aux yeux de Bliss, doña Silvia lui rappelait sa mère sur de nombreux points et, une partie de lui-même, ce Bliss qu'il croyait avoir laissé derrière lui, fut très heureux lorsque doña Silvia se lia d'amitié avec Caroline et la prit sous son aile.

Elle était membre du Biltmore Yacht et Country Club situé à l'autre bout de Jaimanitas. Caroline allait adorer cet endroit, annonça-t-elle un jour. « Nous prendrons une *mojita* sur la terrasse avant le déjeuner, puis nous échangerons quelques balles et nous ferons quelques brasses. Je vais la présenter à mes amis et je suis sûre qu'ils la trouveront absolument charmante.

— Tout est organisé, mon chéri, dit Caroline. Ça ne te dérange pas? Je ne te manquerai pas *trop*?

— Si, répondit-il. Mais vas-y et amuse-toi bien. »

Le club, avec sa terrasse, ses pelouses et ses cabanons en bambou, était ravissant. Et la charmante petite Incarnacion, qui la conduisit au vestiaire des dames, lui sourit et hocha la tête d'un air approbateur tout en lissant un pli sur la jupette de tennis blanche que Caroline avait glissée sur ses jambes bronzées. C'était agréable de rencontrer des gens et de se faire apprécier.

Ils furent invités à un thé et à un déjeuner chez doña Silvia, deux mois après leur installation à Jaimanitas, qui organisa un grand dîner en leur honneur. Les invitations, aux armes de la famille Losa, étaient gravées sur des cartes blanc cassé en vélin épais et on les avait remises en main propre. Ce soir-là, la table de doña Silvia brillait à la lumière des candélabres ornés de superbes pendeloques en cristal. Le service en limoges bleu et l'argenterie scintillaient sous les chandeliers et, sur l'imposante nappe en dentelle ancien-ne, on avait disposé des plats en argent et des jasmins blancs qui indiquaient la place des cinquante hôtes. Chaque convive avait un serviteur à sa disposition, un maître d'hôtel orches-trait le ballet des mets et des vins et la liste des invités

regroupait, d'après les paroles mêmes de doña Silvia, le tout
La Havane. Il y avait là le président Prío Socarrás, Spruille
Braden, l'ambassadeur des États-Unis, les directeurs des
banques et compagnies financières de La Havane, les diri-
geants du groupe du rhum Bacardi et une vieille princesse
européenne déchue qui, pour l'occasion, portait tous les
bijoux du temps de sa splendeur.

Ce soir-là, Bliss, qui était heureux et détendu, regarda
Caroline assise de l'autre côté de la table. Elle portait une
robe de soie blanche très simple qui scintillait sous la
lumière et, tache claire dans cet océan de robes noires à
paillettes, elle brillait de tous ses feux. Il avait envie de
traverser la pièce, de l'embrasser dans le cou et de goûter à
ses lèvres et à sa peau. Elle lui sourit par-dessus son verre à
vin, son regard lui prouvant qu'elle avait deviné son rêve
secret, puis se retourna vers son voisin de table.

« Chéri », dit Caroline après que les messieurs eurent
rejoint les dames dans le salon de doña Silvia, « chéri, je te
présente Fernando Machado. C'est notre propriétaire. »

Bliss se tourna vers lui et lui tendit la main. Machado avait
une poignée de main ferme et un large sourire éclairait son
visage aux traits ciselés.

« Je suis flatté que des personnes aussi charmantes habi-
tent ma modeste *casita*. Nous y avons vécu trois ans »,
ajouta-t-il en leur présentant sa femme. Elle avait des
cheveux châtain foncé et de grands yeux encadrés de
sourcils rebelles comme ceux d'un enfant. « Portia, voici les
Américains qui ont loué notre maison. Nous devrions les
inviter un jour à déjeuner.

— Oui, j'en serais ravie, dit-elle. Voulez-vous demain?
Vous savez, je vous ai vus dans votre charmante voiture
jaune. » Elle avait un sourire timide et une voix fluette
marquée par des intonations typiquement britanniques, ce
qui était assez surprenant.

« Ça a été un terrible scandale, m'a-t-on dit », leur rapporta doña Silvia un peu plus tard. « Elle s'appelle Honorable Portia Michaels et a été élevée à Buenos Aires. Et dans ce
pays, les Anglais et les Argentins ne se marient pas entre
eux, ma chère. Mais vous pourrez lui demander des précisions vous-même. Et surtout, ne lui parlez pas de son titre...

vous la feriez rougir. Mais pour le reste... elle est plutôt franche. »

« C'était affreux », dit Portia en souriant le lendemain après-midi après le déjeuner. » Tout Buenos Aires a eu les yeux fixés sur nous... pendant des mois. Mon père m'a renvoyée chez nous en Angleterre, mais Fernando était si malin qu'il est venu me rechercher.

— Quelle jolie histoire, soupira Caroline. Je ne supporte pas les fins tristes... et vous?

— Venez », dit Portia. Elle se leva et tendit les mains vers Caroline. « Je crois qu'il lui montre ses chevaux. »

La *finca* s'étendait à l'ouest vers les contreforts de Jaimanitas et les murs blancs de la terrasse surplombaient les champs verdoyants. Des chevaux paissaient dans un enclos entouré de barrières blanches. « Voici mes chevaux de polo, dit Machado en souriant. C'est ma seconde passion. »

Il avait élevé des chevaux de polo argentins avant que la guerre n'éclate et que tous les jeunes gens partent sur les différents champs de bataille. Mais aujourd'hui, les hommes étaient de retour et Machado avait repris son élevage de chevaux... de chevaux argentins.

« Ils sont petits et rapides, dit-il. Ce sont les meilleurs », ajouta-t-il en passant la main sur les flancs d'un jeune étalon qu'il avait sorti de son box à l'écurie. « Il peut tourner sur un *pesato*. Venez, je vais vous montrer. » Il demanda aux palefreniers de seller huit bêtes et entraîna sa femme et ses invités vers le terrain de polo.

C'était un sport épuisant... éreintant pour les chevaux et insatiable pour le portefeuille. Un joueur devait avoir deux chevaux au minimum et quatre de préférence et les matchs se disputaient dans le monde entier : en Iran, où on avait inventé ce sport, mais aussi en Angleterre, aux États-Unis et en Amérique du Sud. « C'est un sport de riche, dit Machado, un sport de luxe. »

Les bêtes qu'on avait amenées dans le paddock étaient des chevaux bai noir qui s'ébrouaient et caracolaient au soleil. Machado et ses hommes étaient montés en selle et avaient formé deux équipes constituées de quatre joueurs. Machado tenait son maillet à angle droit par rapport à son corps. Il salua le capitaine de l'équipe adverse et le match commença.

Le fracas des coups de maillet sur la boule en bois, le sifflement des cravaches en cuir de baleine et le piétinement assourdissant des chevaux qui parcouraient le terrain d'un montant de but à un autre, tout cela se mêlait en un spectacle étourdissant. Fascinés, Bliss et Caroline regardaient ce ballet éblouissant qui se jouait sous leurs yeux : il était d'une violence stupéfiante et mené à un rythme d'enfer. Les hennissements des chevaux, les cris et les grognements des cavaliers ponctuaient le silence de cet après-midi; les hommes ne faisaient plus qu'un avec leurs montures dont les muscles saillaient sous l'effort et dont les sabots martelaient le terrain.

La partie dura moins de dix minutes. « Un *chukker*, ça suffit », dit Machado, essoufflé, en descendant de cheval. Sa monture était toute fumante et ruisselait de sueur. Dans les compétitions officielles, on en jouait six, leur expliqua-t-il en les entraînant vers la terrasse. Un domestique apporta du scotch, des glaçons et du vin blanc frais sur une table roulante. « Et l'année prochaine, poursuivit Machado, il y aura une vingtaine ou une trentaine de chevaux dans les enclos et des gens vont venir du monde entier. Pour les voir. Et pour les acheter. »

Tout en buvant son Haig & Haig, Bliss réfléchit. A l'heure où le soleil disparut à l'horizon, noyant le paysage dans un manteau de velours pourpre, ils avaient conclu un marché.

Bliss vendit un lot de titres et d'actions. Machado avait reçu deux nouveaux pur-sang d'Argentine et ils s'étaient associés pour l'élevage et l'entraînement des chevaux. Le matin, lorsque le soleil surgissait de la mer, on les apercevait dans la vallée à l'ouest de Jaimanitas : les yearlings au poil sombre et luisant caracolaient sur le terrain, le jeune Américain dégingandé dans son blue-jean se courbait en deux et se redressait bien droit sur sa monture, et l'Argentin, plus petit mais très souple dans sa culotte de cheval blanche, faisait tournoyer, rouler et frapper son maillet dans l'herbe comme un marteau.

Désormais, leurs journées étaient bien remplies. Caroline fréquentait assidûment le Biltmore Club et se rendait souvent à La Havane dans sa voiture jaune vif : elle allait deux matinées par semaine à l'Hôpital américain et deux après-midi au Colegio Bolen pour y suivre des cours d'espagnol. Le bébé aux cheveux noirs s'épanouissait dans cette île tropicale et parlait maintenant aussi couramment l'espagnol que l'anglais. L'après-midi, quand cet homme trempé de sueur qu'elle appelait papa surgissait au détour de l'allée dans sa jeep vrombissante, elle remontait de la plage ou descendait du solarium, courant sur ses petites jambes potelées pour sauter dans ses bras.

Le soir, après le coucher du soleil, le jeune Américain et sa femme s'asseyaient sur leur terrasse et sirotaient du vin en se laissant bercer par le chant des grillons et le frémissement de la végétation luxuriante et parfumée qui les entourait. Leurs mains s'enlaçaient et leurs voix se faisaient plus douce; bientôt elles devenaient presque imperceptibles et les vagues qui se brisaient nonchalamment dans la nuit couvraient leurs murmures. Quelques heures plus tard, après qu'ils avaient fait l'amour dans l'immense lit apporté d'Espagne par bateau un siècle plus tôt, la jeune femme se réveillait parfois, contemplait l'imposant voile de lit qui ondulait dans la pénombre et tremblait à l'idée qu'un bonheur aussi parfait ne pût durer toujours. Et elle déposait alors des baisers sur le visage, les yeux et les mains du jeune homme... des baisers de minuit pour chasser ses craintes.

20

Alfred Reece resurgit dans leurs vies au printemps 1948. Ils le repérèrent à la proue du bateau alors que le paquebot glissait lentement vers les quais de La Havane. Toujours grand et mince, il portait une fleur rouge à la boutonnière; la tache de couleur qui tranchait sur son costume gris était d'une élégance audacieuse. Ils lui firent de grands signes

jusqu'à ce qu'il les reconnût enfin parmi la foule venue
accueillir les passagers; il leva alors sa canne très haut et
hurla des mots inintelligibles qui ne franchirent pas les eaux
d'un bleu translucide. Il fut le premier à quitter le bateau, il
descendit la passerelle d'un pas alerte; il ne gardait apparemment plus aucune trace de la légère infirmité qui lui
avait empoisonné la vie durant ses dernières années d'études
à Princeton.

« Ma curiosité est satisfaite », dit-il en souriant lorsqu'il
arriva à leur hauteur. « Vous avez tous l'air en pleine forme.
Je n'ai plus qu'à m'en retourner. » Et il repartit vers la foule
grouillante.

Caroline le rattrapa et éclata de rire quand il fit volte-face
et la prit dans ses bras.

Bliss se pencha vers lui et déposa un baiser sonore sur ses
deux joues. « Tu m'as manqué, mon vieux », dit-il puis il se
tourna en souriant vers Maggie. « Voici notre fille. Maggie,
dis bonjour à l'oncle Alfred. »

Les jambes bien écartées dans son pantalon de coton blanc
et les mains enfoncées dans ses poches, Maggie ressemblait
à une copie conforme de Bliss. Ses boucles brunes encadraient son visage et, d'un regard sombre où brillait la
curiosité, elle leva les yeux vers cet homme grand et mince.
Reece, prenant un air sérieux et très officiel, se pencha vers
elle et lui tendit la main. Elle la fixa, puis contempla cet
homme au regard pétillant et se décida enfin à lui sourire,
sortit la main de sa poche et la mit dans la sienne. *« Por qué
tiene bastón? »* lui demanda-t-elle en montrant sa canne.

Caroline prit Maggie par la main. « Ne sois pas si brutale,
ma chérie. Oncle Alfred s'en sert à cause de son mauvais
pied. »

Reece s'appuya sur sa canne à pommeau d'argent. « Non,
non, dit-il à Maggie en riant. *Es nada más que para apoyar-
me, querida. Es como si fuera parte de mi.* »

L'espagnol trop appliqué de l'oncle Alfred la fit pouffer de
rire, puis elle s'échappa et se mit à gambader avec Bliss sur
ses talons. Caroline prit Reece par la main et l'entraîna vers
la voiture. Ce qu'il avait dit était exact. Et, tout comme sa
canne faisait partie de lui-même, il faisait partie de leur
monde et elle se sentit soudain ravie de le retrouver.

Bliss et elle avaient tous deux promis d'écrire à leur famille, mais Bliss s'était contenté d'envoyer des cartes d'anniversaire à Eleanor et les lettres qu'ils avaient reçues étaient restées pendant des semaines sur la longue commode en bois sombre du grand hall blanc. Caroline n'avait pas écrit une seule ligne et elle avait été stupéfaite quand Bliss lui avait annoncé qu'il avait invité Reece à venir les voir; il lui semblait que c'était comme inviter le passé à entrer dans le présent.

« Des nouvelles importantes de là-bas? » demanda Bliss tandis qu'ils se dirigeaient vers la grand-route. Caroline aurait préféré qu'il ne posât pas cette question et elle souhaitait que le vent l'emportât très loin. Elle lança un regard perçant vers Reece qui était assis sur la banquette arrière.

« Non, rien de spécial », dit-il en se penchant vers elle pour lui effleurer la joue. « Rien du tout. Tout le monde va bien. Eleanor m'a écrit. Je viens juste de recevoir une lettre d'elle cette semaine. Elle a rencontré un type et ils vont se marier cet automne.

— Hourrah! » hurla Bliss et il fit vrombir le moteur de la Ford jaune qui suivait la route menant à Jaimanitas.

Reece resta deux semaines avec eux, observant un Bliss qu'il avait rarement eu l'occasion d'entr'apercevoir lorsqu'ils étaient à l'université ensemble. Son humeur sombre et angoissée avait disparu tout comme sa dureté apparente. Il paraissait profondément lié à ce lieu et, dans ses aspects essentiels, était parfaitement intégré à cet univers. Une idée vint à l'esprit de Reece : il lui semblait qu'il l'enviait, mais ce sentiment s'effaça car lui aussi se sentit bientôt envoûté par le charme de cette île.

Ils déambulaient dans les rues de La Havane; parfois, Portia et Machado ou doña Silvia les accompagnaient, d'autres fois, ils flânaient seuls. Ils dégustaient les plats locaux, buvaient du vin et paressaient sur les plages du Biltmore Club en sirotant les *mijotas* que leur apportaient des serveurs en veste blanche.

« Tu es heureuse, n'est-ce pas? » demanda Reece à Caroline tandis qu'il la faisait tournoyer sur la piste de danse enfumée du Tropicana un soir où le ciel était étoilé.

Elle leva les yeux vers lui et son regard parla pour elle.
« Et Bliss a complètement adopté Maggie?

— Oui, dit-elle en souriant. Un juge adorable a rédigé tous
les papiers et après, on a fait une petite fête. Et on l'a
bourrée de glace.

— Vous êtes tous des Harlow maintenant.

— Oui, tous des Harlow », dit-elle en riant.

Il guida sa cavalière pour contourner un autre couple de
danseurs, puis, le regard grave, plongea ses yeux dans les
siens. « Eh bien, ma chérie, je veux que tu saches que si un
jour tu as besoin de moi, je serai là. » Et, la soulevant de
terre, il la fit tournoyer et la ramena à Bliss.

La veille de son départ, ils donnèrent une soirée d'adieu en
l'honneur de Reece et le personnel du Floridita s'en souvint
pendant des années. Le chef, les serveurs et Constantino
contemplaient les verres de daïquiri frappé qu'on levait
pour porter des toasts sans fin au grand homme mince
appuyé sur sa canne à pommeau d'argent qui avait promis
de revenir. Ils se rappelèrent cette nuit-là tout comme les
gens de La Havane se souviendraient de l'éleveur de chevaux de Buenos Aires et du jeune Américain dégingandé aux
cheveux blonds.

« Cette espèce de fou d'Américain », diraient-ils avec des
sourires nostalgiques lorsqu'ils raconteraient — et cela
arriverait souvent — l'histoire du premier achat de yearlings de la saison en cet été de 1948.

un comte suédois, leur avait-elle dit. Plutôt aisé. Et un
enragé de polo, m'a-t-on dit. Alors fais briller le poil de tes
chevaux, Bliss. Va voir où il en est. »

Lindstrom se rendit à la *finca* avec Bliss et Machado et
leur fit une offre de deux cent mille dollars pour huit
chevaux. Bliss sourit, alluma un cigare long et mince et
secoua la tête. « Désolé, Lindstrom. Ici, on recherche des
affaires sérieuses. »

Lindstrom se détourna de la barrière et observa Bliss d'un
regard intrigué. « Vous êtes fou. Vous le savez, non? C'est
une proposition intéressante, une offre très sérieuse. Et ce
serait la première affaire que vous feriez avec moi. » Il
haussa les épaules. « Je suis très connu. Ça vous ferait une
excellente publicité. »

Ils se contentèrent d'éclater de rire et le reconduisirent à

son yacht ancré dans le port de La Havane. Et ils attendirent.

« Alors? demanda Machado. Tu crois qu'on l'a perdu?
— Non, sûrement pas. Il va revenir. Tu verras. »

Jour après jour, ils se rendaient au port et regardaient
Lindstrom assis sur le pont de son yacht blanc qui sirotait de
la vodka en broyant du noir. Puis ils reprenaient leur
voiture, allaient jusqu'au Templete, commandaient deux
scotchs avec de l'eau, s'asseyaient sous la véranda qui avait
une vue plongeante sur le port et attendaient. Les habitués,
qui connaissaient toutes les affaires importantes de La
Havane, se rassemblaient autour d'eux et ils étaient bientôt
rejoints par une foule de curieux qui étaient venus assister à
l'étrange jeu que se livraient l'Américain et le Suédois
retranché sur son yacht.

Deux jours plus tard, Lindstrom fendit la foule de
badauds amassés au Templete. Sa voix lui parut dure et
gutturale lorsqu'il s'adressa à Bliss. « Je vous propose un
quart de million de dollars. C'est mon dernier prix.
— J'ai dit une affaire sérieuse, Lindstrom... Sérieuse.
— Merde », lâcha le Suédois et il partit furieux.

Les curieux, rassemblés au Templete, venaient chaque
jour plus nombreux et ils restaient de plus en plus longtemps. Une semaine plus tard, Lindstrom était de retour.

« Trois cent cinquante mille dollars », dit-il puis il fixa les
eaux bleues du port.

Bliss jeta un coup d'œil à Machado. Des gouttes de sueur
coulaient sur le visage de l'Argentin et dégoulinaient le long
du col de sa chemise ouverte. « Disons un demi-million et
n'en parlons plus, dit Bliss. Alors, affaire conclue? »

Un profond silence s'abattit sur le bar. Plusieurs minutes
s'écoulèrent.

Puis Linstrom dit : « D'accord. Affaire conclue. »

Lindstrom était à peine parti qu'ils se donnèrent l'acco-
lade et se mirent à hurler. Leurs cris de triomphe déferlèrent jusqu'aux quais où le yacht blanc dansait sur les eaux
bleu-vert.

Cela se passa une semaine plus tard, juste après le lever du
jour. Le soleil avait surgi à l'est et éclairait les champs où ils
chevauchaient. Machado caracolait en tête, à plusieurs

mètres de Bliss; sa petite pouliche martelait la terre de ses sabots et soulevait des touffes d'herbes humides. Elle était jeune et rapide, mais elle rata son virage et Machado mourut aussi violemment qu'il avait vécu : il fut écrasé sous le poids de la jument qui hennissait comme une damnée. Bliss acheva la jument, puis il hissa le corps meurtri et broyé de Machado sur son cheval et l'emporta à travers la vallée, soudain silencieuse, pour le déposer dans les bras de Portia.

Caroline s'occupa des différentes dispositions à prendre et, la nuit, tint compagnie à Portia. Ils enterrèrent Machado dans le cimetière d'une petite église de village située dans les montagnes à l'est de Jaimanitas; quatre jours plus tard, le télégramme arriva des États-Unis.

« Papa est mort. S'il te plaît, reviens à la maison. Eleanor. »

Bliss Harlow quitta Cuba et rentra chez lui avec sa femme et sa fille.

« Juste pour quelque temps », avait-il dit.

Troisième Partie

Earth, Texas

Avril 1958

21

En ce printemps de la fin des années cinquante une dépression s'était abattue sur le Texas. Le blizzard soufflait sur les champs de pétrole de l'est de l'État qui étaient couverts de neige en ces derniers jours d'avril et des journaux du monde entier publiaient des photos des bandes d'enfants des villes frontalières qui allaient construire des bonshommes de neige sur les rives du Rio Grande.

A Dallas, les éclaircies faisaient place aux averses et, le temps que Caroline descendît Merchant Street, le toit noir de sa voiture ressembla à un miroir où se reflétait la carrosserie étincelante d'un rouge écarlate tandis qu'elle se dirigeait vers l'autoroute et la R. 30 pour prendre ensuite la direction plein nord.

La nuit tombait et, sur sa gauche, les quartiers neufs brillaient à la lumière des réverbères. Dallas se trouvait maintenant derrière elle et on distinguait à peine la ville noyée derrière ce rideau de pluie. Elle apercevait juste le sigle rouge orangé de Shell qui formait une tache colorée parmi une demi-douzaine de gratte-ciel et le panneau lumineux des Entreprises Harlow qui scintillait dans les bleus. Il lui semblait que ce néon bleu et ces rues qui serpentaient dans ces quartiers sombres et déserts avaient toujours existé.

Elle mit une heure et demie pour arriver dans les faubourgs de Earth. La neige s'était remise à tomber, les flocons paraissaient s'accrocher aux phares.

La ville n'avait pas beaucoup changé avec le temps. Les

rues étaient bitumées et les Cadillac et les Thunderbird roses
décapotables avaient remplacé les roadsters et les vieilles
Ford, mais l'atmosphère restait la même : Earth demeurait
une petite ville texane blottie parmi les collines plantées de
pins.

On avait érigé une nouvelle église depuis le retour de Bliss
et Caroline. On avait aménagé un parking commun pour le
bâtiment en brique rouge de l'église méthodiste et le Harlow
Medical Center que Ben et Eleanor avaient fait construire
après la mort de Will Harlow. De l'autre côté de Main Street
se dressait la façade de la banque refaite à neuf et de
nouveaux propriétaires, le jeune Gary Ashmead et sa femme
Loretta, avaient repris le drugstore et le magasin de tissus et
nouveautés des Carr.

Il ne passait plus aucun train en dehors d'un convoi de
marchandises de temps à autre. Maintenant tout le monde
avait sa voiture et tout le monde conduisait; une nouvelle
station-service s'était ouverte au bout de Main Street à côté
de l'ancienne voie ferrée. Un motel était sorti de terre sur la
route qui menait à Sugar Hill. Le dépliant publicitaire
proposait aux clients une douzaine de « Cozy Cottages » avec
bain et linge propre changé tous les jours. Les services
fiscaux avaient étendu les limites de la ville pour inclure le
motel au cadastre; pour célébrer l'événement, Billy avait
installé un nouveau panonceau sur le toit de son bar à Sugar
Hill. Le nom Billy's s'étalait en grandes lettres blanches et,
juste en dessous, un néon vert qui clignotait toute la nuit
annonçait : « Le Plus Grand Petit Dancing de Earth ».

Au cœur de ce quartier que les gens appelaient maintenant le « centre ville », les bâtiments du journal s'étaient
agrandis et la tour de la station de radio était plus haute et,
derrière la demeure d'Amelia Harlow, parmi les terres
parfaitement entretenues du domaine, se dressait une autre
maison, celle de Ben et d'Eleanor qui se mariait parfaitement au style de la maison principale avec ses murs de
brique blanche. Et l'imposante propriété était encore plus
grande car on avait construit une nouvelle aile au retour de
Bliss.

Caroline apercevait la maison maintenant. Elle remontait l'allée circulaire; elle freina et le gravier crissa sous ses pneus puis elle se dirigea vers les écuries et les garages aménagés derrière la propriété. Elle entendait les voix stridentes des enfants qui jouaient un peu plus loin dans les champs couverts de neige. Caroline se retourna et vit que la porte donnant sur la terrasse était ouverte, puis la silhouette d'Amelia Harlow se découpa dans la lumière d'un jaune éclatant où baignait la terrasse.

« Grandmelia », hurla l'un des enfants et ils déboulèrent à travers champs et se précipitèrent vers les marches en piétinant la neige de leurs bottes aux couleurs vives. Maggie, qui avait treize ans maintenant et de longues tresses noires, menait la marche. Venait ensuite Jay, le fils d'Eleanor, et une petite fille vêtue d'une combinaison bleue matelassée qui donnait des coups de pied dans la neige en courant et la faisait voler.

« On a fait des anges dans la neige, Grandmelia.

— Des très grands.

— Vraiment, ma chérie? » La porte claqua, les voix se turent et, quelques instants plus tard, Caroline Harlow gravit les marches à son tour. Si on le lui avait demandé, elle aurait répondu qu'elle était malheureuse, mais désormais elle ne se posait même plus ce genre de questions.

Will Harlow était mort depuis deux semaines lorsque Caroline et Bliss étaient arrivés au Texas. Il y avait de cela dix ans. Bliss était allé seul au cimetière en ce premier après-midi et il avait dû se rendre à l'évidence devant les fleurs fanées, le monticule de terre fraîchement retournée et les pierres tombales au nom de la famille Harlow qui s'alignaient comme pour marquer le temps. Il s'apprêtait à partir lorsque Eleanor le découvrit.

Il la regarda marcher à grands pas à travers champs, longiligne et efflanquée dans son blue-jean. Il réalisa soudain qu'elle lui avait manqué, leur complicité lui avait manqué. Ils s'assirent sous un pin et se mirent à parler... à parler de la version officielle qui avait annoncé une mort naturelle, d'une maison à Tyler avec un jardin de roses, du travail au journal et d'un corps qui pendait dans une pièce vide. Elle lui demanda alors de rester. « Pas pour toujours, Bliss. Juste pour quelque temps, un an ou deux? » Il la regarda à l'ombre des pins et lut sur son visage combien elle souffrait et combien elle avait besoin de lui. Il se redressa et s'étira, levant les bras vers le ciel qui commençait à se teinter de toutes les couleurs du monde. « Allez, viens, dit-il. On fait la course jusqu'à la maison. »

Elle prit la tête dans sa Chevrolet qu'elle maniait en douceur et il la suivit dans la vieille camionnette bleue de Ben. Pendant toute la course, ils se tenaient : ils descendirent la colline et traversèrent la ville pare-chocs contre pare-chocs. Elle arriva la première mais il la battit de justesse en grimpant les marches de la maison et poussa un cri de triomphe en faisant claquer la porte d'entrée.

« Ça t'ennuie si nous restons? demanda Bliss à Caroline ce soir-là. Pas pour toujours. Un an ou peut-être deux.

— Rester? » dit Caroline. Ils étaient dans la chambre d'amis du deuxième étage et se préparaient pour le dîner. Elle entendit la petite Maggie, qui avait alors trois ans et qui faisait des mamours à Matty dans le couloir, et alla fermer la porte de la chambre. Il lui parla alors de son père et lui expliqua qu'Eleanor avait besoin de sa présence. « Rester », répéta-t-elle.

Ce matin-là, ils avaient mis très exactement trois minutes pour aller en voiture du palais de justice à l'autre bout de la ville. Caroline l'avait vérifié elle-même sur la pendule du tableau de bord de la limousine qui les avait amenés de l'aéroport de Dallas. Cela prenait trois minutes pour parcourir cette artère principale, poussiéreuse et sinistre, où s'alignaient d'horribles petits immeubles dévorés par le soleil. Rester. Dans un trou qui ressemblait aux villes de cow-boys qu'elle avait vues dans tous les vieux westerns hollywoodiens avec leurs images piquées.

Ce matin-là, Caroline avait essayé d'imaginer l'enfance de Bliss dans cette ville et ce soir-là au dîner, elle tenta d'envisager quelle serait sa vie si elle restait plus longtemps que ne l'exigeait une visite de politesse. Elle n'arrivait pas à concevoir cet avenir. Par contre, dès ce soir-là, elle commença à percevoir le lien qui unissait son mari à sa sœur.

Ce n'était pas comme un rapport sexuel, leurs relations n'étaient pas marquées par ce caractère pressant et exigeant. Caroline comprenait les pulsions sexuelles et là, c'était différent. Elle les regarda s'asseoir à table l'un en face de l'autre et elle comprit, à la façon dont ils se sourirent, qu'ils prenaient les places qui étaient les leurs depuis toujours. Ils saisirent leurs serviettes en même temps et, reproduisant les mêmes gestes, jouèrent avec le pied de leur verre à vin.

Elle n'avait jamais remarqué cette manie chez Bliss : son doigt suivait le tour de la base du verre, puis remontait d'un côté et redescendait de l'autre. Mais elle le releva ce soir-là, puis elle perçut un éclat de rire et leva les yeux vers eux.

La longue table, parfaitement cirée, regorgeait de plats de viande encore fumants. Duke versait le vin et Matty débarrassait les assiettes à soupe. Amelia riait d'un mot de Ben. Elle avait des traits délicats et paraissait fragile. Mais elle ne l'était absolument pas. Caroline l'avait tout de suite deviné. Quelle histoire délicieuse, disait Amelia. Décidément, Daingerfield ne sera jamais plus comme avant. Caroline ne savait pas ce qu'était Daingerfield et personne ne le lui expliqua. Elle se sentait isolée parmi ces rires et elle s'accrochait à cette image : elle fixait le doigt de Bliss qui tournait autour du pied de son verre à vin en cristal, tout comme le faisait Eleanor.

Caroline réprima sa colère et sa jalousie et abandonna le combat. Ils allaient rester car Bliss tenait à Eleanor d'une façon que Caroline n'aurait jamais pu imaginer.

Ce soir-là, elle s'endormit dans le lit étroit de la chambre d'amis à côté de celui de Bliss et, lorsqu'elle se réveilla le lendemain, elle le découvrit un stylo à la main : il envoyait des ordres pour qu'on embarquât une poulinière argentine sur un bateau qui quitterait le port de La Havane et gagnerait la baie de Galveston. Trois semaines plus tard, elle pénétra dans les bureaux du *Bugle-Times* pour assister à la signature du contrat de la nouvelle société dans laquelle Bliss et Eleanor rejoignaient Amelia aux postes du conseil d'administration.

La nouvelle compagnie fut baptisée Les Entreprises Harlow et elle constituait le plan d'avenir d'Amelia.

L'année où Will mourut et où Bliss rentra au Texas, elle avait cinquante ans et, dans son esprit, les deux événements étaient liés. Elle avait tenté de rationaliser l'acte de Will, mais elle n'avait pu y parvenir car le sentiment de honte qui l'oppressait était trop ardent et le combat que se livraient ses souvenirs était trop violent. Elle croyait avoir enterré ses vieux souvenirs, mais ils revenaient aujourd'hui dans ses rêves sous la forme d'un train bardé de drapeaux rouge, blanc et bleu et d'une jeune fille qui appelait quelqu'un tandis que le train s'ébranlait et disparaissait à l'horizon. Ses cauchemars étaient sans paroles, mais une nuit, Amelia fut réveillée par le sifflement d'un train de marchandises qui traversait la ville; elle entendit son long hurlement qui se perdit bientôt dans la nuit tandis qu'il poursuivait sa route vers le sud. Cette nuit-là, la jeune fille paraissait très réelle. « Je t'aime, Will. » La jeune fille prononçait ces mots. « Je t'aime. »

A partir de ce jour-là, Amelia laissa la lumière allumée pour dormir, et ce jusqu'au retour de Bliss.

Il descendit d'une limousine un samedi matin d'octobre. Il traversa l'allée de gravier où elle l'attendait et se pencha pour l'embrasser sur la joue. Et dès lors, le décès de Will ne fut plus qu'une simple mort, l'événement qui lui avait rendu son fils.

Elle glissa une photographie de Will dans un cadre en argent et le disposa parmi les autres sur la longue commode blanche installée à côté de son lit. Il était redevenu un homme mince vêtu d'un costume blanc qui se prélassait dans un fauteuil en osier à l'ombre du porche et souriait face à l'appareil. Il était de nouveau le mari qu'elle avait choisi, un homme qu'elle pouvait pleurer, un père qui avait ramené son fils à la maison.

Une semaine plus tard, elle partit pour Dallas pour la journée.

Quand Clayton Benedict lui dit qu'elle était folle de vouloir tout développer en même temps, les quotidiens, la chaîne de télévision et les projets immobiliers, elle se contenta de hausser les épaules. Elle ne voulait pas lui avouer qu'il lui fallait agir ainsi. Elle voulait tout agrandir pour appâter son fils, pour le retenir.

Les papiers que Clayton Benedict avait rédigés attendaient sur le bureau d'Amelia lorsque Caroline entra au bras de Bliss. Ces documents lui semblaient terrifiants, mais il y avait aussi un magnum de champagne et Caroline se détendit. On aurait presque cru assister à une fête où Clayton Benedict jouait le rôle d'officiant.

Les complexités juridiques l'ennuyaient et Caroline ne prêta guère attention à cette partie du discours. Pour le reste, tout était très simple. Ils détenaient treize hebdomadaires, une station de radio et cinq cents acres de terrain aux abords de Dallas. Ils les avaient traversés en venant de l'aéroport. Ce domaine ressemblait à un désert, il n'y avait rien... et des broussailles.

La valeur nette des Entreprises Harlow était évaluée à six millions de dollars et le capital opérationnel à un million et demi. « Et les actions sont réparties en trois parties égales, poursuivit Clayton. Trente-trois pour cent pour Amelia et la même chose pour Bliss et Eleanor. »

Amelia sourit. « Il reste donc un pour cent, Clayton.

— Il est également divisé en deux. La moitié pour Ben. » Et il sourit avant d'ajouter : « Et l'autre est pour vous, Caroline. »

Suivirent d'autres précisions juridiques, mais Caroline resta tranquillement assise. Elle était flattée et surexcitée; elle n'avait pas imaginé qu'elle serait incluse dans ces tractations. Elle avait l'impression d'hériter d'une rente rien que pour elle.

« Je vous remercie », dit-elle en signant là où Clayton le lui indiquait. « Merci beaucoup. » Elle embrassa sa belle-mère sur la joue. « C'est très gentil de votre part. » Et elle leva son verre pour porter un toast au succès des Entreprises Harlow.

« C'est juste pour un an ou deux, » écrivit-elle ce soir-là à Portia qui s'était retirée dans sa propriété de famille en Angleterre. « Ensuite, nous revendrons nos parts à la société... et nous partirons. New York. Paris. Et Londres bien sûr. Et nous arpenterons les allées de Harrods ensemble, toi et moi. »

« Et nous boirons des Pym's sur la pelouse du fond », lui répondit Portia par retour du courrier. « Avec tout le gratin

du monde des courses du coin. Ne t'inquiète pas, ma chère
Caroline. Nous y survivrons d'une façon ou d'une autre. Et
l'Angleterre attendra. »

Cet automne-là, on organisa une soirée dans la grande
maison pour fêter la naissance des Entreprises Harlow.
Maggie voulait mettre ses bottes rouges de cow-boy toutes
neuves, mais Caroline les cacha dans un coin et laissa à
Matty le soin de convaincre sa fille. Elle enfila sa robe et,
lorsque Bliss et Maggie furent prêts, ils descendirent tous
trois le grand escalier.

Ils firent une entrée superbe. Bliss portait un smoking
noir, Maggie sa plus belle robe d'organdi blanc et Caroline
une robe bordeaux très brillante qui dégageait ses épaules et
des sandales assorties. Tout en suivant le long escalier à vis
pour se mêler aux invités, elle sentit aussitôt qu'elle allait
passer une soirée épouvantable.

Elle n'avait pas choisi le vêtement adéquat. Toutes les
autres femmes portaient des jupes longues et des chemisiers
en soie dans des tons pastel. Elles l'examinèrent un instant
puis s'exclamèrent toutes à la fois de leurs voix marquées
par un délicieux accent du Sud : « Vous êtes absolument
ravissante. C'est merveilleux de vous avoir parmi nous. »
Amelia jeta un coup d'œil sur sa robe et ne dit pas un mot ;
elle se contenta de la présenter à un vieil homme trapu qui
arborait une véritable crinière de cheveux blancs. « Le
député, Mr. Jarvis, ma belle-fille », dit-elle et elle entraîna
Bliss un peu plus loin.

Papy Jarvis la prit par le bras et plaisanta à propos du
Texas tout en la guidant parmi la foule. Il n'y avait pas de
vin au bar, elle demanda donc un bourbon avec des glaçons.
Un tourbillon de voix l'entourait : on discutait de publicité,
de journaux, des problèmes politiques concernant l'Etat
sans oublier les bavardages mortellement ennuyeux sur la
pluie et le beau temps.

Des plats circulaient sur des tables roulantes, des gens se
dispersaient sur les pelouses et Matty vint chercher Maggie
qu'elle emmena se coucher. Un homme, portant un smoking
et un Stetson, lui apporta un troisième verre. Il l'entraîna
vers une balançoire cachée sous les arbres et, de sa voix

nasillarde qui lui écorchait les oreilles, lui parla de broyeurs et de puits de pétrole. Un vague sourire aux lèvres, Caroline écoutait le grincement de la balançoire tandis qu'il lui racontait d'autres histoires tout en se rengorgeant et elle finit par comprendre que tout cela avait un rapport avec le pétrole.

Elle ponctuait ses compliments de rire, lui inspirant inlassablement une nouvelle anecdote et, lorsqu'il lui demanda si elle voulait faire une petite promenade du côté des peupliers, elle lui sourit et prit son bras. Ils étaient arrivés au bout de l'allée de gravier quand elle sentit un baiser humide sur son cou, puis ses lèvres cherchèrent les siennes.

« Arrêtez! » Elle leva la main pour le gifler.

Mais il rattrapa son bras au vol. « Pourquoi, espèce de petite allumeuse. Tu n'attends que ça depuis le début de la soirée. »

Il souffla alors bruyamment, se plia en deux sous le choc et son Stetson roula sur le gravier.

« Si tu la touches encore une fois, je te casse la gueule, espèce de salaud. » Bliss Harlow prit sa femme par le bras, l'entraîna dans la maison et la conduisit aussitôt au deuxième étage.

Il claqua la porte de la chambre d'amis et se jeta sur l'un des deux lits jumeaux. Son col était ouvert et il avait un regard menaçant.

Caroline retira un bracelet qu'elle laissa tomber sur le dessus en verre de la coiffeuse et le regarda dans la glace. Il ne bougea pas.

« Bliss? »

Elle entendait les échos de la soirée qui touchait à sa fin en bas, mais dans la pièce, seul régnait leur silence insistant.

Elle enleva sa robe. « Tu as bien vu ce qui s'est passé, Bliss... il a essayé de m'embrasser.

— Je l'ai vu oui, et je t'ai vue aussi. » Il s'était levé et venait vers elle, il la prit brusquement par le bras. « Ne flirte pas, Caroline. Ne fais jamais ça. » Il se mit alors à la secouer, la projetant d'avant en arrière, encore et encore, jusqu'à ce qu'elle poussât des cris terrifiés. Il s'arrêta et la fixa d'un regard dérouté.

« Je suis désolée, Bliss. Je ne l'ai pas fait exprès. Je ne voulais pas... mais personne ne faisait attention à moi. Et je m'ennuyais tellement », dit-elle en éclatant en sanglots.

Il la prit dans ses bras et la serra contre lui. « Je sais, mon amour, je sais. Je sais que tu détestes ce monde, mais je le hais depuis beaucoup plus longtemps que toi. Ce n'est pas pour toujours. Tu verras. » Il l'entraîna jusqu'au lit et noya ses sanglots sous ses baisers. Elle l'enlaça dans la pénombre et plus rien n'avait d'importance. Son corps revenait à la vie sous ses caresses; mouillée de désir et désemparée de sentir le vide en elle, elle le cherchait, puis il la remplit... tout entière, de sa virilité. Ils allaient s'en sortir, oui c'était certain. Rien n'avait d'importance hormis cela.

Elle acheta sa décapotable d'un rouge étincelant avec le premier chèque qu'elle reçut des Entreprises Harlow et elle passait le temps en concevant la nouvelle aile qu'on allait accoler au dos de la grande maison. Il valait mieux supporter de vivre sous le toit d'Amelia plutôt que de se faire construire une autre demeure, avait-elle décidé, puisqu'ils n'étaient là que pour quelque temps.

Au printemps, elle commanda le mobilier. Elle choisit des meubles art déco dans des tons clairs de chez W. & J. Sloane's de New York, des chaises Eames de chez Neiman-Marcus faits uniquement sur commande et une collection de tableaux provenant d'une galerie qu'elle avait découverte dans l'un des magazines auxquels elle s'était abonnée. Tous les soirs, elle suivait le long couloir qui reliait les deux parties de la maison et rejoignait les autres pour prendre les cocktails qu'Amelia faisait servir à sept heures. Elle finit par s'adapter à ce nouveau rythme de vie et, au moins, elle était heureuse de voir que Maggie s'épanouissait dans ce cocon.

Maggie aimait vivre dans la grande maison blanche qui se dressait en haut de la ville de Grandmelia; elle aimait l'amosphère particulière qui régnait en ce lieu. Elle avait cinq ans et portait de longues tresses noires. C'était une enfant brillante. Tout le monde le disait. Chacun s'exclamait : « Ça alors, voilà une petite fille bien intelligente », et chez Carr dans Main Street, Mr. Ashmead lui faisait des sourires et lui donnait toujours un bonbon. Et Maggie disait : « Merci, Mr. Ashmead », en faisant bien attention à ses manières comme Matty le lui avait recommandé.

Elle avait été très contente quand tante Eleanor lui avait annoncé qu'elle allait avoir un bébé : « Tu vas avoir un petit cousin, mon chou. » Il était né à l'automne 1949 et on l'avait baptisé Benjamin Dallas Harlow Rawlings. Maggie avait aidé Eleanor à choisir son nom sur la carte du Texas et elle aimait voir son visage virer au rouge lorsqu'il braillait et sa petite main s'accrocher à son doigt. Tout le monde l'appelait Jay et même lorsqu'il était nouveau-né, tante Eleanor la laissait s'asseoir dans le grand fauteuil d'oncle Ben et prendre le bébé dans ses bras. Il était si petit et si chaud, on aurait dit un chiot, et elle était très douce avec lui, tenant sa tête exactement comme on le lui avait montré. Il avait six mois quand Caroline lui annonça qu'elle aurait bientôt un autre bébé et Maggie en fut folle de joie.

« Une petite sœur, avait-elle dit, juste pour moi.

— Tu ne peux pas en être certaine, ma chérie, lui avait dit sa mère. Ce sera peut-être un petit frère, tu sais.

— Non, maman », avait répliqué Maggie, parfaitement sûre de ses affirmations. « Jay est déjà un garçon. Je suis sûre que je vais avoir une petite sœur. »

Sa sœur était née au milieu du mois de juin 1950. Elle était minuscule, c'était un adorable bébé avec des boucles brunes très soyeuses. Bliss avait choisi le nom de Kathryn et Maggie avait passé la matinée par terre dans la cuisine de Matty, plongée dans un atlas scolaire pour choisir le nom de la ville du Texas qu'on allait intercaler entre Kathryn et Harlow. C'était plus difficile que pour trouver celui de Jay. Tante Eleanor s'appelant Austin et son papa, Houston, il était tout à fait normal que son cousin s'appelât Dallas. Tout le monde y avait pensé tout de suite.

Elle repoussa une de ses nattes et tourna une nouvelle page de l'atlas.

Matty, qui s'apprêtait à écosser les haricots, passa par-dessus Maggie. « Alors, comment ça marche là-dessous ?

— Humm... », dit Maggie en se concentrant sur les lettres

du haut de la page. Elle lut : « Texas (suite). » D'autres
noms de villes s'alignaient en dessous : Rosebud, Lovelady,
Apple Springs. Il y avait même une ville baptisée Dew,
rosée du matin. Et elle se replongea dans les pages de
l'atlas, les lettres dansaient devant ses yeux. C'était ça le
problème avec cet atlas : on n'avait pas la carte du Texas en
entier.

Une demi-heure plus tard, Maggie leva les yeux. « Ça y est,
j'ai trouvé. » Elle avait le doigt posé sur la petite ville qu'elle
avait fini par découvrir.

« J'ai trouvé, Matty » répéta-t-elle et elle se redressa d'un
bond. « Morning Glory, Belle de Jour, lança-t-elle. Kathryn
Morning Glory Harlow. »

Matty sourit. « Je pensais bien que tu choisirais celui-là
dès que tu aurais mis le doigt dessus.

— C'est joli, non?

— C'est parfait, renchérit Matty. Elle sera ta Morning
Glory, ta Belle de Jour, et tu seras sa Sweet Heart Rose, son
Beau Liseron Rose... comme deux jolies fleurs. »

22

Tout le monde l'appelait Kate. Maggie, leur cousin Jay et
Kate grandirent au Texas dans les années du boom écono-
mique où les Entreprises Harlow devinrent l'un des plus
importants trusts de tout l'Ouest.

C'était Ben Rawlings qui leur avait dit que le moment était
venu.

Il avait reconstruit la fortune de la State Bank of Earth,
prudemment, sans tambours ni trompettes, et il représentait
aujourd'hui un partenaire financier de poids dans le monde
des affaires du Texas. Ses investissements dépassaient largement les limites étroites des opérations bancaires dans les
petites agglomérations; il avait des intérêts dans le pétrole,

l'élevage du bétail et la construction dans tout l'État et des bureaux au vingt-cinquième étage de l'immeuble de la First National Bank à Dallas.

Il siégeait à la toute-puissante Commission pour les autoroutes du Texas ainsi qu'au conseil d'administration de deux autres banques et était membre du Petroleum Club où on le voyait déjeuner deux ou trois fois par semaine en compagnie de politiciens éminents et de quelques confrères. C'était un homme bien bâti avec des cheveux fins et un sourire avenant, un homme riche qui croyait dans les investissements judicieux.

Un jour de l'automne 1950, il déjeunait au Petroleum Club d'un simple cœur d'aloyau tout en écoutant les propos d'un homme d'affaires qui était dans le pétrole. De sa voix vulgaire marquée d'un fort accent texan nasillard, il lui racontait inlassablement moult anecdotes sur la nouvelle période noire qu'ils traversaient. « Tenez, prenez Houston aujourd'hui », se lamentait Lester Judd tout en tirant sur son cigare. « Une ville aussi charmante que ça qui est pleine de fous qui vont chercher du pétrole jusque sous les draps de lit et qui le trouvent. C'est foutrement vrai qu'ils en trouvent.

— Ça ne durera pas longtemps, disait Ben. Les grandes sociétés vont débarquer et remettront de l'ordre dans tout ça.

— Il y a trop de gens qui viennent, soupira Judd. Le Texas n'est plus ce qu'il était. Ce matin justement, je discutais avec deux types qui forent dans le nord. Eh ben, il n'y a plus grand-chose à dire des puits et ils songent à se reconvertir dans la construction de quartiers neufs. C'est une idée épouvantable. » Il jeta son cigare dans son verre à moitié vide. « Des maisons neuves, ça va nous amener la lie de la terre. C'est tout. Des Blancs mais des pouilleux. »

Quand il se retrouva enfin seul, Ben alluma un cigare. Le pétrole, c'était de la vieille histoire, mais le développement des quartiers neufs aux abords de Dallas, ça, c'était l'avenir.

Il retourna à son bureau, passa quelques coups de téléphone et, deux heures plus tard, entra dans le bureau d'Amelia Harlow au *Bugle-Times*.

« Ces terrains incultes que vous avez, Amelia. » Elle leva les yeux et l'interrogea d'un signe de tête. « Les choses sont en train de changer à Dallas. Maintenant, on peut vraiment parler d'investissement immobilier. »

Six mois plus tard, on commença à creuser les fondations sur le domaine des Harlow. Un après-midi, Amelia et Eleanor se rendirent là-bas pour regarder les bulldozers qui s'étaient lancés à l'assaut du terrain broussailleux. Eleanor coupa le contact; elles sortirent de la voiture et s'appuyèrent sur la capote de la Cadillac.

Amelia eut la même impression qu'au premier jour : tout lui paraissait désespérément plat. La différence, c'était Dallas : l'agglomération, tout proche maintenant, ressemblait de loin à une ville miniature qui venait se coller à son terrain. Bientôt sur ces cinq cents acres de terres incultes se dresseraient deux mille maisons modèles, des maisons à deux étages bâties dans le style des ranches qui sortiraient de terre, allée après allée. Bientôt on verrait des rues goudronnées, des pelouses et de jeunes arbres. Bientôt on verrait des gens dans les rues, des voitures sous les auvents et les bicyclettes des enfants contre les trottoirs. Elle était contente de penser qu'elle avait eu raison.

« Qui était-ce, maman? Qui a donné ce terrain à papa?

— Corman, je crois. Il me semble me souvenir que j'ai vu ce nom-là sur l'acte notarié. »

Eleanor donna un coup de pied dans une pierre et souleva un léger nuage de poussière. « Je me demande où ils sont aujourd'hui.

— En Californie, je pense.

— Oui, sans doute. » Eleanor se tourna vers sa mère, elle avait un petit sourire mélancolique. « Il aurait voulu qu'on arrive à les retrouver, tu ne crois pas? Pour leur dire qu'aucune note de médecin n'a jamais valu ce prix-là. Ils devraient récupérer leurs terres. »

Elles restèrent encore un moment à regarder les énormes tentacules des engins s'élever et retomber dans le ciel, puis abandonnèrent les bulldozers à leur travail.

Ils n'attendirent pas que les maisons fussent sorties de terre et que l'argent liquide fût rentré dans les caisses. Ben se retrouva à la tête du consortium de banquiers du Texas qui prirent le marché de promotion immobilière pour nantissement. Il obtint un énorme prêt à long terme et c'est ainsi que l'expansion de l'empire Harlow commença.

Deux groupes de journaux du Midwest leur firent des offres intéressantes qu'ils acceptèrent six mois plus tard. Ils sélectionnèrent sept centres de concentration urbaine importants et commencèrent à installer des câbles dans tout l'Ouest pour la télévision.

En 1950, aux États-Unis, il n'y avait qu'une centaine de stations en service. Le gouvernement fédéral était très prudent en la matière et avait bloqué l'obtention de nouvelles licences de la côte Est à la côte Ouest. La F.C.C. préparait un énorme dossier sur les critères à respecter, les interférences au niveau des ondes et les différentes composantes destinées à établir un système unifié. Ce contretemps ne gêna pas Eleanor. Elle profita de ce délai pour contacter ses annonceurs pendant que la F.C.C. discutait avec les chaînes et pour s'entretenir avec Papy Jarvis qui était revenu de Washington, D.C., à l'occasion des fêtes de Noël.

« La télévision ? » l'interrogea Papy le jour où elle vint le voir au ranch. « Les gens disent que ça va pas marcher.

— Si, Papy. Ne t'inquiète pas pour ça. Mais je vais avoir besoin de toi. Il faut que quelqu'un ait un œil sur la F.C.C. »

La chaleur du feu qui crépitait dans la cheminée empourprait son visage. Tout en arpentant la pièce, elle exposa tous les points au vieil homme à la crinière blanche bien calé dans le grand fauteuil en cuir de son bureau. Le blocage en matière de licence durerait deux ans, peut-être un peu plus longtemps. Mais la situation évoluerait forcément. On finirait par apprendre ces nouvelles directives et, des mois à l'avance, on connaîtrait la date à laquelle on délivrerait de nouvelles licences. « Papy ?

— Je t'écoute, mon chou.

— Je veux que mes demandes de licence soient sur le haut de la pile. Même si ça doit me coûter... disons, un petit supplément. »

D'un coup de dents, Papy coupa le bout de son cigare et prit une allumette. « C'est pas la peine d' tourner autour du pot avec moi, Eleanor. Mais j' vais t' dire une chose. Les gars de la F.C.C., on les a pas au rabais. Ça peut aller chercher dans les dix ou vingt mille dollars. » Il s'arrêta un instant, haussa un sourcil et grimaça un sourire. « Ta mère est au courant de tes projets... de tes largesses ? »

Eleanor sourit et s'approcha de Papy pour tirer sur une de ses longues mèches de cheveux.

Six mois plus tard, le téléphone, posé sur sa table de nuit, sonna juste avant le lever du jour.

« Eleanor ? C'est toi ?

— Papy ? Mais mon Dieu, c'est le milieu de la nuit.

— Tu m'avais dit que tu voulais être au courant dès que je saurais quelque chose, mon chou. C'est au sujet de ta demande de licence, Eleanor. Eh bien, t'es tout en haut de la pile, juste derrière Lyndon Johnson. Il sera le premier et toi, le numéro deux. »

Elle en oublia l'heure un peu incongrue. « Comment ça, Lyndon Johnson ?

— C'est la stricte vérité, mon chou. LBJ a aussi envie de monter une station de télé, à Austin. Elle sera au nom d' Lady Bird [1] évidemment, mais il n'y a pas de problèmes, mon chou. Lyndon fait partie de la famille. Et venir en seconde position, c'est pas mal du tout.

— Ils sont complètement fous. Ils ne connaissent rien à la télévision. »

Il éclata de rire. « Eh bien, tu l' diras toi-même à Lyndon. »

La situation fut débloquée en 1953 ; Lyndon Johnson fut le premier à obtenir sa licence et Eleanor la seconde. Elle avait désormais ses sept stations de télévision — le quota maximum autorisé par la loi — réparties dans tout le Sud-Ouest. Amelia garda les vieux bureaux du *Bugle-Times* pour elle et fit construire, juste derrière, un immeuble de huit étages en brique rouge pour abriter le siège de la société. On installa les services des quotidiens à Saint Louis et ceux de la télévision à Dallas. Et Eleanor avait raison : tout était en train de changer.

---

1. Surnom affectueux donné à l'épouse du président Johnson et qui signifie coccinelle. *(N.d.T.)*

« Ma très chère Portia », écrivit Caroline sur un épais papier vélin gris qui portait un grand H gravé en haut de la page.

Nous allons donner une nouvelle soirée ici ce soir et demain, nous allons à San Antonio. Quelqu'un a installé l'air conditionné dans son étable et nous prenons tous l'avion pour aller voir les vaches prendre le frais. C'est charmant. Mortellement ennuyeux.
Bliss est tout le temps parti, mais bientôt les choses vont se calmer et nous pourrons reprendre notre argent. Et partir! Tu ne reconnaîtrais pas Maggie, elle a poussé comme une asperge. Et je suis sûre que tu vas adorer Kate.
J'attends avec impatience de te revoir. Je ne tiens plus en place.

23

A cette époque-là, Maggie avait un album de photos. Elle conservait les clichés dans une grande enveloppe kraft que Grandmelia lui avait rapportée du bureau et, une fois par an, à l'approche de l'été, elle réquisitionnait une table dans la véranda et se mettait au travail. Elle disposait la colle, une paire de ciseaux, des boîtes de petits coins-photo noirs et l'album. C'était un cadeau de Grandmelia et, sur la couverture en cuir vert, était gravé en lettres d'or : « Maggie Harlow. » « C'est du vrai or ? avait demandé Maggie.
— Bien sûr », avait répondu Grandmelia.
Quand Kate était petite et ne mettait que du désordre partout, Maggie profitait de sa sieste pour travailler à son album l'après-midi. Puis, lorsque Kate fut plus grande, elle lui permit de s'installer sur une chaise pour la regarder faire. « Mais tu ne touches à rien, d'accord? J'ai pas envie d'avoir de la glace et des tas de machins partout. »

Jay se joignait aussi à elles; il montait les marches de la terrasse, tout écumant, et suivait le long couloir qui menait à la véranda.

« Ne touche à rien, lui disait Maggie.

— Mais c'est ma famille aussi.

— Sans blague? Peut-être, mais c'est mon album. Tiens, mets un peu de colle ici, sur cette page, juste là. Mais ne fais pas un gros pâté... Ne fais pas de cochonneries partout. Voilà, comme ça, c'est bien. »

Quand Maggie avait fini de coller les photos de l'année, elle s'asseyait sur la grande balancelle à l'ombre du porche avec Kate et Jay et leur parlait des clichés de son album.

« Ça, c'est moi », hurla Jay en lançant ses jambes en avant; la balancelle se mit à grincer.

« Arrête d'abîmer les photos, Jay. C'est vraiment dégoûtant. Bon, alors voilà... » et Maggie, qui bénéficiait du droit d'aînesse, commençait à leur raconter des histoires sur un ton qui ne souffrait pas la contradiction.

Là, c'était les chiens... celui-ci était mort depuis, et celle-là, c'était la maman des petits chiots. Là, c'était Grandmelia et sur celle-ci, c'était toute la famille pendant un pique-nique. Ici, c'était la chatte avec ses chatons et là, Jay à quatre ans sur son tricycle.

« Il était rouge. C'est vrai, hein, Maggie?

— Oui, c'est vrai. Il était rouge. Et là, c'est Kate avec son ours complètement idiot.

— Il n'est pas idiot », rétorqua Kate en se penchant pour observer de plus près le portrait qui la représentait à sept ans. Elle avait insisté pour garder sur ses genoux son ours qu'elle avait baptisé « Oie 2 ». Elle l'avait nommé ainsi en l'honneur de celui qu'avaient eu son père et tante Eleanor quand ils avaient son âge.

« Pourquoi l'appelaient-ils " Oie "? avait-elle demandé à Grandmelia.

— Je n'en sais rien, ma chérie. Tu devrais le leur demander. »

Mais ils ne savaient plus pourquoi; Kate avait haussé les épaules et avait dit : « Ça ne fait rien. J'appellerai quand même le mien " Oie 2 ". »

Et ils tournaient les pages de l'album de Maggie. Les fêtes

de Noël succédaient aux fêtes de Noël et les étés succédaient aux étés. On voyait Kate et Maggie portant les mêmes robes, Jay sur sa bicyclette et Kate sur son premier poney.

Sur cette photo, on était en été. Elle clignait des yeux à cause du soleil et au fond on apercevait les lupins. Kate se souvenait qu'elle avait sauté de cheval, glissé à terre et atterri dans les lupins.

Elle avait toujours eu envie d'avoir un poney. Maggie en avait un et elle en voulait un aussi. On le lui offrit pour ses cinq ans. Donnant une main à son père et l'autre à sa mère, elle se tenait sous le porche. Puis Maggie arriva de l'écurie, tenant les rênes d'un petit poney gris tacheté harnaché d'une selle noire étincelante.

« Oh, papa, murmura-t-elle. Je parie qu'il peut voler ce cheval. Je parie qu'il peut voler ! » Elle dévala les marches en hurlant, puis s'arrêta, soudain intimidée devant son premier poney.

Pour monter en selle, elle eut recours à l'aide de Maggie et on installa une caisse pour lui servir de marchepied, mais ses jambes étaient trop courtes et elle n'arrivait pas à serrer les cuisses contre les flancs de l'animal.

« Attends, lui dit Maggie. Il faut que je te raccourcisse les étriers.

— Non ! Je *ne peux pas* attendre !

— Bon, alors, tiens ça, c'est tout. » Maggie enroula les rênes autour des mains de Kate. « Et ne t'accroche pas à l'encolure comme ça. Ce n'est pas une bonne position. »

Glissant et tanguant dangereusement, les lèvres pincées en une moue de parfaite concentration, Kate se laissa guider par Maggie qui montait et redescendait l'allée de gravier. « Regardez-moi », lança Kate à la cantonade quand elle eut enfin réussi à trouver son équilibre. « Je sais monter ! »

Lorsqu'elle eut six ans, Bliss lui apprit à sauter, il l'emmenait avec son poney dans l'enclos situé derrière la maison où il avait aménagé une course d'obstacles. « Serrés, hurlait-il. Serrés les genoux. Prends bien ton assise ! Et maintenant, saute... vas-y ! » et il la regardait caracoler, s'élevant toujours plus haut, frêle silhouette perdue dans l'envol de la crinière du cheval.

Il avait vécu cela autrefois et il en avait la nostalgie
aujourd'hui; il regrettait Jaimanitas, le soleil qui surgissait
de la mer, les touffes d'herbe soulevées par les sabots des
chevaux martelant le sol et le sentiment de liberté qui l'avait
envahi au cours de ces longues journées si simples.

A Earth, il se sentait pris dans un étau et il était terrifié à
l'idée du temps qui passait. Un soir de mars, alors qu'il était
assis avec Caroline près de la piscine et écoutait le concert
des grillons, il lui demanda :

« Où ai-je envie de vivre ? » Elle se tourna sur sa chaise
pour le regarder et lui dit d'une voix douce : « Pourquoi me
poses-tu cette question ? Pourquoi maintenant ?

— J'y ai réfléchi, dit-il. Je crois qu'il serait peut-être
temps de revendre nos actions. Et de partir.

— Tu es certain ?

— Oui, j'en suis sûr.

— C'est promis ?

— Oui », dit-il et il sourit.

Elle se blottit dans ses bras et il enfouit son visage dans ses
cheveux en la serrant contre lui. Plus tard dans la nuit, ils
discutèrent jusqu'au matin, tendrement enlacés, des possibilités qui s'offraient à eux : ils pourraient s'acheter un hôtel
particulier à Manhattan ou un haras au nord de Long Island
ou peut-être s'installer en Europe, quelque part dans le sud
de la France.

Deux semaines plus tard, leurs projets étaient reportés à
une date ultérieure et inconnue.

Bliss avait tout d'abord tenté de résister. Affalé dans un
fauteuil dans le bureau de Dallas de Clayton Benedict, il
écoutait ce dernier et deux redoutables comptables lui
parler d'impôts fédéraux, de dépréciation des valeurs, de
profits et de pertes. Ils parlaient de camions de livraison et
d'augmentation du prix de l'essence, de l'augmentation du
prix de distribution des journaux dans les banlieues et pour
conclure, ils lui parlèrent d'une compagnie de pétrole qui
était à vendre dans le Golfe.

Il vit son rêve s'évanouir sous ses yeux : il faudrait un
énorme transfert de fonds pour acquérir cette société. Il
demanda alors à Benedict de lui suggérer une ou deux
alternatives. Mais il n'y avait aucune autre solution cons-

tructive. Cette compagnie de pétrole représentait beaucoup pour l'avenir et ils avaient besoin de lui. Il leur était impossible de lui racheter ses parts pour le moment.

« Je ne comprends pas, dit Caroline ce soir-là. Je ne comprends pas, répétait-elle encore et encore.

— Mais c'est temporaire, chérie. Tu dois le comprendre. » Il se rejeta contre la tête de lit et tenta de la prendre dans ses bras. Il s'agissait simplement de mettre de l'argent à l'abri, lui expliqua-t-il une fois de plus. C'était juste une question de temps en attendant de nouvelles liquidités.

« Mais nous sommes riches maintenant », dit-elle. Elle ne se détourna pas et ne vit pas que son regard la suppliait de le comprendre. Elle contempla fixement son reflet dans la glace de la coiffeuse et ne comprit qu'une seule chose : ils allaient rester.

« Chérie, nous ne serons pas riches si nous ne protégeons pas notre avoir. Si nous partons maintenant, nous n'aurons pas un cent. De toute façon, ils achèteront cette compagnie de pétrole, que ça me plaise ou non. »

Elle secoua la tête et posa ses mains inertes sur ses genoux. Il vit une larme lui monter aux yeux et couler sur sa joue, et il l'entendit murmurer : « Tu me l'avais promis, Bliss.

— Je n'avais pas le choix, dit-il pour plaider sa cause. Trop d'intérêts sont impliqués dans cette affaire. Ce n'est qu'une question d'un an ou deux, juste le temps de... »

Elle resta parfaitement impassible ; aucun mouvement de son corps ou de son visage ne l'avertit du danger. Mais la larme se pétrifia sur sa joue et elle parla d'une voix qui lui parut étrangère.

« Des années ? » Elle s'éloigna tout doucement de lui et sortit du lit. « Ça fait *déjà* des années. Des années et encore d'autres années. »

Il voulut lui prendre la main, mais elle s'écarta. « Nous partirons. Je te le promets, Caroline. »

Elle le regarda fixement. « Tu es vraiment comme ton père, siffla-t-elle. Elles l'ont étranglé et elles t'étouffent aussi. Mon Dieu. Tu ne t'en sortiras jamais. Jamais. Tu es né ici et tu mourras ici. » Elle avait traversé la pièce, saisi la poignée de la porte qui donnait sur le couloir et l'avait ouverte d'un geste brusque. Et ses paroles se déversaient en un flot de cris hystérisques et haletants que la panique rendait terrifiants. « Meurs ici, Bliss Harlow. *Meurs* ici », hurlait-elle.

Puis elle se rua dans le couloir, traversa la maison en courant et se précipita sur la porte donnant sur le porche. Les gonds grincèrent comme pour l'imiter et elle s'arrêta dans sa course, serra ses bras contre elle et resta ainsi, immobile et soudain très calme au cœur de la nuit texane.

Dans une chambre située à l'autre bout du couloir, Kate sortit de son lit. Elle se tenait comme sa mère, les bras serrés contre elle.

« Maggie? chuchota-t-elle. Que s'est-il passé? » Mais Maggie dormait et sa question resta sans réponse. Elle était seule dans le noir et une voix résonnait à ses oreilles, une voix gravée à tout jamais dans son esprit comme les photographies dans l'album de Maggie.

Désormais, la tension régnait dans la maison : il ne fallait surtout pas déranger maman. Les journées de Kate et Maggie s'étiraient tristement dans ce climat; après l'école, elles restaient avec Jay et Matty et, le soir, elles dînaient seules avec Grandmelia.

« Ne vous inquiétez pas », leur murmurait parfois Matty lorsqu'elle se penchait pour les embrasser et leur souhaiter une bonne nuit. « Ça va passer, vous verrez. » Mais elle laissait une lampe de chevet allumée dans leur chambre car elle savait que lorsque leur père rentrerait, quand elles entendraient son pas dans le couloir, Kate sortirait de son lit et se glisserait dans celui de Maggie pour se blottir contre elle en attendant le début d'une nouvelle dispute. Et tous les soirs, les cris reprenaient. La voix de Mrs. Caroline traversait portes et corridors et couvrait le bruit de l'air conditionné tandis qu'elle hurlait qu'ils devaient partir.

Matty n'entendit jamais Mr. Bliss. Parfois, elle pensait qu'elle aurait préféré qu'il crie aussi, mais cela n'arriverait jamais. Matty savait que personne n'entendrait jamais Mr. Bliss tempêter et elle songeait que Mrs. Caroline finirait par le comprendre à son tour. Il était hors de question que Mr. Bliss se mît à invectiver sa femme.

Mrs. Caroline finit par le comprendre. Un matin, elle appela Duke et lui demanda de lui amener sa voiture rouge. Matty l'entendit démarrer en trombe, les pneus crissèrent sur le gravier et, le soir, elle l'entendit rentrer. A partir de ce jour-là, il n'y eut plus aucune dispute. Simplement, la voiture rouge disparaissait tous les matins et ne rentrait jamais avant la nuit... et le silence s'était installé dans la maison. Parfois, elle se demandait où allait Mrs. Caroline, mais elle finit par penser qu'elle en savait assez. Quelquefois, elle oubliait d'aller embrasser ses deux petites filles pour leur dire bonne nuit et, pour Matty, c'était suffisant.

Pourtant, il n'y avait rien d'autre à découvrir : Caroline Harlow conduisait simplement pendant des heures.

Elle allait à Dallas; un jour, elle poussa même jusqu'à Austin dans le sud et dévora les mille kilomètres d'autoroute aller et retour dans la journée. Elle roulait sur les routes et les autoroutes qui menaient vers le nord, traversant des villes sans intérêt qui semblaient n'avoir aucun passé, aucun avenir, juste un présent médiocre parmi les maisons en brique et les toits en bardeaux. Elle roulait, simplement pour rouler, pour bouger.

Elle détestait Dallas, elle détestait ces petites villes poussiéreuses endormies le long de l'ancienne voie de chemin de fer qui conduisait vers le sud et elle détestait ce paysage austère où rien ne poussait et qui s'étendait à perte de vue.

Pourtant, elle continuait à rouler. Elle parcourait les autoroutes, kilomètre après kilomètre, traversait les agglomérations, ville après ville, et poursuivait sa route, jour après jour. Elle conduisait jusqu'à en être engourdie; alors, elle pouvait enfin faire demi-tour, reprendre le chemin des collines et rentrer à Earth.

Parfois, lorsqu'elle revenait, elle voyait soudain cette ville avec l'œil d'un étranger ou d'une personne de passage. Elle regardait les courbes des collines, les grands pins, les maisons en bois marquées par le temps et les maisons neuves construites en brique; tout cela aurait pu être ailleurs, n'importe où, cependant dans l'esprit de Caroline, l'étranger qui découvrait cette ville comprenait à qui elle appartenait.

Il apercevait la tour de la radio de trente mètres de haut et l'immeuble en brique de huit étages où s'étalait sur la façade l'inscription : *Earth Bugle-Times*. Il découvrait la grande maison blanche aux abords de la ville avec sa boîte aux lettres blanche et discrète au pied de la colline. Il remarquait le Harlow Medical Center, l'école qui portait un autre nom de la famille Harlow et alors, il comprenait que cette ville leur appartenait. Ils étaient les maîtres du lieu; les autres n'étaient que « les autres » et il en serait toujours ainsi.

L'étranger, fruit de l'imagination de Caroline, poursuivait alors sa route et se moquait d'Amelia Harlow et de sa petite ville de western, poussiéreuse et lugubre, qui se dressait au milieu de nulle part.

Parfois, après avoir remonté l'allée de gravier, elle restait assise au volant. Elle essayait de garder un œil sur la pendule pour rentrer avant que ses filles ne soient couchées et pour tenter de leur faire sentir combien elle les aimait. Elle les interrogeait sur leur journée et s'efforçait de leur prêter attention lorsqu'elles lui racontaient des histoires et des blagues pour la faire rire. Elle leur souriait, les embrassait puis leur demandait de se retirer. « Maman est fatiguée, mes chéries. Allez vous coucher maintenant. » Certains soirs, Kate se mettait à pleurer, mais Maggie comprenait qu'il leur fallait partir. Elle acquiesçait d'un signe, prenait Kate par la main et l'emmenait au lit.

Et Caroline Harlow parcourait toujours les routes. Elle conduisit dans le froid et la neige pendant les journées d'avril 1958 et, lorsque la chaleur revint soudain, elle continua à rouler.

Le matin, elles voyaient leur père. Kate se glissait dans le grand lit après le départ de sa mère et la première chose que Bliss découvrait au réveil, c'était son regard très sérieux fixé sur lui.

« Bonjour, papa », disait-elle.

Il esquissait un large sourire. « Bonjour. »

Les angoisses qui peuplaient ses nuits disparaissaient

alors et Kate se mettait à pouffer de rire et se pelotonnait contre lui.

« Tu restes avec nous aujourd'hui, papa? lui demandait-elle tous les matins. Dis, tu restes avec nous? »

Il repoussait ses boucles courtes et épaisses, l'embrassait sur le front et lui disait : « Je ne peux pas aujourd'hui, mon chou. Mais bientôt. »

« Papa, dit Maggie un matin, Kate a décidé quelque chose et je suis d'accord avec elle. Bientôt, c'est aujourd'hui.

— Non, aujourd'hui, c'est impossible, répliqua-t-il en bâillant. Vous avez école. »

Maggie eut un large sourire. « Non, papa. Kate a demandé à Matty de téléphoner pour leur dire qu'on était malades. »

Et Bliss les emmena faire un tour en jeep pour toute la journée. Ils allèrent d'abord à Kilgore où elles s'assirent sur un vieux canapé défoncé dans un bureau baignant dans la fumée des cigares des hommes d'affaires discutant de pétrole et résonnant de leurs voix tonitruantes. Mais on leur donna des bonbons et quelques piécettes et on fit des compliments à leur père sur ses charmantes petites filles. Puis ils s'arrêtèrent dans un snack perdu au milieu des derricks qui s'alignaient à perte de vue et ils dégustèrent des hamburgers et des milk-shakes.

Elles chantèrent de jolies mélodies pour leur père tandis qu'il traversait le quartier neuf baptisé « Le Domaine Harlow ». Puis ils poursuivirent leur route jusqu'à Dallas et allèrent dîner dans un vrai restaurant.

Il les fit entrer dans le hall discrètement éclairé et passa devant de gros messieurs vêtus de costumes sombres et des dames portant des robes habillées. Sans se soucier de la queue, ils s'avancèrent et un homme, portant une cravate blanche et une veste noire, les salua et adressa un sourire à leur père. « Mais certainement, Mr. Harlow, nous avons une table pour vous et vos filles. »

Les toilettes étaient très vastes, la moquette était assortie aux lampes et aux lavabos de marbre rose. Elles clignèrent des yeux, puis se regardèrent dans l'immense glace.

« Formidable! clama Maggie. Matty mourrait si elle nous voyait. Oui, elle en mourrait. »

Son jean était déchiré aux genoux et ses chaussures de

tennis maculées de boue. Kate était en short et les traces de ketchup du déjeuner soulignaient son sourire.

Sur une table à côté du lavabo, il y avait des brosses à cheveux et toute une rangée de flacons d'eau de toilette. Maggie se mit au travail : elle refit ses nattes et brossa les cheveux de Kate. Mais Kate avait toujours l'air aussi mal coiffée; Maggie la fit asseoir par terre, lui mit une boîte de mouchoirs en papier et des épingles à cheveux dans les mains et commença à lui torsader des fleurs en papier qu'elle glissa dans ses cheveux.

« Il va me trouver ravissante quand tu auras fini, tu ne crois pas, Maggie?

— Qui?... Papa? Oui, sûrement. Allons, reste tranquille maintenant. »

Elles se donnèrent la main pour sortir comme si elles étaient intimidées d'apparaître ainsi belles et parfumées. Kate tapota précautionneusement les fleurs en papier piquées dans ses boucles brunes. Bliss sourit dès qu'il les aperçut, puis il s'agenouilla et les prit dans ses bras. « Vous êtes ravissantes. Vous savez que je vous aime? Que je vous aime beaucoup? »

Elles acquiescèrent d'un signe puis, le regard brillant, lui prirent chacune une main et firent leur entrée dans le restaurant. Tout était si beau et leur papa était drôle et si patient, il rendait leur sourire à tous les serveurs qui le saluaient gentiment.

Il était très tard lorsqu'ils rentrèrent à la maison. Bliss porta Kate, déjà endormie, jusqu'à son lit, lui enleva son short tout chiffonné et lui ôta ses chaussures. Il retira les dernières fleurs en papier qui lui restaient dans les cheveux et se pencha pour l'embrasser.

« Kate s'est bien amusée, papa, murmura Maggie dans la pénombre. Et moi aussi.

— Moi aussi, mon chou. » Il tira le drap jusque sous son menton et l'embrassa sur le haut de la tête.

« Bonne nuit, papa. »

Ce printemps-là, Bliss allait plus souvent à Houston, il s'y rendait plusieurs fois par semaine en piper. Il appréciait ces allers et retours; il aimait entendre le vrombissement du moteur lorsque l'avion perdait de l'altitude et quittait les zones limpides pour s'enfoncer dans la chaleur moite de ces régions marécageuses. Et il aimait aussi parcourir les soixante-cinq kilomètres qui le séparaient du golfe dans la Buick où l'air conditionné dispensait une agréable fraîcheur avant de remonter en hélicoptère et de raser les plates-formes pétrolières qui se dressaient en pleine mer.

Finalement, il avait pris goût à ses nouvelles activités dans le pétrole. Il voyait les événements se dérouler sous ses yeux et il regardait les bénéfices jaillir directement du golfe. Et, le dernier jeudi de mai, il n'avait plus envie de partir.

Il se réveilla tôt ce matin-là et sentit le corps doux et chaud de Caroline à ses côtés. Elle avait un bras sur le sien et dormait tranquillement. Il plongea tendrement son visage dans ses cheveux. Le désir monta en lui... de façon soudaine et insistante, comme avant. Il glissa la main sous sa chemise de nuit et la caressa, suivant la courbe de son dos puis remontant vers sa poitrine. Il l'embrassa dans le cou et sentit qu'elle se réveillait. Elle se mit à bouger sous lui et se cambra, son corps cherchant le sien, et il perçut le désir pressant et violent qui l'avait envahie.

Une heure plus tard, il la laissa endormie dans leur grand lit blanc, car il avait un rendez-vous à dix heures à Houston, chose qu'il regrettait maintenant.

Le vol fut très rapide et finalement, lorsqu'il arriva sur la piste où l'attendait l'hélicoptère, il était en avance. Pour la première fois depuis des semaines, il se sentait complète-ment lui-même. Ils l'avaient simplement oublié pendant quelque temps. Et il allait l'emmener loin du Texas. Il le lui avait promis et, d'une façon ou d'une autre, il allait trouver le moyen de respecter son engagement.

Il gara la voiture et se retrouva dans la chaleur moite du golfe. D'un coup de pied, il repoussa les cales et se hissa dans le cockpit du Bell 47G3. C'était un petit appareil et trois places étaient aménagées dans la bulle en verre.

Il vérifia les tableaux de contrôle, mit le contact et tira sur le starter. L'hélicoptère commença à vibrer et, trois minutes plus tard, Bliss mit les gaz et décolla. L'appareil s'éleva en tanguant un peu et, arrivé à cent cinquante mètres, Bliss poussa le manche et régla l'allure sur cinquante nœuds tandis qu'il se rapprochait des plates-formes pétrolières qui dansaient à l'horizon.

L'appareil était bruyant et inconfortable; on n'avait pas du tout la même impression que dans un avion. Mais c'était aussi plus excitant de survoler le golfe dans cette petite bulle suspendue au-dessus des eaux. Il fit deux fois le tour de la principale plate-forme et, pendant un moment, il fut presque aveuglé par la réflexion du soleil sur les masses d'acier et de béton. Il prit une paire de lunettes de soleil dans la poche de sa chemise, gagna de l'altitude et, arrivé à trois cents mètres, prit sa vitesse de croisière. Et soudain, les lunettes de soleil se fracassèrent sur les écrans de contrôle tandis que Bliss tirait, tirait de toutes ses forces sur le palonnier.

Personne ne sut jamais comment c'était arrivé, ni pourquoi, mais un des hommes qui avait assisté à l'accident déclara qu'il avait eu l'impression de voir une libellule s'élever dans les airs, puis retomber et exploser sur la plate-forme.

On ne retrouva jamais le corps de Bliss Harlow, on récupéra seulement des morceaux de métal. Les débris argentés flottèrent sur les eaux bleues pendant des jours et des jours, au gré du flux et du reflux, jusqu'à ce que la marée les ramenât enfin sur le rivage.

24

Elle sut tout de suite qu'il était arrivé une catastrophe. La nuit tombait; Caroline attendait Bliss sous le porche lorsqu'elle aperçut la camionnette de Ben qui remontait l'allée. Il coupa le moteur et elle resta figée dans le brusque silence, attendant pendant un moment qui lui parut une éternité tandis qu'il ouvrait la portière, descendait et la refermait derrière lui. Elle le regarda se retourner vers la maison et découvrir soudain sa présence. Ils se regardèrent fixement puis Ben leva les bras, juste une fois, en un geste d'impuissance. Elle comprit aussitôt qu'il s'agissait d'une chose irrévocable, une chose finie à tout jamais.

Cette nuit-là, elle commença à trembler.

Elle alla voir les enfants et le leur annonça, puis les rendit aux soins de Matty et retourna dans la grande salle à manger où Rosie servait le thé. « Mrs. Caroline, murmura-t-elle. Oh, Mrs. Caroline. » Rosie avait les larmes aux yeux et s'agrippait à la tasse et à la soucoupe qu'elle tenait à la main. Ben fit asseoir Caroline et elle réalisa que, sans Bliss, elle n'existait plus dans cette maison.

Amelia et Eleanor réglèrent les différentes dispositions à prendre pour les jours à venir et établir un programme précis. Puis elles se levèrent et quittèrent la pièce. Elle aurait voulu leur dire : « Attendez... Tout allait bien de nouveau. Aujourd'hui, il avait recommencé à m'aimer. » Ben lui effleura l'épaule en passant, puis il partit à son tour.

Elle monta dans sa chambre et se déshabilla. Elle enleva son pantalon et son chemisier en soie et les déposa sur le bras d'un fauteuil. Elle retira ses chaussures, se débarrassa de ses sous-vêtements, puis se glissa dans son lit et se mit à trembler.

Dans la partie centrale de la grande maison, Matty, installée devant le plan de travail de la cuisine, versait du lait. Quand elle allait se retourner pour donner les verres, Mr. Bliss serait là. Elle revoyait le petit garçon avec ses boucles blondes coupées court et son premier pantalon long. Il allait tendre la main, prendre le verre et la remercier d'un doux sourire qui plisserait le coin de sa bouche. Matty reposa la bouteille de lait. Il était mort. Il était devenu un homme et aujourd'hui il était mort.

Un instant plus tard, elle reprit la bouteille de lait et remplit les trois verres.

Jay, Maggie et Kate, qui portaient encore leurs maillots de bain mouillés, étaient assis par terre. Matty pensa qu'ils devaient se sentir plus à l'abri au ras du sol. Elle ne leur demanda pas de s'asseoir à table; elle se pencha vers eux et leur donna les verres.

Le visage de Jay était empourpré et son regard brillait intensément sous sa frange brune. Il était appuyé contre le mur, les épaules raides et les jambes tendues. « Matty? » Il but une gorgée de lait et parut se détendre un peu.

« Oui, mon chou? murmura-t-elle. Tu veux quelque chose?

— Je crois qu'oncle Bliss va revenir. Sans doute après-demain. »

Personne ne bougea. Puis le verre de Maggie lui échappa des mains; il roula par terre et laissa une longue traînée blanche sur le carrelage. Matty se baissa aussitôt pour l'essuyer, puis jeta un coup d'œil vers Kate : le regard trouble et absent, l'enfant avait un visage de marbre et fixait le vide.

Il ne reviendrait pas. Et Kate le savait. Il était mort et il ne reviendrait jamais.

Caroline trembla pendant trois semaines. Allongée sur son lit, tout son corps frissonnait. Elle ne pleurait pas. Elle n'avait pas versé une seule larme; mais elle était parcourue de frissons. Cela commençait dès qu'elle s'étendait dans le noir. Elle claquait des dents, tout son corps était agité de mouvements convulsifs et lorsqu'elle se concentrait pour tenter de retrouver son calme, elle ne pouvait plus penser à rien d'autre, ni à ses enfants ni à Bliss. Elle ne pensait plus qu'à ses tressautements nerveux.

Ce problème effaçait tout le reste. Elle n'avait aucun souvenir de l'enterrement et se rappelait juste, mais très vaguement, que ce jour-là Matty s'était installée dans la chambre des enfants; elle avait dressé un lit de camp entre leurs deux lits. La nuit, parfois, elle croyait les entendre crier dans leur sommeil, mais elle ne voulait pas qu'elles la voient trembler. Elle était soulagée que Matty fût là pour s'occuper d'elles et pour les apaiser, caressant leurs petits visages à la lumière de la lampe de chevet.

Enfin, vers le milieu du mois de juin, une nuit, elle cessa de trembler.

Ce matin-là, Clayton Benedict était venu de Dallas pour

parler de l'héritage de Bliss. Matty avait réveillé Caroline à midi et elle avait pris un bain chaud pendant une heure. A partir d'aujourd'hui, rien n'aurait plus aucune importance... absolument plus rien. Les trente-trois pour cent d'actions et de voix qui appartenaient à Bliss allaient lui revenir et, dès aujourd'hui, elle allait parler à Amelia... et lui dire qu'elle devait les lui racheter. Et les lui payer cash.

Elle essaya de se rappeler quelle était la valeur nette de ces trente-trois pour cent la dernière fois qu'ils avaient consulté les bilans. Dix millions, vingt millions de dollars? Elle ne s'en souvenait pas, mais c'était sans importance. De toute façon, il y avait les terrains et si Amelia ne disposait pas des liquidités nécessaires pour les lui racheter, ce n'était pas grave non plus. Elle les vendrait à une tierce personne et elle en serait ravie. Puis elle partirait. Elle s'en irait avec ses filles. Et tout irait bien ensuite. Elle cesserait de trembler la nuit et peut-être arriverait-elle même à pleurer.

Elle se maquilla soigneusement pour cacher ses cernes, se mit du rose à joue pour dissimuler son teint hâve et choisit un chapeau cloche assorti à sa robe bleue pour masquer ses cheveux ternes. Quand Duke amena la voiture vers trois heures, elle était fin prête.

Elle n'avait jamais aimé la salle de conférence. Aménagée sur toute la moitié du dernier étage du nouveau bâtiment qui abritait le journal, elle était longue, étroite et couverte d'une épaisse moquette et une lourde table espagnole qui occupait presque toute la pièce trônait en son centre. Elle était sombre et il y régnait une atmosphère claustrophobique, mais aujourd'hui, cela lui était égal. Elle y prit place et, un instant plus tard, lorsque les autres commencèrent à arriver, elle les salua avec calme et dignité d'un signe de tête. Clayton Benedict, sévère et courtois dans son costume noir, entra le premier. Amelia, pâle et silencieuse, s'installa à sa place habituelle en bout de table. Puis Ben arriva avec Eleanor qui paraissait anéantie. Il n'y avait vraiment pas d'autre mot pour la qualifier, songea Caroline. Elle était vraiment anéantie.

Ils avaient tous maigri depuis la mort de Bliss, mais

c'était Eleanor qui avait perdu le plus de kilos, elle avait
absolument décollé. Ses cheveux fins et ternes étaient tirés
en arrière et retenus par un nœud sur la nuque et sa robe
noire dont l'encolure bâillait cachait mal ses épaules
décharnées. Caroline tira sa robe bleue sur ses genoux.
Elle l'avait choisie parce qu'elle lui allait bien, vraiment
bien. Maintenant, elle avait envie de rire ou de pleurer et
de rentrer se changer. Puis on entendit le déclic d'un
attaché-case; elle tourna la tête et concentra toute son
attention sur Clayton Benedict. Par la suite, lorsqu'elle
repensait à cette réunion, elle était toujours étonnée à
l'idée d'avoir pu rester assise là, calmement, en acquies-
çant d'un geste.

Conformément aux accords juridiques des Entreprises
Harlow, en cas de mort d'un des jumeaux, ses parts revenaient à ses enfants et ses voix au survivant. Maggie et
Kate héritaient donc chacune de la moitié des 33 p. 100
d'actions de Bliss Harlow qui resteraient sous le contrôle
de sa sœur Eleanor jusqu'à la fin de sa vie. Caroline
conservait sa part, soit 1/2 p. 100, et il était entendu que
ses biens personnels lui revenaient en totalité et qu'elle
pouvait en disposer à sa guise.

Caroline ne pouvait en entendre davantage. Bliss possédait une jeep, quelques chevaux et des vêtements qui pendaient dans un placard. Elle fut prise de vertiges, la pièce
tournait autour d'elle et une seule idée résonnait dans sa
tête : elle disposait d'une rente égale à 1/2 p. 100, un point
c'est tout. Elle n'héritait de rien d'autre.

Elle ne dit pas un mot mais elle garda les yeux baissés
pour que personne ne pût surprendre son regard et partit
aussitôt la réunion terminée avec Clayton Benedict.

Il lui prit le bras et l'entraîna vers l'ascenseur, puis lui
fit traverser le hall et l'accompagna jusqu'à la rue. Le bras
glissé sous le sien, elle resta là dans la chaleur et la
poussière tout en cherchant les mots qu'elle voulait lui
dire.

«Puis-je vous aider? demanda-t-il enfin. Y a-t-il une
chose que vous n'ayez pas comprise?»

Elle hocha la tête, les yeux fixés sur le revers de son
veston. «Ils ont le droit de me faire ça? De ne rien me
donner? Je n'étais pas " rien ", Clay.»

Il jeta un coup d'œil autour de lui comme si elle lui faisait une scène en pleine rue.

« Vous ne pouvez pas dire que vous n'avez rien, Caroline. Vous disposez d'une part dans une énorme société. Mais pour le reste, oui, ils ont le droit. En tout cas, au Texas, c'est possible.

— Au Texas.

— C'est un vieux principe juridique qui remonte aux conquistadores et même au-delà, aux Espagnols. Je vous avais expliqué tout cela, Caroline, quand vous avez signé. Les Entreprises Harlow ont été conçues autour de ce principe. Vous êtes considérée comme un des fondateurs de la compagnie. Vous bénéficiez de votre pourcentage et vous renoncez à vos droits légaux en faveur de Bliss. »

Elle repensa au jour où elle avait pénétré pour la première fois dans le bureau d'Amelia Harlow; elle revoyait le magnum de champagne et les papiers bien blancs posés sur la table. Elle avait signé. Elle avait même embrassé sa belle-mère sur la joue. Et elle était très gaie.

Elle ne dit pas au revoir à Clayton. Elle monta dans sa voiture rouge, rentra chez elle, prit un verre et une bouteille de scotch, monta dans sa chambre et ferma la porte à clé. Elle sirota consciencieusement son verre qu'elle remplissait sans arrêt jusqu'à ce que les larmes lui montent enfin aux yeux.

Des larmes silencieuses coulaient sur son visage, son cou et sa poitrine. Allongée sur son lit, elle ne bougeait que pour remplir son verre et s'abandonnait à ses pleurs. Deux heures plus tard, quand elle fut lasse d'elle-même, du goût du scotch et du flot ininterrompu qui jaillissait de ses yeux, elle se leva, alluma la lumière et contempla le reflet de la femme en bleu qui titubait devant la glace en pied.

Comparée à cette image, Eleanor était vraiment élégante. Eh bien, qu'elle aille se faire foutre, Eleanor. Elle pouffa de rire. Qu'Amelia aille se faire voir et les conquistadores avec. Et que Bliss aussi aille se faire foutre. D'un air furieux, elle s'approcha du miroir et fixa son visage bouffi et ses yeux rougis cernés de traces de rimmel. « Qu'ils aillent tous se faire foutre. Tous ces enfoirés de Harlow. »

Les mains sur les hanches, elle recula d'un pas et fronça
les sourcils. « Vilaine », balbutia-t-elle en pouffant de rire.
« Tu es très vilaine. Tu sais ce que dit Matty. Matty, elle dit
non », et elle agita son doigt vers la silhouette qui se
profilait dans la glace. Elle appuya le verre glacé contre
son visage, puis s'affala par terre en fixant toujours son
reflet. Elle se demanda comment elle allait pouvoir remettre tous les morceaux de ce puzzle en place. Son visage. Sa
vie. Elle n'avait pas d'argent. Et nulle part où aller. Elle
ne pouvait même pas se rendre au cinéma dans ce trou
sinistre qui était maintenant complètement plongé dans
l'obscurité. Même les néons étaient éteints.

Elle se rapprocha du miroir pour observer plus attentivement son reflet, puis se renversa en arrière et se sourit
tendrement. « Allez, viens, dit-elle, je vais t'offrir un petit
verre. »

Elle gagna la salle de bains et prit une douche chaude
qui cinglait son corps si violemment qu'elle en avait des
picotements. Une heure plus tard, vêtue d'une robe jaune
toute propre et de sandales à brides, elle alla embrasser
ses filles qui dormaient et appela Matty pour lui dire
qu'elle partait faire un tour.

« Non, nulle part. Je veux juste sortir. Je voudrais que
vous veniez, Matty. Je ne veux pas laisser les filles toutes
seules. »

Elle se gara à un endroit où tout le monde pouvait voir...
et reconnaître la voiture rouge de Caroline Harlow, sa
carrosserie rutilante brillant sous les reflets verts de
l'énorme enseigne au néon de chez Billy qui clignotait sans
arrêt, s'allumant et s'éteignant dans la nuit chaude.

LE PLUS GRAND PETIT DANCING DE EARTH...
LE PLUS GRAND PETIT DANCING DE EARTH...

La salle était presque vide ce soir-là. Le long bar en
cuivre où s'était accoudé Will Harlow au printemps de
1917 était toujours le même ainsi que les miroirs ciselés
qui décoraient le mur du fond. Mais les bouteilles d'alcool
qui s'alignaient autrefois derrière le bar avaient disparu;
Billy devait en effet se soumettre aux lois prohibant toute

vente de boissons alcoolisées hormis la bière dans cette ville. Le poste de télévision n'était pas allumé ce soir-là et, au fond, deux personnes se dandinaient au rythme de la chanson diffusée par le juke-box, *Blue Suede Shoes*. Le mur du fond était couvert de centaines de photos en noir et blanc; certaines représentaient des chevaux, d'autres du bétail ou des chariots roulant dans Main Street à l'époque où la rue n'était pas encore pavée. Il y avait même une photo de l'ancienne maison des Harlow que Caroline aurait pu découvrir si elle avait su où regarder.

Tommy Hardisay était au bar avec trois autres types, de jeunes employés du ranch de Jarvis comme lui. Quand il la vit entrer, il faillit s'étrangler en buvant son bourbon.

Elle sourit et posa son sac sur le bar. « Salut, Billy. »

Son gros visage virant au rouge, Billy la regarda fixement.

« Allons, Billy, allons. Ne restez pas planté là sans rien dire. »

Il prit un torchon humide et essuya le bar.

« Un scotch, Billy, s'il vous plaît.

— Vous connaissez la loi, Mrs. Caroline. Nous servons uniquement de la bière. C'est tout ce que nous avons.

— Il n'y a pas de whisky là-dessous? » Elle se mit sur la pointe des pieds et scruta les cartons empilés par terre.

« Non m'dame. On vend pas des trucs forts dans cette ville. Vous l' savez bien. » Il se retourna et décapsula une bouteille. Il lui servit une bière avec un faux col et souffla sur la mousse avant de relever les yeux vers elle. « Amelia sait qu' vous êtes ici?

— Vous êtes ouvert ou non, Billy? » Sa voix se fit soudain glaciale.

Il hocha la tête.

« Alors donnez-moi une Budweiser.

— J'en ai pas, Mrs. Caroline.

— Alors, une Coors. » Elle jeta une pièce de vingt-cinq cents sur le bar.

Elle but sa bière puis une autre et accepta ensuite les bourbons que Tommy Hardisay demanda à Billy de sortir des cartons cachés derrière le bar. Tommy aimait bien

prendre du bon temps quand l'occasion s'en présentait. Et
Caroline Harlow se trouvait dans des dispositions idéales, ça,
il aurait pu le jurer. Elle pouvait encore s'envoyer un petit
bourbon sans être complètement bourrée ou s'écrouler ivre
morte. Lorsqu'ils quittèrent le bar vers une heure et demie,
elle fut ravie de se retrouver avec lui dans la nuit et de sentir
son souffle sur son cou et ses lèvres sur les siennes. Quand
ses mains se firent plus entreprenantes, elle s'écarta un peu,
mais il savait que ce n'était pas un vrai refus. Pas vraiment.

Caroline rentra seule chez elle et laissa sa voiture rouge
devant le grand porche blanc. Tout en fredonnant un air du
juke-box, elle regagna ses appartements en titubant et, cette
nuit-là, elle s'endormit sans trembler, pas même une seule
fois.

Le lendemain, Amelia demanda à Caroline de déjeuner
avec elle. Elles se retrouvèrent à son bureau, s'installèrent
autour d'une table roulante qu'une secrétaire avait transpor-
tée dans la pièce et déplièrent leurs serviettes de lin blanc.
Elles découpaient leurs morceaux de poulet froid lorsque
Amelia aborda enfin le sujet qui la préoccupait.

« J'ai cru comprendre que vous êtes allée chez Billy hier
soir ? » Elle leva un sourcil ; devant ce reproche muet,
Caroline se sentait toujours prise en défaut comme une
enfant qui vient de faire une bêtise. Et aujourd'hui, c'était
effectivement le cas.

« Oui, c'est vrai. » Caroline baissa les yeux vers sa serviette.
« Je me sentais si seule et ça aide d'entendre de la musique,
de voir d'autres personnes. J'espère que je ne vous ai pas
froissée. » Les yeux agrandis par la crainte, elle la regarda
de nouveau.

Amelia coupa un morceau de blanc de poulet en deux et
joua avec sa fourchette. « Les gens sont déçus en ville. Je
crains qu'ils n'attendent mieux de nous. » Elle reposa sa
fourchette et son regard se teinta d'une surprenante douceur. « Je sais que vous traversez des moments terriblement
difficiles. Mais c'est la même chose pour nous tous. »

Elle se tut et Caroline ne rompit pas le silence qui s'abattit
entre elles et se fit plus pesant jusqu'à ce qu'Amelia reprît
enfin la parole.

« Je devrais vous demander de ne plus retourner chez Billy. Mais je ne le ferai pas, ma chère enfant. Car je pense que vous le comprenez. »

Caroline ne retourna jamais chez Billy, car elle n'en avait plus besoin. Juste après le déjeuner, elle appelait Tommy, et tous les soirs vers onze heures pendant tout le mois de juin et au début de juillet, Tommy Hardisay dégringolait de son tabouret et remontait son pantalon. Puis il quittait le bar, prenait sa camionnette et suivait la route qui menait de Sugar Hill à la maison située aux abords de la ville.

Sissy avait dix-huit ans cet été-là. C'était la fille unique du propriétaire du seul dancing de la ville de Earth au Texas. La femme de Billy était partie quand Sissy avait sept ans et il avait élevé seul sa fille et ses deux petits garçons dans la maison en bois construite derrière le bar. Elle était jolie avec sa silhouette élancée et ses longs cheveux presque blonds. Elle avait quitté l'école après la troisième car ça ne lui servait pas à grand-chose. De toute façon, à l'époque, Sissy savait déjà pertinemment qu'elle était plutôt douée pour deux choses : rire bêtement et faire ce qu'elle appelait « vous savez quoi ».

Elle aimait le faire presque avec tout le monde et surtout avec les types qui venaient au bar et la faisaient danser au son du juke-box quand il diffusait *Red Sails in the Sunset*. Ils lui offraient des petits cadeaux de temps à autre et, un jour, grâce à cet argent, elle s'était acheté un billet de bus aller et retour pour Dallas et avait passé la journée à déambuler dans les rues. Avec l'argent qui lui restait, elle s'était payé un slip fantaisie chez Neiman-Marcus, une culotte noire avec un cœur transparent sur la hanche gauche ; c'était le truc le plus élégant qu'elle ait jamais eu de sa vie.

Pourtant, même Sissy lui avait refusé quand Tommy le lui avait demandé.

« Tu plaisantes là ou quoi, Tommy Hardisay. » Elle le repoussa et se cala contre la portière de la camionnette en pouffant de rire à l'idée de ce qu'il lui avait proposé. Jusqu'à présent, elle n'avait fait l'amour à trois qu'une seule fois. Et ça ne comptait pour ainsi dire pas car il s'agissait de deux garçons et en plus, elle était complètement ivre.

« Non, je t' jure, Sissy, j' rigole pas. Et elle est très gentille. » Il l'attira dans ses bras. « Allez, Sissy. On s' croirait au mausolée là-bas. Elle a juste envie de s'amuser un peu. C'est c' qu'elle m'a dit.

— Mais et *moi* dans c'te histoire, Tommy Hardisay? Peut-être que ça m' plaira pas. » Elle prit une longue mèche de cheveux et se mit à la sucer.

« Sissy, tu verras, j' suis sûr que ça t' plaira. On s' fera d'abord une petite fête rien que nous deux. On s'enverra un petit coup de gnôle et on s' fera des petits câlins, histoire de s' mettre dans l'ambiance. Bon Dieu, j' sens déjà des trucs partout. »

Il la serra contre lui et elle se laissa faire en gloussant bêtement, le museau enfoui dans son cou. « Ouais, moi aussi », ricana-t-elle.

Deux jours plus tard, un samedi soir de la fin juillet par une nuit chaude, Sissy se retrouva dans la camionnette de Tommy. Elle s'était rincé les cheveux le jour même et portait son slip de Dallas sous sa robe bain-de-soleil. Elle était très excitée. « J'ai même jamais *parlé* à un Harlow avant », clama-t-elle en riant bêtement.

Tommy se gara au pied de la colline où se dressait la propriété des Harlow et entraîna Sissy à travers les peupliers pour la mener vers la lumière allumée sous le porche de derrière. La porte était ouverte et ils marchaient à pas de loup dans un couloir quand Sissy tira Tommy par la main. « Et les gosses, Tommy? J' veux dire...

— Y a pas de problèmes, chuchota-t-il. Y en une qu'est partie au camp et l'autre, elle est là-bas, à l'autre bout du couloir. Elle dort comme une souche. » Il l'introduisit dans une pièce où les murs étaient couverts de bibliothèques et où elle aperçut des canapés en cuir et un tapis mexicain.

Caroline Harlow portait une robe longue en soie bordeaux. Le décolleté en V largement échancré était gansé de plumes et les manches longues se terminaient par des parements mousseux assortis au décolleté.

Elle se tenait debout et lui sourit. « Enchantée de faire votre connaissance », dit-elle en lui tendant la main.

Sissy pouffa de rire et Caroline Harlow se mit à rire à son tour. Elle était un peu nerveuse et légèrement éméchée. Elle

n'était plus certaine de vouloir aller au bout de cette
aventure, mais maintenant ils étaient là et demain il serait
toujours temps de remettre les choses en place dans sa tête
et dans sa vie.

Tommy prit Sissy par la taille. Elle sentit la transpiration
qui tachait déjà la chemise bleue toute propre qu'il avait
lavée pour l'occasion, puis il la tira par la main avec
insistance pour les faire passer dans la chambre située de
l'autre côté du couloir.

Sissy n'avait jamais vu une chambre aussi grande. Au
milieu, il y avait un grand lit blanc et, sur les murs, de vrais
tableaux. Elle aperçut même un long sofa et tous les tons lui
semblaient très doux à la lueur des bougies. Ses pieds
s'enfoncèrent sur le tapis moelleux et elle avait l'impression
d'être Lana Turner et de faire son entrée sur un plateau de
cinéma. Quand Tommy lui fit signe, il lui fut très facile
d'enlever sa robe et de se retrouver dans son slip en dentelle
noire, dressée dans sa nudité sur la moquette épaisse.

Caroline Harlow traversa la pièce en vacillant, elle faillit
trébucher, puis se retourna et s'affala sur le lit. Tommy
caressa Sissy, sa main courant le long de son dos, et la
poussa gentiment sur le lit. Elle s'y assit et Tommy commença alors à l'embrasser, excitant son désir. Sa bouche
s'attarda sur son cou, puis suivit la courbe de ses seins et
enfin s'enfonça dans son nombril. Puis il retira son slip et
écarta ses jambes.

Elle sentait maintenant une autre main sur sa poitrine et
une autre bouche s'empara de ses lèvres. Ce fut cette
sensation qui lui parut la plus étrange et, un instant, elle eut
envie de pouffer de rire. Puis les lèvres s'écartèrent et un
sein jaillit de la robe bordeaux. Sissy se mit à gémir. Le
mamelon était large et doré. Il se rapprocha de sa bouche et
Sissy l'effleura de sa langue.

Sissy goûtait pleinement son plaisir quand, presque une
heure plus tard, le visage enfoui dans la poitrine de Caroline
Harlow, elle releva les yeux et découvrit Amelia Harlow qui
la fixait. Par la suite, Sissy affirma que sa voix semblait la
voix de Dieu en personne.

« Sortez, dit Amelia. Sortez de la chambre de mon fils.
Sortez de cette maison. »

Caroline appela Alfred Reece. On était en août et les rues de New York étaient plongées dans une chaleur moite. Maggie et elle étaient de retour sur la côte Est, mais Kate ne les avait pas accompagnées et, d'après les dires d'Amelia Harlow, ne viendrait jamais les retrouver. Caroline avait besoin de l'aide de Reece; il lui dit qu'il allait faire ce qu'il pouvait mais que toute cette affaire — le problème de la garde de l'enfant et celui de la succession — que tout cela ne relevait absolument pas de sa spécialité.

Cependant, avant de raccrocher, il lui promit de s'en occuper et lorsqu'il reposa le combiné, il revit un yacht dansant sur l'Hudson, des lumières pailletant la nuit d'or et une créature parfaite et complètement inaccessible qui fendait la foule au rythme de la musique en cette nuit de printemps. Il aurait voulu remonter dans le temps, prendre par la main cette jeune femme aux cheveux noirs et aux yeux sombres embués de rêves, lui faire faire demi-tour et la laisser se fondre dans la foule et regagner la piste de danse.

Earth, Texas

Juin 1959

25

« GREETINGS », la mise en demeure du tribunal commençait par des vœux comme une carte de Noël.

GREETINGS :
L'honorable cour fédérale, de la cinquième circonscription judiciaire, en le comté de Titus, Texas, requiert votre présence à ou avant 10 heures le lundi 10 septembre 1959, pour répondre à la requête de Caroline Forsythe Harrington Harlow ainsi formulée :

Dans l'intérêt de l'enfant Kathryn Morning Glory Harlow.

En vous priant d'agréer, madame, ...

La convocation signée par le greffier du tribunal de Titus qui avait griffonné un nom en pattes de mouche au bas de la page portait le cachet du Texas. Elle était arrivée sur le bureau d'Amelia Harlow la première semaine de juin : cette simple feuille de papier photocopiée de 21 sur 27,5 cm mettait fin aux crises d'hystérie et aux coups de téléphone interurbains et internationaux qui se succédaient depuis dix mois.

Caroline Harlow, en des termes voilés soigneusement choisis par le cabinet d'avocats de New York qu'elle avait contacté en premier lieu, avait traité sa belle-mère de garce dynastique et manipulatrice et qui se mêlait de ce qui ne la regardait pas. Clayton Benedict, en des termes un peu plus directs, avait alors répondu que la belle-fille de sa cliente était une traînée incapable d'élever un bâtard.

Et Amelia avait eu gain de cause. Caroline avait renoncé officiellement à son droit de garde et Kate Harlow, qui avait alors neuf ans, n'avait plus mis les pieds hors des six mille six cent vingt kilomètres de la frontière du Texas depuis le départ de sa mère.

Juridiquement parlant, le deuxième round devait reprendre au palais de justice de Earth; mais en fait, il débuta à Londres dès le lendemain de l'envoi de la convocation du tribunal. « Je veux mon enfant », déclara Caroline Harlow aux journalistes qu'elle avait réunis dans sa suite au Connaught Hotel dans Mayfair. « Je veux ma fille et je ferai tout pour la récupérer. » Quelques heures plus tard, quand les journaux de l'après-midi déferlèrent dans les rues de Londres, on pouvait y lire en page 3 : JE VEUX MON ENFANT.

Le lendemain, ce cri déchirant apparut en première page et gagna l'Amérique, JE VEUX MON ENFANT, clamait le gros titre d'un quotidien de Chicago et en dessous, on lisait : La veuve réclame la garde de son enfant.

Amelia Harlow vit cet article et comprit aussitôt que d'autres journaux allaient suivre. Les téléphones se mettraient à sonner et cette histoire se répandrait dans tous les quotidiens et les magazines américains. Elle pensait qu'on ne lui demanderait probablement pas d'interviews : ils respecteraient sa vie privée, mais uniquement jusqu'à un certain point et pas au-delà. On n'accorderait aucune courtoisie particulière à un confrère, on n'aurait pas l'élégance de glisser discrètement un titre en petits caractères perdu en page 4 parmi d'autres informations. Les éditeurs des grands quotidiens respecteraient scrupuleusement les limites entre l'information et la diffamation, mais dans le cadre flou de ces règles ambiguës, ils laisseraient le champ libre aux échotiers et aux photographes qui ne manqueraient pas de se déchaîner sur les Harlow. Ils seraient obligés d'en arriver là. D'ailleurs, si la situation avait été inversée, elle aurait fait de même.

JE VEUX MON ENFANT. L'article du journal de Chicago

était toujours sur le bureau d'Amelia quand Clayton Benedict, deux jours plus tard, vint la voir de Dallas. Il le prit et secoua la tête d'un air incrédule.

« Elle est folle de vouloir enveminer le débat. Si on appelle Sissy à la barre, on va lui clouer le bec en plein tribunal. Il suffit que le juge du Texas ait connaissance de notre dossier et elle n'obtiendra pas un traître centimètre de cette enfant.

— Non. »

Ce n'était qu'un murmure, mais il l'entendit et leva les yeux vers elle. Le bureau était encombré de livres, de journaux, de presse-papiers et de pots à crayons fabriqués par deux générations d'enfants. La femme assise derrière la table fixait d'un œil absent l'article étalé devant elle. Il s'approcha du bar et se servit un bourbon avec des glaçons. « Il y a quelque chose qui ne va pas, Amelia? L'équation me semble pourtant mathématique. Ils viennent témoigner. Elle perd. Et point à la ligne.

— Cherchez une autre solution, Clayton. »

Il lui vint alors à l'esprit qu'Amelia Harlow n'avait aucune intention de laisser Sissy témoigner et les premières visions qui allaient l'angoisser dans les semaines à venir lui apparurent. Il se voyait se levant dans un tribunal pour plaider sa cause et n'ayant strictement rien à dire. Il but son bourbon et, s'abandonnant à sa fureur, revint vers elle. « Mais bon Dieu, qu'est-ce que vous avez? Vous savez bien qu'il faut qu'ils témoignent. »

Le regard noir de colère, elle le fixa à son tour. « Je ne veux pas qu'on mette son nez dans mes affaires et qu'on lave mon linge sale en public. Je ne veux pas voir tout cela s'étaler à la une de tous les journaux et de tous les magazines de ce pays.

— Il s'agit d'un juge, Amelia. Pas d'un jury. Il y aura juste un juge. Vous voulez virer le public? Et les journalistes? Eh bien, mettez-les à la porte. Vous voulez qu'on mette les dossiers sous scellés? Gardez ces foutus dossiers secrets pendant cent ans si vous voulez. Mais il faut qu'ils témoignent. »

Elle tendit la main vers la lampe de bureau pour l'allumer puis se ravisa. « Non. » Sa silhouette fragile mais inflexible se dessinait dans la pénombre et son visage paraissait creusé dans la lumière mourante de cette fin d'après-midi.

Il se versa un autre bourbon puis, d'une démarche nonchalante, s'approcha des grandes baies vitrées qui donnaient sur un immense ciel rougeoyant. Il desserra sa cravate, se dirigea d'un pas tranquille vers le divan sombre et s'affala sur le velours duveteux. Les yeux plongés dans son verre de whisky, il allongea une jambe sur la table basse puis l'autre. « On n'a jamais beaucoup parlé vous et moi, mais j'imagine que vous êtes en droit de savoir qu'il m'arrive de regarder le passé de temps en temps. Je n'ai jamais oublié nos débuts ni notre première rencontre, quand vous êtes entrée dans le bureau de mon père. Vous n'étiez alors qu'une jeune fille dans une robe estivale et moi, je vous ai regardée entrer et je n'avais qu'une idée : vous voir partir.

» Je suis heureux que vous ne soyez pas repartie ce jour-là, Amelia. Je m'en suis toujours félicité. Vous avez fait fortune et je suis devenu riche. » Il but une gorgée de bourbon. « C'est la pire chose qui me soit jamais arrivée. »

Il se cala profondément dans le sofa et sa voix se fit très douce dans la lumière du crépuscule. Il reprit d'un ton rêveur : « Je n'ai jamais réussi à comprendre comment vous aviez pu être si habile. Ça fait combien de temps qu'on travaille ensemble ? Trente-cinq, quarante ans ? Eh bien, depuis tout ce temps-là, je n'ai jamais pu éclaircir ce mystère. Vous n'aviez fait aucune étude. Vous n'aviez pas un père pour s'occuper de tout à votre place et vous expliquer le dessous des choses. A l'époque, les gens disaient que c'était Will qui régentait tout. Ensuite, après sa disparition, ils ont dit que c'était Bliss, ou Ben, ou même moi. Je ne sais pas si vous étiez au courant de cela, si vous saviez que les gens pensaient que c'était moi qui tirais les ficelles.

« Je n'ai jamais très bien su quoi dire à ce genre de personnes, mais je vais vous dire une chose. Quand je me retourne en arrière et que je pense à toutes ces années pendant lesquelles nous avons fait des affaires ensemble, quand je revois la jeune fille vêtue d'une robe claire qui était entrée dans mon bureau, je me dis que vous n'étiez pas comme les autres, Amelia. Même à l'époque. Vous saviez exactement ce que vous vouliez. Et jamais... jamais, au cours de toutes ces années, vous n'avez désiré une chose que vous n'avez pas eu le courage d'assumer pour arriver au bout. Sauf aujourd'hui. »

Il savoura la fin de son bourbon. « C'est la première fois que je vous vois assise là, les bras croisés, en train de perdre votre temps tout en désirant une chose sans avoir le cran de tout faire pour l'obtenir. »

La pièce était plongée dans l'obscurité. Il contempla son verre vide.

« J'adorais mon fils, dit-elle enfin. Et j'en suis arrivée à penser que je ne l'avais pas assez aimé. Si je l'avais suffisamment aimé, peut-être l'aurai-je laissé... simplement être lui-même. C'est une chose terrible... cela. Découvrir qu'on n'a pas assez aimé. »

Il détourna les yeux, le chagrin qui se lisait sur son visage l'effrayait. Il avait envie de lui dire : Arrêtez. Arrêtez-vous. Mais elle continua à parler, comme si ses mots matérialisaient enfin une douleur atroce qu'elle avait enfouie au fond d'elle-même.

« Et maintenant, c'est trop tard. Il est mort et tout ce qu'il me reste c'est sa petite fille. Vous parlez de courage? » poursuivit-elle. Elle parlait à voix basse, le regard fixé sur un point derrière lui dans la pénombre qu'il ne pouvait déterminer. « Et vous avez raison, Clayton. Je n'ai pas le courage de faire ce que vous me demandez. Vous voulez que j'avoue publiquement que cette enfant est la fille d'une femme dénuée de sens moral. Non, je ne veux pas faire cela. Et même si je la perds, je ne le ferai jamais.

— Personne ne la condamnerait, Amelia. On ne peut pas en faire reproche à une petite fille.

— Le croyez-vous, Clayton? » Elle parlait d'une voix lasse et marquée par les ans. « Le croyez-vous vraiment? répéta-t-elle. Vous ne savez pas à quel point vous vous trompez, Clayton. Vous avez tort. Parfaitement tort. »

La pièce resta un moment plongée dans le silence, puis il perçut le ronronnement lent et étouffé des rotatives qui commençaient à tourner, le bruit semblait venir de très loin au-dessous d'eux. Il retira ses pieds de la table basse, abandonna le sofa, puis enfila sa veste et refit son nœud de cravate. « L'audition peut se faire à huis clos, Amelia. Je vous l'ai déjà dit.

— Oui, Clayton, vous me l'avez dit. »

Il tenta de discerner son visage plongé dans l'ombre derrière le bureau, mais ne perça pas l'obscurité. « Je vais essayer de trouver un autre moyen, Amelia. Je ne crois pas... »

Il voulait dire qu'il lui serait insupportable aujourd'hui de manquer à ses engagements envers elle, mais il ne termina pas sa phrase. Il était convaincu qu'il allait échouer. Elle s'était prise à son propre piège en voulant protéger Caroline pour sauver Kate et le piège allait se refermer sur elle devant la cour du tribunal.

Il resta un moment dans la pénombre, puis sortit enfin et referma doucement la porte derrière lui.

L'article commençait par ces mots : « C'est le procès du siècle qui va se jouer là-bas au Texas. » Amelia le trouva sur son bureau le lendemain matin. Sarah Leslie l'avait découpé dans une rubrique de potins du *New York Daily News* et elle y avait joint une note. « On m'a apporté ça d'en bas. Vraiment navrée. S.L. »

C'est le procès du siècle qui va se jouer là-bas au Texas. Avec un peu de chance, mes lecteurs bien aimés, nous allons apprendre comment la belle-fille chérie des médias a été surprise le slip aux genoux...

Amelia décrocha le téléphone. Dix minutes plus tard, elle était en route pour Sugar Hill.

Il était onze heures lorsqu'elle arriva devant le bar de Billy. Il était déjà là et tournait son Stetson dans ses grosses mains rougeaudes. Elle coupa le moteur.

« Sissy parle trop, Billy. Je ne peux pas accepter ça.

— Je l' sais, Amelia. J' lui ai déjà dit de s' taire. J' lui ai même dit deux fois, mais vous savez comment sont les gosses d'aujourd'hui. Ils n'ont aucun principe.

— Cela doit cesser, Billy. »

Il la regarda un moment puis hocha la tête. « Papy Jarvis est dans le coin ?

— Il est à Washington. Mais il va venir la semaine prochaine.

— Bon, alors allez lui parler. Demandez-lui d' convaincre Hardisay d'épouser ma Sissy. Jarvis a des relations. Il arrivera bien à leur trouver un endroit agréable pour qu'ils s'éloignent quelq' temps. En Californie p't-être. J' suis sûr que Sissy aimera la Californie, Amelia. »

Amelia prit la main de Billy. « Je vous remercie, Billy.

— Inutile d' me remercier, Amelia. Ça leur plaira la Californie. Ils seront très heureux là-bas... comme des poissons dans l'eau. »

L'HÉRITIÈRE SE FOURNIT CHEZ NEIMAN

La manchette s'étalait en gros caractères à la une de l'édition du lundi du *Dallas Morning News.* Juste en dessous, on apercevait la photo d'une fillette vêtue d'une robe d'été en madras, de socquettes blanches et de chaussures en vernis noir à barrette. Au premier coup d'œil, Kate ne reconnut pas ce visage avec ces grands yeux blancs aplatis imprimé sur la page grisâtre qu'elle avait entre les mains. On avait pris cette photographie juste avant que Grandmelia ne la repoussât dans la limousine pour l'éloigner de chez Neiman et l'arracher à ces mains qui la touchaient et la bousculaient. Elle ne risquait pas de lire l'article qui suivait : Matty jeta un coup d'œil sur le journal et le lui reprit aussitôt. Mais en fait, Kate ne voulait pas vraiment lire ce compte rendu. C'était surtout la photo qui avait retenu son attention. Tous le reste était encore parfaitement présent à sa mémoire.

Grandmelia, Duke et elle s'étaient rendus à Dallas l'avant-veille pour acheter tous les trucs qu'il fallait pour le camp : l'uniforme se composait d'un short bleu, de chaussures de tennis blanches, d'un pantalon de cheval et de bottes assorties. La seule chose agréable dans cette histoire, c'était qu'il fallait tout acheter chez Neiman-Marcus.

Ce magasin était superbe. Pour entrer, on passait par de grandes portes en verre, puis on suivait très très lentement l'allée centrale. Les belles vitrines scintillant sous les néons regorgeaient d'un arc-en-ciel de tissus, de porcelaine, d'argenterie, d'articles en cuir et de machins en soie qui avaient de drôles de noms comme Goutchi Poutchi. Les garçons d'ascenseur vous serraient toujours la main et disaient :

« Heureux de vous revoir parmi nous, miss Kate. » Et en haut, il y avait des petites pièces secrètes moquettées du sol au plafond avec des fleurs dans des vases et des sofas en forme de demi-lune recouverts de satin sur lesquels on n'avait pas le droit de mettre les pieds. Des dames avec des cous de poulet entraient et sortaient discrètement, vêtues à chaque fois de tenues différentes, sous l'œil attentif d'une petite dame aux cheveux gris avec un drôle d'accent qui leur parlait de coupe, de tissu et de façon, mais aussi des peu-ti-tes cotonnades, des su-perr-bes fourrures et des peu-ti-tes tenues-sport très originales que Neiman avait achetées pensant tout particulièrement à Mrs. Harlow. Madame ne les trouvait-elle pas absolument parfaites?

Non, Madame » n'était pas de cet avis et Kate s'intéressait davantage au code du langage de la haute couture. « Grand-melia », avait-elle murmuré la première fois que sa grand-mère l'avait emmenée dans une des pièces spéciales du premier. « Grandmelia, pourquoi elle a dit... " petite "? Je veux dire, cette robe elle n'était pas petite du tout. Le bas était très large et...

— Elle parlait des prix, mon chou, avait chuchoté sa grand-mère. Elle voulait parler du prix. " Petit ", ça veut dire très cher et " superbe ", ça veut dire exorbitant. » Kate avait pouffé de rire.

« Chut! Sois sage maintenant », avait dit sa grand-mère en repoussant le pied de Kate vautrée sur le sofa. « Nous devons garder notre sérieux, sinon nous risquons de les froisser. »

Ensuite, elles se rendaient aux bureaux des Entreprises Harlow. Pour arriver au dernier étage, il fallait prendre deux ascenseurs; le premier vous conduisait au quinzième et le second au trente-deuxième. Une fois arrivés en haut, il y avait des tas de gens qui circulaient à toute vitesse dans un dédale de couloirs; certains saluaient Grandmelia d'un signe en passant et d'autres l'arrêtaient parfois pour discuter des nouvelles avec elle. Ici, les gens l'appelaient Kate tout simplement et ils la laissaient s'asseoir dans l'un des grands fauteuils alignés le long d'une table dans l'une des pièces toujours plongées dans une semi-pénombre. Ces sièges étaient pivotants et on pouvait tourner sur soi-même en regardant des tas et des tas d'écrans de télé; les images dansaient dans l'obscurité et sur tous les postes, on voyait des émissions différentes.

Elle y était allée très souvent cette année avec Grandmelia, mais en ce samedi de juin, il n'y eut ni visite aux bureaux de Dallas, ni même une incursion chez Neiman.

Duke s'arrêta devant le magasin et, juste au moment où Kate s'élançait hors de la voiture, deux hommes apparurent soudain comme par magie. Ils fendirent la foule et la coincèrent dans la chaleur lourde de la rue. Surprise et un peu troublée, elle s'était figée sur place ; un flash l'avait alors éblouie en plein visage et elle s'était retrouvée seule au centre d'un cercle de lumière blanche et aveuglante qui crépitait de toutes parts. Elle entendit une voix qu'elle ne reconnut pas et qui lui dit : « Tourne-toi par là, Kate », puis sentit une main étrangère la toucher.

Elle se mit à hurler. Elle criait tout en cherchant sa grand-mère à l'aveuglette et soudain elle sentit quelqu'un qui la tirait sur le siège noir et frais de la limousine, puis elle entendit la portière claquer tandis que la voiture démarrait en trombe. Puis sa grand-mère pressa sur son front un mouchoir au parfum acidulé tout en lui murmurant inlassablement : « Allons... Allons... Calme-toi... Tout va bien. C'est fini maintenant, mon chou. »

Elles étaient à mi-chemin de la maison lorsqu'elle comprit : elle était célèbre. Elle avait neuf ans. Elle ne savait ni chanter, ni danser, ni jouer la comédie. Elle n'était pas une enfant prodige, en tout cas elle n'était pas aussi brillante que les gamins qui participaient aux jeux-concours télévisés. Mais elle était très connue tout de même.

Elle était célèbre parce qu'ils étaient riches et, lorsque vous avez une grosse fortune et qu'il vous arrive quelque chose, tous les journaux se doivent d'en parler. Et son histoire à elle se résumait en ces termes : son père était mort, sa mère était partie et personne ne savait où Kate allait vivre désormais.

« Tu te souviens, Kate ? » lui demanda sa grand-mère tandis qu'ils traversaient Dallas à toute allure. « Nous avons parlé de tout cela et du juge aussi la semaine dernière. »

Kate acquiesça d'un signe ; le regard fixé contre la vitre, elle voyait défiler les immeubles et les enseignes de la périphérie. Après le départ de maman et de Maggie, Grand-melia lui avait expliqué tout cela à de nombreuses reprises. Grandmelia lui avait tout expliqué.

Maman et Maggie avaient quitté le Texas. Mais maman et Maggie n'étaient pas de pures Texanes, elles ne faisaient pas vraiment partie de la famille comme Kate. Bien sûr, tout le monde les aimait bien et il fallait que Kate leur écrive. Peut-être même irait-elle les voir. Un jour ou l'autre. Or maintenant, maman ne voulait plus que Kate soit une vraie Texane et seul un juge pouvait prendre cette décision ; tout le monde allait donc lui en parler pour trouver une solution.

Kate avait compris tout cela, mais elle n'aimait pas y penser. Ni aujourd'hui, ni même le jour où Grandmelia lui avait annoncé que sa mère et Maggie étaient parties. « Parties ? avait-elle demandé. Maggie est partie ? » Elle avait senti quelque chose au creux de l'estomac, puis elle avait tiré le rideau sur cet événement et n'y avait plus songé.

Et aujourd'hui, voilà qu'elle était obligée d'y repenser. Les lumières blanches l'avaient blessée et elle devait se rappeler tout cela.

« Papa était un vrai Texan, n'est-ce pas ? » dit-elle enfin.

Amelia ne réfléchit pas avant de répondre à sa question. Cette réponse lui paraissait évidente : elle était le reflet de tous les espoirs qu'elle avait mis en Bliss et elle lui vint tout naturellement.

« Bien sûr, mon chou, répliqua Amelia. Évidemment, c'était un vrai Texan. Et toi, tu étais sa " Morning Glory ". Sa petite fille texane chérie. »

La voiture s'engagea sur l'autoroute et prit le chemin du retour.

Juillet arriva et la petite-fille d'Amelia Harlow retourna au camp dans les collines granitiques du cœur du Texas. Neiman avait fait livrer son uniforme par porteur au dernier moment. Elle le trouvait complètement tarte, mais ça lui était égal maintenant. Le soleil se levait derrière les hautes collines dénudées puis se couchait, le vent jouait dans les branches des chênes le long du ruisseau et Kate était soulagée d'avoir retrouvé l'anonymat.

Chère Matty,

Je suis arrivée au camp. Si tu voyais ce qu'on nous donne à manger, c'est à vomir. S'il te plaît, n'oublie pas de nourrir les chats et les chiens à ma place. Merci.

Je t'embrasse,

Kate.

Cher Jay Jay,

Me voilà de retour au camp. Quand on monte au sommet de la montagne, on voit le monde entier. La bouffe est dégueulasse.

xx du Camp Weeny Roast ha ha!

Chère Grandmelia,

S'il te plaît, envoie-moi des chaussettes. J'ai perdu les miennes au lavage.

Je t'embrasse.

Sa grand-mère lui avait dit d'écrire au moins une fois à sa mère au cours du mois. Pour suivre ses instructions, Kate commença trois lettres puis les déchira et, fin juillet, elle réussit enfin à terminer la quatrième. Et elle la glissa dans l'une des enveloppes que la secrétaire de Grandmelia lui avait préparées : elles étaient déjà timbrées et miss Leslie avait écrit l'adresse dessus.

Mrs. Caroline Harlow
c/o Alfred Reece, Esq.
523 Park Avenue
New York City, New York

Chère maman,
Merci pour tes lettres. Je les ai reçues au camp. Le camp est très bien.

Je t'embrasse,
Kate.

P.-S. Envoie le bonjour à Maggie.

Elle s'assit sur son lit de camp pour réfléchir à cette dernière phrase. « P.S. Envoie le bonjour à Maggie. » Elle soupesa ces mots pendant près d'une heure, puis elle recopia la lettre mot pour mot et signa juste de son prénom. Elle supprima le P.S. et le « Je t'embrasse » et jeta la première version à la corbeille.

La cloche de l'après-midi sonna et Kate prit sa place dans la file tout en s'amusant à se pousser et à se bousculer avec les autres filles. Ce soir-là, lorsque le soleil se coucha et la nuit tomba, elle s'allongea sur son lit de camp, serra « Oie 2 » dans ses bras et réfléchit.

Elle pensa à son père pour la première fois depuis sa mort... il y avait un an déjà. Elle distilla les images goutte à goutte, suivant très lentement le cours de ses pensées en prenant soin de ne pas s'abandonner au flot de ses souvenirs.

Sur la couverture du premier numéro d'août de *Life Magazine*, distribué dans tous les kiosques, s'étalait une photographie représentant une petite fille avec son ours en peluche.

Kathryn Morning Glory Harlow était assise sur un banc, une jambe repliée sous elle et l'autre qui se balançait. Elle portait une robe toute simple à col rond et, de ses grands yeux, regardait droit devant elle très sérieux. Elle avait une main appuyée sur le banc à côté de sa jambe et, de l'autre, tenait précautionneusement son ours avec son ruban pour qu'il fût bien en face de l'appareil.

Dans les pages intérieures, il y avait une autre photo de Kate et toute une série de vues aériennes : on reconnaissait un quartier neuf de maisons modèles, des plates-formes pétrolières et une petite ville coupée en deux par une voie de chemin de fer.

Eleanor tourna la page.

Et elle découvrit des douzaines de clichés extraits de l'album de famille de Maggie; ce nouveau scandale n'était autre qu'une des démonstrations théâtrales de Caroline qui tentait d'émouvoir le monde devant sa situation quasiment désespérée de veuve éplorée. Eleanor se demanda combien *Life* avait payé pour obtenir l'exclusivité, puis elle revint aux premières pages.

La vue aérienne de Earth était un vieux cliché; c'était sans doute Bliss qui l'avait prise, songea-t-elle. On apercevait la grande maison blanche, celle d'Eleanor et de Ben, la petite villa de Matty et de Duke ainsi que celle de George et Rosie, et un peu plus loin les garages et les écuries. On avait élevé un mur en brique blanche depuis. Ils en avaient confié la construction à Brown et Roots de Houston et, en moins de trois semaines, les cinq acres de la propriété furent protégées par un mur de brique d'un mètre quatre-vingts de haut surmonté de fils de fer barbelé.

Eleanor tourna les pages du magazine et regarda de nouveau ces vieilles photos qu'elle connaissait bien. Sur l'une d'elles, on voyait Jay, Maggie et Kate devant un arbre de Noël; ils portaient tous les trois les pull-overs qu'elle leur avait offerts cette année-là. Ils étaient tous du même modèle avec des motifs représentant des flocons de neige et des boutons argentés le long de l'encolure. Elle chercha d'autres photos de Jay, mais n'en découvrit aucune. Il n'y avait que des clichés de Kate.

Elle rangea le magazine dans un tiroir, refoula l'étrange sentiment d'amertume qui l'avait envahie et partit à la recherche de son fils.

Il faisait très clair et tout était très calme dehors. Elle entendit Matty qui fourrageait dans ses casseroles dans la cuisine et elle perçut le sifflement discret de Duke qui lustrait la Cadillac dans le garage. Jay était sous le porche de la grande maison blanche, on distinguait à peine son T-shirt blanc entre les colonnes. Il passait de plus en plus de temps sous cet auvent et se montrait de plus en plus secret à l'approche de la date du procès.

« Jay », appela-t-elle, sa voix résonnant à travers la cour. « Viens, on va aller manger une glace chez Carr. » Elle le vit disparaître dans l'ombre du porche. Elle ne discernait plus du tout la tache blanche de son polo, mais elle l'appela une nouvelle fois. « Allez, viens Jay. » Il ne bougea pas; elle descendit les marches et traversa le jardin pour aller le chercher.

26

AUJOURD'HUI, HARLOW CONTRE HARLOW

Une manchette en très gros caractères, deux lignes de sous-titre percutantes et trois photos s'étalaient à la une du *Journal-American* quand on passa au marbre l'édition du 10 septembre dans les bureaux de New York de William Randolph Hearst.

Sur la photo de gauche, on reconnaissait Amelia Bliss Harlow. Ce portrait, très officiel, avait été soigneusement élaboré. Il avait été pris dans les bureaux du *Bugle-Times*; on y voyait une femme mince affichant un sourire plein d'assurance et son chapeau à larges bords soulignait l'élégance de son visage racé.

Sur le côté droit de la première page, une jeune femme riait face à l'objectif. Sa robe blanche bain-de-soleil découvrait ses épaules et elle était cambrée, les bras appuyés contre une barrière blanche. Sur cette photo, il se dégageait de Caroline une impression de totale insouciance.

Et au centre, s'étalait la photographie désormais célèbre d'une petite fille qui tenait son ours en peluche dans les bras. On l'avait recadrée un mois auparavant pour la couverture de Life, mais le *Journal-American* avait restitué l'original dans toute son intégrité et conservé la toile de fond composé d'ombres champêtres.

L'article débutait par les quelques lignes aguicheuses de la première page puis se poursuivait en page 4 sur toutes les colonnes. Seul, le *New York Times* consacra sa une à d'autres informations... le *Times* et évidemment les vingt quotidiens du groupe Harlow. Robert F. Kennedy venait d'être nommé premier avocat conseil au Comité spécial du Sénat sur les irrégularités dans la législation du travail. Eisenhower jouait au golf en Floride et les Yankees étaient en tête du championnat. Le *Times* avait relégué l'affaire Harlow en page 5. Et, dans les quotidiens du groupe Harlow, on lui avait juste consacré un encart en bas de la page 3.

LA BATAILLE POUR MORNING GLORY EST ENGAGÉE

AMELIA HARLOW EST CONFRONTÉE A SA BELLE-FILLE
L'HONORABLE BEAUREGARD DARBY
PRÉSIDE AUJOUD'HUI AU TRIBUNAL DE TITUS

Il faisait presque jour quand Caroline entendit le bruit du *Dallas Morning News* qu'on déposait devant sa porte. Elle était seule dans sa chambre du Cozy Cottages Motel. Elle s'extirpa de ses draps marqués par la sueur et se drapa dans un peignoir. Elle n'avait pas fait la une. C'était Amelia et Kate qui étaient en première page. Mais il y avait évidemment quelques lignes sur elle; on la présentait comme l'étrangère qui était venue au Texas pour arracher l'un des siens à sa terre.

Caroline laissa tomber le journal sur le sol de la véranda et resta appuyée au montant de la porte en attendant que le jour se levât. Un groupe de voitures passa sur la R. 30, leurs phares brillant dans le brouillard du petit matin et éclairant un instant l'herbe rase. Elle aperçut un break, deux camionnettes et une vieille deux-portes qui tirait une grosse caravane toute déglinguée. Dans l'une des fourgonnettes, la radio diffusait une chanson country-western qui explosa soudain à ses oreilles puis se perdit dans l'aube naissante.

Caroline ferma la porte et retourna se coucher. Elle savait qu'elle ne pourrait toujours pas dormir. Elle allait s'allonger sur son lit et réfléchir jusqu'à ce que le téléphone sonnât à sept heures pour la réveiller. Elle se lèverait alors, commanderait un café et se ferait couler un bain chaud. Puis elle s'habillerait avec soin et sortirait.

A quinze kilomètres de là, les camions des différentes chaînes de télévision formaient un cercle silencieux autour de Court House Square et les câbles de transmission serpen-

taient aux pieds des vieux chênes. Les pelouses étaient
jonchées de sacs de couchage qu'on avait vendus quinze
dollars pièce aux curieux qui étaient arrivés le samedi matin
pour découvrir les motels et les chambres à louer bourrés de
journalistes. Les retardataires avaient payé le triple. « C'est
ce qu'on appelle la loi de l'offre et de la demande », avaient
patiemment expliqué les Ashmead aux badauds qui se
pressaient dans les allées de chez Carr.

A l'autre bout de la ville, sur les hauteurs, le mur
surmonté de fil de fer barbelé encerclait les cinq acres de la
propriété des Harlow; le mur de brique blanchi à la chaux
s'embrasait dans la lumière orangée du petit matin. Au fond
de la grande maison, dans l'aile occupée autrefois par Bliss,
Caroline et les deux petites filles, on avait abattu les murs et
les portes. On avait transformé ces appartements en un
immense espace sans aucune cloison et les meubles de
Caroline avaient disparu. Dans un coin, on avait installé un
piano et on avait disposé des canapés confortables et des
fauteuils recouverts de chintz dans différents endroits.

Amelia Harlow était assise, seule, dans l'un de ces fauteuils et regardait le jour poindre à l'aube d'une nouvelle
journée au cœur du Texas.

En haut, dans la vieille chambre d'enfants, les murs
étaient tapissés d'un papier peint sur fond bleu avec des
fleurs jaunes. Le motif ressemblait fort à celui qu'Evangeline Harlow avait choisi des années auparavant pour l'arrivée de sa belle-fille. Une seule enfant y dormait maintenant.
Elle se retourna et suça son pouce. Puis, comme si elle se
rappelait soudain qu'elle n'avait plus l'âge de faire cela, elle
retira son doigt de sa bouche.

Au bout de l'allée, la grille à deux battants en fer forgé se
dressait parmi les peupliers et fixait, impassible, Main Street
qui commençait tout juste à s'animer.

Les voitures abandonnèrent la R. 30 et s'engouffrèrent
dans Main Street. Il y avait un panneau « Interdiction de
stationner » devant les bâtiments du journal; ils s'y arrêtèrent tout de même et commencèrent à s'installer.

Ils dressèrent des bâches à rayures rouge et blanc,
déballèrent des caisses de soda et des ballons et installèrent
les étals pour les ours souvenirs sur lesquels était inscrit :
COPIE CONFORME DE « OIE 2 » MADE IN USA.

Les magasins ouvrirent et des voitures envahirent Main Street. A neuf heures, les portes du palais de justice s'ouvrirent et se refermèrent quinze minutes plus tard. Main Street grouillait toujours de monde : les gens se bousculaient pour avoir une place aux premières loges.

27

« Oyez, oyez. »

Il était dix heures précises quand l'huissier entra d'un pas décidé dans l'enceinte du tribunal en lançant ces mots séculaires. Il répéta encore une fois : « Oyez. » Le shérif, qui se tenait au fond de la salle, alla fermer l'imposante porte à deux battants. Au premier étage, un adjoint poussa du coude la porte qui donnait sur la tribune de la presse. La salle retrouva un certain calme; les voix qui venaient de la rue s'étaient fondues en un murmure lointain. Lorsque l'huissier annonça la cour, le cliquetis discret de la machine à écrire du greffier, suivant son débit, se fit l'écho de ses paroles. « L'audience du tribunal de la cinquième circonscription de l'État souverain du Texas est ouverte. Le juge Beauregard Jackson Darby présidera les débats. Levez-vous tous. »

Deux cents personnes se redressèrent pour saluer son entrée dans un tourbillon de robe noire. Il avait une silhouette trapue, des cheveux blancs et cachait un regard pétillant derrière des lunettes en demi-lune. De sa main épaisse, il rassembla les plis de sa robe et gravit les deux marches qui menaient à l'estrade où les drapeaux du Texas et des États-Unis retombaient en courbes élégantes. Il s'installa dans le fauteuil en cuir à dos haut et pivota pour faire face à l'assemblée.

Né et élevé dans l'est de l'État, c'était un pur Texan. Élu au tribunal de cette circonscription dans les années trente pendant la Grande Dépression, il avait loyalement servi la justice à ce poste durant un quart de siècle, refusant systématiquement toutes les propositions plus honorifiques ou plus lucratives. Comme il se plaisait à le dire à sa femme, morte depuis des années, Beau Darby était un juge de campagne rompu aux usages de la campagne. Il regarda les visages tournés vers lui tout en sachant pertinemment que la Justice avec un grand J connaissait ses derniers instants. Dans un moment, on allait lever le voile sur les événements, chacun racontant sa version des choses et les témoins viendraient à la barre pour mentir, user de faux-fuyants et énoncer une vérité conforme à leurs vœux ou à leur vision personnelle. Et lentement, pas à pas, l'absolu deviendrait relatif tout comme la justice des hommes.

Il avait très souvent jugé dans cette salle et il l'aimait bien. Les bancs alignés devant lui et la galerie du premier étage étaient en chêne massif aux tons mordorés. Cette pièce toute simple était éclairée par la lumière du jour qui filtrait à travers les hautes fenêtres percées dans les murs blanchis à la chaux.

Il jeta un coup d'œil vers les deux protagonistes de cette affaire. La requérante se tenait la tête haute dans sa robe noire et dissimulait son regard derrière des lunettes de soleil. Le regard dans l'ombre de son chapeau de paille gris perle, Amelia Bliss Harlow, installée à l'autre table, leva les yeux vers lui. Il savait tout d'Amelia Harlow; il le lui manifesta d'un léger signe de tête et elle lui rendit son salut.

Le juge Darby avait joué une ou deux fois au poker avec Will Harlow et il l'avait apprécié. Ce devait être sa fille, Eleanor, qui était assise derrière sa mère. Et l'homme qui la tenait par les épaules en un geste protecteur devait être Ben Rawlings, un homme d'affaires intègre et équitable, d'après ce qu'on lui avait dit.

Il jeta un coup d'œil vers le mur du fond et aperçut l'aiguille de la grande horloge qui se mit sur 10 h 03.

« L'audience publique est ouverte, commença-t-il. Objet du litige : Garde de l'enfant mineure Kathryn Morning Glory Harlow. Clayton Benedict, ici présent, représente Amelia Harlow et John Henry Mack, la requérante, Caroline... » Il feuilleta rapidement le dossier posé devant lui et reprit : « Caroline Harrington Harlow. »

Il releva les yeux et regarda par-dessus ses lunettes en demi-lune. « Il est bien entendu que personne ici présent ne souhaite un procès jugé par un jury. C'est exact, Mr. Mack ? Mr. Benedict ? Les représentants des deux parties adverses comprennent parfaitement qu'elles en ont le droit et renoncent à en user. Je veux que ce point soit clair et versé au dossier. » Son regard passa de l'un à l'autre, sollicitant leur accord.

« Autre point, messieurs. Nous savons tous que vous avez fait vos études dans d'excellentes universités de droit. Mr. Benedict est diplômé de notre université du Texas située à Austin et Mr. Mack sort de la Columbia University Law School de New York City. Nous savons tous qu'ils sont membres du barreau, qu'ils connaissent parfaitement la loi et ses détours et qu'ils sont prêts à faire une brillante démonstration de leurs capacités devant les membres de la presse qui nous ont honorés de leur présence en ce jour. »

Un gloussement parcourut la galerie. Il leva les yeux vers les journalistes et les réduisit au silence d'un froncement de sourcils. « Mais il est évident que dans une requête de cette nature, la justice dans toute sa grandeur ne pourra se satisfaire de jeux de procédure ou d'interprétations fantaisistes. Nous nous limiterons donc à l'audition des témoins et je ne veux pas que vous interrompiez leurs dépositions à tout propos par vos objections. Je ne veux pas non plus vous entendre argumenter sans fin sur de subtiles questions de droit. Il se trouve que moi aussi, messieurs, je suis allé dans une université de droit. Cela étant précisé, nous allons pouvoir commencer. Peut-être Mr. Mack aurait-il l'amabilité d'ouvrir le débat. Vous êtes prêt, monsieur. »

Ce n'était pas une question, c'était presque un ordre et Henry Mack faillit se mettre au garde-à-vous comme du temps où il était cadet.

L'école militaire où il avait fait ses études secondaires n'était pas plus réputée que la faculté où il avait obtenu sa licence ès lettres, mais il était sorti de l'université de droit de Columbia avec mention. Ce jeune homme au visage couvert

de taches de rousseur s'était senti très seul dans le Nord;
néanmoins, quand il était rentré chez lui, il s'y était retrouvé
comme un étranger.

Il se sentait plus à l'aise à Dallas, la « ville yankee » comme
l'appelaient les ultra-conservateurs de Galveston. Il avait
suivi la filière classique : il avait d'abord travaillé pour le
ministère public, puis était rentré dans l'un des grands
cabinets de la ville.

A l'époque où le cabinet de Wall Street lui avait proposé
de défendre Caroline Harlow, il venait de s'installer à son
compte. Il n'était pas le premier avocat texan pressenti par
ses confrères de New York, mais il avait besoin de clients et
avait donc accepté de plaider sa cause. Il avait pris l'avion
pour Londres et avait rencontré Caroline et sa fille aînée
dans la suite qu'elles occupaient à l'hôtel; la gamine maigrichonne s'était aussitôt retirée en compagnie de sa gouvernante et la jeune femme, qui paraissait quelque peu désemparée, l'avait supplié de l'aider.

Jusqu'à la fin août, il n'avait pas réalisé qu'elle avait une
chance de gagner son procès. Ce fut cette semaine-là que les
deux avocats échangèrent leur liste provisoire de témoins.
Or il n'avait pas découvert le nom de Hardisay sur le
document que Benedict lui avait envoyé et Henry Mack avait
estimé que les autres témoins à charge ne seraient pas trop
redoutables.

Le préambule de Mack fut concis et celui de Benedict
encore plus bref : il semblait que la partie serait serrée. Il
appela le premier témoin à la barre.

La voix nasillarde de l'huissier résonna dans le prétoire et
on perçut une certaine agitation dans le public; les gens se
redressèrent pour mieux voir. « Déclinez votre identité.

— Caroline Forsythe Harrington Harlow.

— Domicile actuel.

— Suffolk, Angleterre. »

L'huissier lui tendit une bible noire qui était écornée et
fort défraîchie. « Jurez de dire la vérité, toute la vérité... »

Mack la rejoignit alors à la barre.

« Peut-être pourriez-vous commencer par donner à la
cour des précisions sur votre lieu de résidence actuel,
Mrs. Harlow? »

Darby trouva qu'elle avait une voix charmante. Les mains sagement posées sur les genoux, elle était assise juste au bord de la chaise à dos droit et parlait d'une maison située aux abords de Londres qui s'appelait Chatham Manor.

« Ma fille aînée et moi-même séjournons dans cette demeure à titre d'invitées.

— De qui êtes-vous les hôtes, s'il vous plaît?

— D'une de mes vieilles amies qui m'est très chère. Plus exactement d'une amie de mon mari et moi-même. Mrs. Portia Michaels Machado. Il s'agit de leur propriété de famille... enfin, ça l'a été pendant quelque temps.

— Et plus précisément? Combien y a-t-il de chambres? Combien d'hectares? A combien de kilomètres se trouve la ville la plus proche?

— C'est une très grande propriété avec des écuries. Mes deux filles montent à cheval, vous savez. Et... nous sommes à une ou deux minutes du village. Et il y a une école dans le bourg... une excellente école.

— Nous pouvons donc affirmer que vous avez pris toutes les dispositions adéquates pour vos enfants? » Mack s'appuya contre l'estrade. « Nous pouvons même parler d'une situation plus qu'agréable, non?

— Je l'espère, Mr. Mack. Maggie... Eh bien, je crois que n'importe quel enfant y serait très heureux.

— Maggie est la fille de votre premier mariage. C'est exact, n'est-ce pas?

— Oui, c'est cela. J'ai perdu mon mari pendant la guerre et elle n'était encore qu'un bébé à l'époque... enfin, un nouveau-né.

— Et vous avez ensuite épousé Bliss Harlow dont vous avez eu une seconde fille cinq ans après la naissance de votre premier enfant?

— Oui, c'est exact.

— Et il s'agit de Kathryn Morning Glory Harlow qui justifie notre présence ici aujourd'hui.

— Oui, Kate, acquiesça-t-elle. Ma petite Kate.

— Les deux enfants ont été élevées ensemble ici, au Texas...

— Oui.

— Elles ont grandi ensemble pendant huit ans environ?

— Oui.

— Mais Kate vit maintenant au Texas? Alors que Maggie et vous habitez outre-Atlantique? » Il parlait d'une voix incrédule et se mit à arpenter la salle d'audience, le visage pointé vers la tribune réservée à la presse. Darby tapa sur l'estrade avec son crayon, puis il s'arrêta. Il était inutile que Mack poursuivît; peu importait la scène qu'il allait jouer aux journalistes : il avait déjà obtenu tous les gros titres qu'il pouvait espérer.

« Ce choix résulte-t-il de votre propre décision? » Arborant toujours une expression fort préoccupée, Mack continuait à faire les cent pas.

« Non.

— Je vois. » Il cessa alors de marcher et s'assit sur le coin de la table réservée à la requérante. « Parlez-nous de vos enfants, poursuivit-il. Étaient-elles très liées?

— Elles s'adoraient, Mr. Mack.

— Je crois savoir qu'elles partageaient la même chambre?

— Oui.

— Le matin, elles se levaient toujours ensemble.

— Oui.

— Et elles s'habillaient ensemble?

— Oui.

— Et elles se rendaient ensemble à l'école tous les jours?

— Oui.

— Et elles s'aimaient beaucoup? »

Elle acquiesça d'un signe et redressa la tête.

« Je vois. Peut-être pourriez-vous expliquer à la cour dans quelles circonstances ces deux enfants se sont retrouvées séparées?

— Oui, dit-elle. Excusez-moi... Pourrais-je avoir un verre d'eau, s'il vous plaît? »

On le lui donna et Caroline prit tout son temps pour le boire. Puis elle rendit le verre et remercia d'un geste.

« Et maintenant, enchaîna Mr. Mack, expliquez-nous cela d'après vos propres termes. »

Darby doutait fort que Caroline fût l'auteur de cette déclaration. La presse locale n'avait jamais révélé le motif réel qui avait provoqué le départ soudain de Caroline Harlow pour New York. Cependant, le bruit en avait couru et des journalistes des autres États s'étaient rués au Texas pour aller frapper aux portes. Au début, Darby avait pensé qu'un reporter finirait bien par découvrir cette histoire et l'imprimerait noir sur blanc après avoir vérifié ses sources. Mais finalement l'été avait passé et rien n'était arrivé.

Il s'était donc préparé au cas où la vérité éclaterait en plein tribunal. Il avait compulsé les ouvrages spécialisés de sa bibliothèque présentant des cas similaires et demandé au greffier de lui faire un résumé de ces affaires aux relents nauséabonds. Cependant, une chose était certaine : Caroline Harlow ne dévoilerait pas la vérité. Elle était assise très posément et récitait une leçon qui donnait une toute autre version des faits.

Elle parla de son veuvage si soudain, de son état de dépression qui ne faisait qu'empirer et de la décision qu'elle avait prise d'emmener sa fille Maggie en vacances dans l'Est pendant quelque temps.

« Maggie, souligna Mack. Mais pas Kate. »

Non, pas Kate. L'enfant dont sa cliente avait parlé en ces termes « Ma petite Kate », poursuivit-il en appuyant légèrement, mais presque imperceptiblement sur le mot « petite », cette enfant donc se trouvait au camp. Or, elle avait attendu ce moment avec impatience et sa mère n'avait pas eu le cœur de perturber ses vacances.

« Et qu'avez-vous découvert par la suite? enchaîna Mack. Qu'une autre personne n'avait pas eu les mêmes égards?

— Oui, c'est vrai. » Son ton trahit un profond désarroi. Elle avait soudain la voix d'une femme abattue et quasiment désespérée qui avait perdu une partie qui s'était jouée à son insu. « Lorsque je suis arrivée à New York, j'ai téléphoné au camp pour leur demander de prendre les dispositions nécessaires afin de permettre à ma petite fille de nous rejoindre dans l'Est à la fin de ses vacances. Et ils m'ont répondu qu'elle n'était plus parmi eux. Ils m'ont appris que Mrs. Harlow avait pris l'avion le matin même pour venir la chercher et la ramener chez elle. Je leur ai alors demandé si ma petite fille allait bien, s'il ne lui était rien arrivé. Non, m'ont-ils répliqué. Amelia Harlow était simplement venue la reprendre.

— Avez-vous appelé Amelia Harlow à la suite de cela?
— Oui. » Elle eut un sourire amer qui s'effaça aussitôt.
«On m'a répondu qu'elle était "occupée". J'ai alors
demandé si je pouvais patienter ou rappeler un peu plus
tard. Et sa secrétaire a repris l'appareil et m'a déclaré que
Mr. Benedict allait me contacter, puis elle a raccroché. J'ai
attendu tout l'après-midi et il a fini par m'appeler.

— Essayez de vous souvenir quelles ont été ses paroles.
Le plus précisément possible, s'il vous plaît. »

Elle acquiesça d'un signe. « Il m'a dit qu'il était navré mais
que ma petite fille ne viendrait pas à New York. Je lui ai
alors répliqué que j'allais revenir au Texas et il m'a répondu
qu'il me le déconseillait. Il a ajouté que je perdrais mon
argent en achetant ce billet d'avion et que je ferais mieux de
l'employer à engager un avocat pour obtenir un droit de
visite.

— Et ces dispositions ont-elles été prises? »

La tête baissée en un geste de détresse, elle acquiesça
faiblement.

Beau Darby avait lu les dépositions. L'épais dossier éma-
nait du cabinet new-yorkais que Caroline avait contacté dès
le début de l'affaire. Il le connaissait de réputation; il
connaissait le style en demi-teinte typiquement yankee de
ces avocats et l'arrogance avec laquelle ils traitaient les
petits cabinets des « bouseux » de l'Ouest. Et les bouseux en
question, autrement dit Clayton Benedict and Associates,
étaient allés droit au but. Ils avaient posé leurs conditions
sans ménagement. Kate Harlow resterait au Texas pendant
toute l'année scolaire. Elle pourrait passer une semaine avec
sa mère en hiver et une autre en été et, durant ces deux
périodes, serait accompagnée par des personnes majeures
désignées par son tuteur légal et sa grand-mère. Et si ces
messieurs de New York n'appréciaient pas ces décisions, ils
n'avaient qu'à aller se faire voir.

Et Caroline Harlow s'était inclinée. Elle avait quitté New
York pour l'Angleterre et, une fois arrivée, avait annulé
toutes les dispositions concernant sa fille; en effet, elle avait
engagé un chauffeur et une gouvernante pour que Kate pût
venir la rejoindre à Saint-Moritz. Et au lieu de cela, Caroline
Harlow avait pris sa plume et, sur un épais vélin blanc bordé

de bleu aux armes du manoir de Suffolk, avait informé ses avocats qu'elle désirait intenter un procès à sa belle-mère.

Elle expliquait cette décision au juge et, repoussant d'un geste l'objection de Clayton Benedict, Beau Darby porta la main à son menton pour l'écouter.

« J'étais terrifiée quand j'ai accepté, dit-elle. Amelia Harlow est une femme très puissante. Je ne savais même pas qu'elle voulait me prendre ma petite fille et soudain, elle était en son pouvoir. J'étais effrayée et j'ai signé. »

Elle baissa les yeux, fixa ses mains croisées sur sa robe noire et, lorsqu'elle releva la tête, elle pleurait. Ses larmes coulaient sur son visage et sur le haut de sa robe; d'une voix étranglée, elle reprit : « Je suis revenue sur ma décision par la suite... C'est ma petite fille, vous comprenez? Pas la sienne. La mienne. »

Henry Mack termina son interrogatoire sur ces mots et laissa Beau Darby méditer ces paroles pendant l'interruption du déjeuner. C'est ma petite fille, vous comprenez? La mienne.

Le contre-interrogatoire de Clayton Benedict commença juste après le repas. Il salua Caroline Harlow d'un geste et prit un ton circonspect et préoccupé. Pourquoi avait-elle signé les papiers de la garde de l'enfant si elle ne voulait pas le faire? Une seule réponse s'imposait : par crainte. Mais par peur de quoi? insista-t-il tout en arpentant le prétoire. Il s'arrêta, le visage figé par la surprise, quand il entendit sa réponse qui tenait en deux mots.

« D'elle. »

Sa cliente avait-elle menacé le témoin d'une quelconque façon?

Elle secoua la tête et murmura un « Non » presque inaudible.

Un membre de la famille ou une personne la représentant l'avait-elle menacée directement ou indirectement? Par voie de presse ou par tout autre moyen?

« Non. »

Les exploits sexuels de Caroline Harlow planaient sur l'assemblée; et elle avait dû sentir ce couperet au-dessus de sa tête le jour où elle avait signé, songea Darby. Benedict

fronça les sourcils : il paraissait désarmé face aux contra-
dictions de Caroline. « Je ne vois aucun point, absolument
aucun, qui puisse faire accroire que ma cliente a obtenu la
garde de la fille unique de son fils par tout autre moyen que
votre accord librement consenti et éclairé par les conseils de
vos avocats. Et vous ? »

Le témoin se contenta de le fixer d'un œil vide ; elle était
blême et paralysée.

« Et vous ? »

Il posa la même question et reçut la même réponse que
précédemment. « Non », dit-elle enfin.

Clayton Benedict hocha la tête et regagna tranquillement
la table où était assise Amelia Harlow. Il sortit une seule
feuille de papier des dossiers rangés dans sa serviette et,
lorsqu'il reprit la parole, il eut un ton plus dur et un accent
texan plus marqué.

« Alors, voyons. Vous avez été mariée deux fois ?

— Oui.

— Vous vous êtes retrouvée veuve à la suite du décès de
votre premier mari.

— Oui.

— Mais pas pour longtemps. C'est exact, non ?

— Pardon ?

— Combien de temps a duré votre veuvage ? La première
fois ?

— Je crains de ne pas m'en souvenir très précisément.
C'était la guerre et il...

— Tout est indiqué ici. Anthony Harrington. Mort en
novembre 1944. Il s'agit d'un rapport militaire de l'armée
des États-Unis. Ça vous rappelle quelque chose ?

— Oui, je crois que c'est exact. Oui.

— Et quand vous êtes-vous remariée ?

— En avril 1945.

— Alors, voyons. Ça fait décembre, janvier... » Il leva la
main et la brandit comme un drapeau pour compter les
mois sur ses doigts. « Ça fait cinq mois, d'après mes
calculs. » Il saisit la carafe, se versa un verre d'eau et la
reposa. « Qui vous a présentée à Bliss Harlow ? Vos
parents ?

— Nous avons été officiellement présentés par un ami
commun.

« — Et où cela?

— A une réunion... entre amis.

— A une grande soirée sur un yacht. C'est exact, non? »

Caroline releva les yeux et découvrit le visage d'Eleanor dans l'assemblée. Leurs regards se croisèrent; Eleanor soutint son regard, puis détourna les yeux. Caroline se retourna vers Clayton Benedict. « Vous pouvez appeler cela une grande soirée. Mais moi pas.

— Il y avait deux cents personnes environ?

— Je ne les ai pas comptées. »

Les mains dans les poches, il se remit à arpenter le prétoire. « Et il y avait beaucoup à boire? Du champagne et toutes sortes de choses?

— Peut-être. Je ne m'en souviens pas.

— Vous ne vous en souvenez pas? Vraiment?

— Oui, vraiment, Mr. Benedict. »

Il leva les yeux vers la tribune de la presse, puis se retourna vers elle avec un large sourire. « Je croyais que toutes les femmes se rappelaient ce genre de choses dans les moindres détails. Jusqu'à la couleur des cravates que nous portions ce soir-là, chose que nous pauvres ploucs avons complètement oubliée. Enfin, peu importe. » On perçut un léger gloussement, suivi d'un coup de marteau du président et il se remit à faire les cent pas.

« Bon, poursuivons. Une femme, veuve depuis cinq mois, se rend à une petite réunion entre amis. Avec quelque deux cents personnes. Elle boit un peu de champagne... enfin, peut-être. Elle ne s'en souvient pas très bien. Et elle fait la connaissance d'un homme. Vous imaginez la situation. Et maintenant, rappelez-moi une chose. En quelle année cela se passait-il?

— En 1945. »

Il répéta la date. Puis il enchaîna : « Et en 1945, Bliss Harlow n'était encore qu'un étudiant. Un *riche* étudiant, mais un tout jeune homme toutefois. Peut-être devrions-nous approfondir ce point. Une jeune femme, veuve depuis peu, se rend à une soirée de rallye et y rencontre un riche étudiant... »

Henry Mack s'était redressé d'un bond. « C'en est assez. Si

Mr. Benedict tente d'établir que ma cliente a effectivement fait la connaissance de son mari, je le lui accorde volontiers. Et s'il souhaite que nous lui concédions une différence d'âge, nous serons ravis de le faire. Il s'agit d'un an, un an et demi si je me souviens bien. »

Benedict se retourna. « Eh bien maintenant, je dois m'excuser auprès de mon jeune confrère. » Puis il se tourna de nouveau vers le témoin. « Vous êtes en noir?

— Comme vous pouvez le constater, Mr. Benedict.

— Vous êtes en deuil?

— De mon mari? Évidemment. Enfin, pas officiellement, mais... »

Il lui coupa la parole. « Oui ou non?

— Oui. Oui, je suis en deuil. »

Il hocha la tête, puis écarta sa serviette et découvrit un tas de magazines. Il en prit un. « Vous reconnaissez ce journal?

— Oui, bien sûr. C'est l'édition anglaise de *Vogue*.

— Et celui-là?

— C'est *Town and Country*.

— Et celui-ci?

— *Harper's Bazaar*, l'édition française. »

Les magazines étaient étalés en éventail sur la table. Il les prit et vint à la barre. D'une pichenette, il en ouvrit un et le brandit bien haut. « Voudriez-vous lire cette légende pour nous? »

Caroline regarda le journal.

Elle était heureuse ce jour-là. Elle s'en souvenait très bien. La photo était en noir et blanc, mais elle portait un tailleur beige. Elle lut la légende. « Clôture de New Market. Caroline Harlow en compagnie de Peter Post. »

« Et celle-ci? » Il brandit une autre page sur papier brillant, puis une autre et encore une autre. Et elle lut légende après légende.

« Colin Roberts a escorté Caroline Harlow pour la partie de chasse annuelle des Roberts dans les Downs. Hugo Morris s'est joint à elle pour aller applaudir les joueurs américains à Wimbledon. Louis Negin et Caroline Harlow, arrivée depuis peu de New York, ont honoré de leur présence le gala d'ouverture du nouveau casino de Londres. » Et les photographes étaient là pour immortaliser ces instants.

« La veuve joyeuse était-elle une fois de plus dans les parages? dit Benedict d'une voix traînante. Je m'étonne que vous trouviez le temps de vous occuper d'une fille... et encore moins de deux, vous ne croyez pas? »

Henry Mack fit objection avec vigueur. Le juge récusa la question, mais il était trop tard. Les joues de sa cliente étaient en feu et les rires couvraient le bruit du marteau.

Clayton Benedict avait regagné son siège et l'inclina pour s'installer plus confortablement. La sueur perlait sur ses mains et sa voix cinglante s'éleva dans la salle. « Et dites-nous une chose, Mrs. Harlow... A quelle école votre fille est-elle inscrite? Quel est le nom de l'établissement? »

Caroline ferma les yeux. Henry Mack lui avait fait répéter son rôle pour la préparer à des questions de ce genre. Elle connaissait la date de naissance de Maggie et celle de Kate ainsi que le nom des poneys et celui des chiens. Elle voyait très bien l'école : c'était un bâtiment en brique situé au bout de High Street, la grille était en fer forgé et il y avait deux entrées, une pour les filles et une pour les garçons. Le nom de l'école s'étalait en italique sur le panneau apposé au-dessus de la porte. Elle chercha à retrouver ce nom, mais la mémoire lui fit défaut : elle ne voyait qu'un grand vide. « Je suis désolée, dit-elle. Je ne m'en souviens pas sur le moment. »

28

LADY PORTIA MICHAELS MASHADO
TÉMOIGNE DEVANT LA COUR DU TEXAS

LA LADY BRITANNIQUE DE SANG ROYAL
PREND LA DÉFENSE DE L'AMÉRICAINE

Dans le *Chicago Sun*, ils avaient fait une erreur sur son titre, avaient mal orthographié son nom et lui avaient

attribué un lien avec la famille royale qui relevait uniquement de l'imagination. Le *New York Times* était l'un des
seuls journaux américains qui n'eût pas commis d'erreur en
la présentant ainsi : L'Honorable Portia Michaels Machado
de Chatham Manor, Chevely, Suffolk, Angleterre.

Le second jour du procès, elle pénétra d'un pas rapide
dans la salle d'audience et le reporter du *Sun* décrivit ainsi
son impression : elle dégage grâce et élégance avec ses épais
cheveux bruns relevés qui mettent en valeur son visage
mince et ses hautes pommettes. Il ne restait plus trace de la
jeune femme timide et peu sûre d'elle-même dans cette
nouvelle Portia. Elle était à l'image même des termes du
journaliste du *Sun* : le port majestueux elle avait tout d'une
lady.

Elle savait que Caroline s'était montrée stupide, mais cela
lui était égal. Elle lui avait ouvert sa porte et demandé aux
domestiques de monter le chauffage et de tapoter les
édredons. Elle avait gavé Maggie de chocolats, servi un thé à
Caroline et l'avait écoutée jusqu'à ce que les larmes lui
montent aux yeux. Caroline l'avait aidée autrefois et
aujourd'hui, c'était à son tour de lui tendre la main. Portia
avait une haute idée de l'amitié et elle n'était pas naïve : elle
avait eu vent de certaines pratiques sexuelles beaucoup plus
hardies adoptées par certaines personnes de la haute société... car ces excès se manifestaient particulièrement chez les
gens du grand monde. Et elle savait qu'on ne perdait pas ses
enfants pour des motifs de ce genre. Portia avait alors
organisé un dîner et y avait convié toutes ses relations; par
ce geste, elle voulait leur faire comprendre : « Je vous
présente mon amie américaine et j'aimerais que vous soyez
aussi gentils avec elle que vous l'êtes avec moi. »

L'idée d'apparaître dans un procès public ne lui souriait
guère, mais Caroline n'avait aucune famille et pas de vrais
amis au Texas. Elle n'avait qu'elle. Portia avait donc quitté
son manoir et s'était rendue à Londres en voiture. Puis elle
avait pris l'avion pour New York et ensuite pour Dallas et, ce
matin-là, elle attendait dans l'antichambre du tribunal de
Earth qu'un garde vînt lui annoncer que c'était à son tour de
venir à la barre.

Tout se présenta comme prévu. Caroline Harlow était-elle

une bonne mère? lui demanda-t-on. Tout à fait charmante et
je ne suis pas la seule à le penser, répliqua-t-elle. On lui avait
dit de décrire les choses avec précision et elle s'exécuta, puis
elle dut affronter une série de questions dont ils n'avaient
pas parlé avant. Caroline s'était-elle fait des amis en Angleterre? Se distrayait-elle? Les gens trouvaient-ils cela convenable?

« Convenable, Mr. Mack? » répéta-t-elle, puis elle comprit
ce qu'il avait voulu dire. « Évidemment. En Angleterre, les
veuves n'ont pas coutume de s'enterrer vivantes. Est-ce
toujours l'usage en Amérique? Non, je ne crois pas. »

La tribune de la presse s'éclaircit quelque peu lorsque
Portia quitta le prétoire et seule une poignée de journalistes
parlèrent du second témoin qui vint à la barre ce jour-là. Il
s'agissait d'une Noire qui refusa de décliner son identité
jusqu'à ce qu'Amelia Harlow l'y autorisât d'un geste.

Matty prit place en reniflant et, la main crispée sur son
mouchoir blanc, jeta un regard de dédain sur l'homme qui
lui faisait face.

« Bonjour, miss Matty. »
Elle répondit d'un brusque mouvement du menton.

Henry Mak se rapprocha du témoin et décrivit avec une
minutie insupportable ses longs et loyaux services dans la
maison des abords de la ville. « Et, d'après vous, demanda-
t-il, Mrs. Harlow était-elle une mère affectueuse?

— Mrs. Caroline? Eh ben... » Elle s'arrêta, soudain
muette.

Henry Mack soupira. Quand il reprit la parole, il eut un
ton plus sévère et moins déférent. « Avons-nous déjà eu une
conversation tous les deux, Mrs. Matty?

— Oui, monsieur.

— Suis-je venu vous voir, ici à Earth?

— Oui, ça doit faire un mois. Mrs. Harlow m'avait dit que
je devais vous voir et aussi longtemps que vous le souhaitiez.
Alors, c'est ce que j'ai fait.

— Et m'avez-vous dit que Mrs. Caroline aimait ses filles? »

Clayton Benedict se leva pour faire objection. « Il dirige les
déclarations du témoin, Votre Honneur.

— Vous avez quelques problèmes, n'est-ce pas, maître?
Mr. Mack... »

Henry Mack changea de place, cachant ainsi le visage de
Matty à sa patronne. Il sourit de son sourire angélique
« Miss Matty? Essayons encore une fois, voulez-vous? Mrs.
Caroline aimait-elle ses filles?

— Eh ben... » Elle s'affaissa dans son siège et fit des
nœuds à son mouchoir en tordant nerveusement le tissu.
« Oui, je crois que oui. Elle jouait avec elles de temps en
temps, elle leur lisait des histoires. Et ça avait l'air de leur
faire plaisir.

— Avez-vous jamais entendu Mrs. Caroline hurler après
ses filles?

— Peut-être une fois de temps en temps.

— Oh? Et à quelle occasion par exemple?

— Eh ben, quand elles étaient trop bruyantes.

— Avez-vous jamais vu Mrs. Caroline frapper ses
enfants?

— Non, monsieur, jamais.

— Je vous remercie, miss Matty, dit-il avec une sincère
gratitude. Le témoin est à vous, maître.

— Matty, je voudrais juste vous poser une ou deux
questions. » Les mains dans les poches, Clayton Benedict
s'avança tranquillement vers la barre puis s'appuya sur ses
talons. « Essayez de revenir en arrière et de vous souvenir du
printemps qui a précédé la mort de Mr. Bliss. Vous voulez
bien?

— Oui, Mr. Clayton.

— Alors, dites-nous, y avait-il eu des changements à cette
époque-là au sein de la famille?

— Oui, monsieur. Ça, c'est sûr.

— Dites-nous ce qui s'est passé, Matty. Qu'est-ce qui a
changé cette année-là?

— Eh ben... » Elle se pencha en avant. « Mr. Bliss, il allait
très souvent à Houston et Mrs. Caroline, elle était tout le
temps partie dans sa décapotable rouge. Et tout était très
silencieux et après ça criait très fort. »

Des rires s'élevèrent dans l'assistance. Matty s'enfonça
dans son siège et Darby semonça le public d'un coup de
marteau.

« Que voulez-vous dire par là, Matty? Tout était très
silencieux et après ça criait très fort?

« — Eh ben, Mr. Bliss et Mrs. Caroline, ils se parlaient plus jamais, sauf pour se disputer. Ils partaient tous les deux de bonne heure et le soir, quand ils rentraient à la maison, on entendait plus que les hurlements de Mrs. Caroline. Et une nuit, j'ai trouvé ses deux filles pelotonnées l'une contre l'autre dans le même lit et miss Kate, elle était paralysée tellement elle avait peur.

— Très bien, Matty, je vous remercie. Et maintenant, dites-nous, où allait Mrs. Caroline tous les jours?

— J'en sais rien, Mr. Clayton. Mais elle prenait sa voiture le matin et restait dehors jusqu'à neuf heures du soir. Elle rentrait jamais avant la nuit.

— Cela est-il arrivé souvent, Matty?

— Oui, monsieur. Au moins trois ou quatre fois par semaine pendant un bon bout de temps. Et quand elle était pas partie, elle était enfermée dans sa chambre. Elle aurait aussi bien pu être sortie, ça serait revenu au même.

— Et elle ignorait complètement ses propres enfants?

— Oui, monsieur. Complètement. » Matty termina son témoignage sur ces mots, puis elle se releva, quitta le tribunal et rentra, ravie que Mr. Clayton ait fini par lui poser la seule question importante à ses yeux.

Le témoin que Henry Mack appela à la barre après l'interruption du déjeuner était une femme du nom de Potter. Elle ne figurait pas sur la liste définitive de Mack et, le temps de régler les formalités d'usage, il était deux heures lorsque la double porte du fond s'ouvrit pour lui laisser passage au sein du tribunal.

Elle parut hésiter un instant, et tressaillit quand on referma la porte derrière elle. Puis elle reprit contenance et descendit l'allée centrale. C'était une femme forte un peu avachie; elle avait un doux visage et portait une robe de coton très simple et de lourdes chaussures qui résonnaient sur le parquet. Elle était arrivée à la hauteur de la petite grille de séparation quand Beau Darby vit la fille de Will Harlow se redresser d'un bond.

Un murmure parcourut la salle, mais ce bruit ne couvrit pas le sanglot étouffé d'Eleanor qui s'agrippa à la barre qui la séparait de sa mère. Le jour où Eleanor était entrée dans le salon de cette femme où miroitaient les reflets de son jardin de roses remontait à de nombreuses années. Elle ne portait plus le même nom, mais son visage n'avait guère changé.

L'horloge marquait trois heures et demie lorsque Anna Janes fut enfin autorisée à témoigner et prit place à la barre. A la demande de Clayton Benedict, on avait fait évacuer la salle. Lorsqu'elle commença sa déposition, il ne restait plus que le juge, les deux avocats, le greffier, la requérante et Amelia Harlow arborant un chapeau gris perle.

Il était presque cinq heures quand le juge Darby monta dans la voiture qui l'attendait devant la porte du fond. Il laissa le chauffeur se frayer un chemin pour tenter de gravir la colline et se faufiler parmi les files de voitures qui encombraient la R. 30. Puis il se pencha et cogna contre la vitre pour lui demander de couper par les petites routes.

Il habitait à cent douze kilomètres de là et il faisait nuit lorsqu'ils arrivèrent. Il s'assit seul et dîna en silence; respectant son mutisme, sa gouvernante le servit et débarrassa la table sans prononcer un mot.

Maintenant, il connaissait mieux la vraie personnalité d'Amelia. Et il avait une autre image en tête, une image qu'une servante noire avait gravée à jamais dans son esprit : il voyait ces deux petites sœurs blotties dans le noir l'une contre l'autre qui tentaient de dominer leur peur grâce à la chaleur de l'autre.

Les potins et les insinuations malveillantes n'influenceraient en rien sa décision. Quant à la mère, c'était une toupie, mais quel mal y avait-il à cela? Et, au terme de ce procès, elle récupérerait sa fille.

Il dormit calmement cette nuit-là, sûr de la rigueur explicite de la loi et fut réveillé le lendemain matin par un coup de téléphone qui l'amena à s'interroger.

29

Ils allaient mettre un temps fou pour descendre Main Street. Kate s'en rendait compte de là où ils se trouvaient. Duke n'avait mis que quelques instants pour franchir les grilles de la propriété et descendre la colline, mais maintenant qu'ils étaient arrivés dans Main Street, ils allaient avoir du mal à se frayer un chemin parmi la foule et les voitures. Elle s'enfonça sur la banquette arrière et regarda défiler les visages derrière la vitre teintée de la Cadillac. On ne percevait aucun bruit en dehors du ronronnement de l'air conditionné et la mélodie atone de Duke qui sifflotait entre ses dents, assis bien droit sur le siège avant.

Matty disait que tout petit déjà, Duke sifflait ainsi lorsqu'il était en colère. Kate était contente que Duke soit furieux et elle était ravie qu'il ait un revolver. C'était la meilleure idée qu'il ait jamais eue. Ainsi les photographes garderaient leurs distances cette fois-ci et elle se sentirait en parfaite sécurité.

Elle prit « Oie 2 » sur ses genoux et s'empara du jeu de cartes posé sur la tablette rabattante installée contre le siège avant. Elle disposa le jeu pour faire une réussite, les cartes faisaient un petit bruit sec sur la tablette en bois vernis à chaque fois qu'elle en posait une.

Ils étaient arrivés à la hauteur de chez Carr quand la voiture fut soudain ébranlée par une secousse. Les cartes glissèrent au sol. Elle se mit à hurler, mais son cri fut étouffé par le violent coup de klaxon que donna Duke. Puis la Cadillac se stabilisa et elle aperçut les visages des badauds qui brandissaient des ours en peluche à bout de bras. Elle reprit sa réussite.

Elle avait eu vent de ces ours en peluche hier quand Matty était rentrée du tribunal. Sur le moment, Kate avait eu envie de donner des coups de pied à « Oie 2 », de le jeter au fond d'un tiroir et de l'enfermer dans le noir. Mais elle n'en avait

pas eu le courage. Après tout, ce n'était pas de la faute de
« Oie 2 ». C'était de la sienne.

Oui, elle en était largement responsable. Elle le savait sans
doute depuis le début, songea-t-elle.

Elle avait mis longtemps avant de découvrir cela et elle en
avait été blessée. Parfois, elle souffrait tant qu'elle se levait
de son lit de camp et après, quand elle était rentrée à la
maison, il lui arrivait de quitter le fauteuil bleu installé près
de la fenêtre de sa chambre pour descendre et aller penser à
d'autres choses dehors. Il lui avait fallu très longtemps pour
mettre de l'ordre dans ses idées, mais elle avait fini par y
arriver et hier, elle avait annoncé à Grandmelia qu'elle
devait parler personnellement au juge.

Quand elle releva les yeux et jeta un coup d'œil par la
vitre, elle aperçut les arbres qui entouraient le palais de
justice. Elle n'avait pas tout à fait terminé sa réussite, mais
elle remit les cartes dans leur boîte. Puis elle serra « Oie 2 »
contre elle et enfouit son visage dans le duvet pelucheux et
un peu terni de sa fourrure brune. Elle prit une profonde
inspiration et, lorsque Duke lui ouvrit la portière, elle
descendit de voiture.

Il y avait là une foule de gens et des flashes qui crépitaient; un cordon de police formait une double haie jusqu'aux marches du palais de justice. Elle s'avança vers le
bâtiment.

Quelques instants plus tard, on frappa à la porte de Beau
Darby; le juge, installé à son bureau, se leva pour aller
ouvrir.

Le couloir était presque désert : il aperçut juste un chauffeur noir à l'autre bout du corridor et une petite fille qui
voulait lui parler. Il la reconnut à cause des photos parues
dans les journaux; il observa les boucles brunes coupées
court, l'ovale parfait de son visage et ses yeux ourlés de
longs cils. Ils n'étaient pas bruns, comme il l'avait cru, mais
d'un bleu acier; ils étaient très grands et dégageaient une
force surprenante. Les parements en dentelle de sa robe
écossaise bleu et blanc effleuraient ses genoux et des effets
de lumière jouaient sur ses chaussures à bout rond. Elle
resta les yeux fixés sur lui, son ours dans les bras.

« Entre, Kathryn. »

Elle s'exécuta et il referma la porte.

« Kate, monsieur. Je vous en prie, appelez-moi... » Sa voix, étonnamment ferme et voilée pour une enfant, s'altéra lorsqu'elle prit soudain conscience du bruit de la machine à écrire et de la présence du greffier.

« Bonjour », lança-t-elle. L'employé la salua d'un signe de tête et elle se retourna vers le juge Darby.

Il lui sourit. « Vous ne l'entendrez plus dans deux minutes.

— Vraiment? » Elle pencha la tête de côté. « Vous êtes sûr? »

Il réfléchit longuement avant de lui répondre. Il était évident qu'il n'avait pas affaire à une enfant facile. « Non, pas sûr, m'dame, absolument certain. » La réponse parut la satisfaire. Ils sourirent tous deux.

« Bon, eh bien, Kate. Je suis le juge Darby et c'est moi qui m'occupe de cette affaire qui échauffent les têtes dans les parages.

— Oui, monsieur. Ils m'ont dit ça.

— Ils? Qui ça, ils?

— Les avocats. » Elle baissa les yeux un instant. « Oh, pardon, les juristes. Ma grand-mère m'a dit que "juriste" c'est plus poli. C'est vrai?

— Eh bien, j'ai été avocat à une certaine époque et les gens m'ont attribué un tas de noms.

— Ce n'est pas grossier?

— Non, mon petit, pas du tout. Viens t'asseoir par là.

— Merci. » Elle se dirigea vers le fauteuil en cuir disposé à côté de son bureau, grimpa dessus et se tortilla pour trouver la position adéquate. Elle se cala, un pied replié sous elle, et prit son ours sur ses genoux.

Beau Darby regagna sa place en faisant craquer les parquets. « Bon, donc je suppose que les avocats t'ont raconté un tas de choses. Ils sont toujours comme ça les avocats. Ils parlent beaucoup. Mais je me doute que tu sais déjà tout cela.

— Eh bien, non monsieur. J'ai réfléchi, voyez-vous. » Elle le regarda droit dans les yeux.

« Vraiment, Kate? Alors, dis-moi, si tu me parlais un peu de toi... si tu me racontais tout sur toi. Ton âge, comment ça marche à l'école. Enfin, tout quoi.

— Vous savez, tout ça, c'est embêtant, c'est tout. Si je vous dis que j'ai neuf ans et que je vais rentrer en huitième... il doit y avoir des millions de petites filles qui ont neuf ans et qui font exactement la même chose. » Elle prit un ton un peu chantant et s'assit en tailleur, comme les Indiens, les coudes sur les genoux. « Ce serait peut-être mieux si je vous disais plutôt les choses vraiment intéressantes? »

Il esquissa un sourire. « Dis-moi quelle est la chose la plus importante dans ta vie, Kate.

— La chose la plus importante? » Elle réfléchit un moment. « Je vais vous expliquer ce que je suis venue vous dire, d'accord?

— Et qu'est-ce que c'est? »

Son regard, très bleu et très franc, croisa le sien. Sa réponse et les mots mesurés et quasi officiels qu'elle choisit le frappèrent presque comme une agression physique. « Ce que je suis venue vous dire, monsieur, c'est que je souhaite ne plus jamais revoir ma mère. »

Ils restèrent assis en silence; le regard confiant, la petite fille fixait le vieil homme trapu qui la contemplait.

L'époque où il était un petit garçon de neuf ans remontait très loin, à un autre siècle; pourtant, en cet instant, alors qu'il regardait ces grands yeux écarquillés, le souvenir du gamin maigrichon en salopette lui revint très clairement en mémoire. Il était dans un champ et fixait le visage d'un homme. Il sentait le soleil qui lui brûlait le cou, le tissu rêche sur son torse nu qui l'irritait et la sueur qui coulait sous ses aisselles et il eut une soudaine envie de se gratter.

Il fixait son père dont la main levée s'apprêtait à s'abattre sur le visage de son fils. Non, dit le petit garçon. Ils se regardèrent encore un moment. Son père avait toujours le bras levé. La démangeaison se fit plus insidieuse, mais il savait qu'il ne pouvait pas bouger. Puis le bras retomba enfin, l'homme se détourna et s'éloigna. Le garçonnet reprit sa faux et se remit à couper le foin qui s'étendait à perte de vue dans ce champ dévoré de soleil.

Près de soixante-dix ans plus tard, après des dizaines d'années d'amour, de peines et d'expérience, il ne se rappelait plus pourquoi le petit garçon avait dit non. Mais il se retrouvait dans ce champ et revivait cet instant d'injustice et de certitude absolue.

Le juge Darby parla pendant près d'une heure avec Kate Harlow. Rien n'évolua dans son propos, elle garda le même ton et resta sur ses positions. Ils parlèrent de son père, de sa famille et de sa sœur. « Ma demi-sœur », rectifia-t-elle. « Oui, c'est vrai, dit-il. Tu l'aimes beaucoup, non? » Elle examina la boucle de sa chaussure. « Je ne l'ai pas vue depuis longtemps. Elle vit en Angleterre maintenant. Vous le saviez? »

Ils parlèrent alors de l'Angleterre. Ce serait intéressant pour une petite fille du Texas comme elle de vivre là-bas. « Non », répliqua-t-elle.

Elle refusa de parler de sa mère et, lorsqu'il lui demanda pourquoi, elle ne lui donna jamais aucune réponse. Elle se contenta de lui opposer toujours le même « non ». Et, deux jours plus tard, lorsque le public fut autorisé à reprendre place dans l'enceinte du tribunal et les journalistes dans la tribune de presse, la décision du juge Beauregard Darby était entièrement basée sur ce « non ».

Lorsqu'il s'installa dans son fauteuil, il jeta un coup d'œil vers la mère de cette enfant. Et il se demanda une fois de plus ce qui s'était passé, ce qu'elle avait fait et ce qu'elle n'avait pas fait. Puis il baissa les yeux vers l'unique feuille de papier posé devant lui et commença sa lecture.

La garde de Kathryn Morning Glory Harlow restait confiée à sa grand-mère paternelle. Les avocats respectifs se chargeraient de régler les droits de visite, sujet soumis à l'examen de la cour. A la demande d'Amelia Harlow et selon la loi du Texas, il déclara les minutes du procès scellées sous secret pour cent ans.

Le coup de marteau résonna dans le silence et le juge Darby quitta l'estrade.

Darby ne reparla jamais de l'affaire Harlow après le jugement. Il refusa tout commentaire aux journalistes de la presse écrite et parlée qui vinrent solliciter des interviews et il déclina la proposition des éditeurs d'une revue de droit universitaire qui lui demandèrent un article sur les questions juridiques soulevées par cette affaire. Il ne répondit pas à leurs lettres. Pour lui, il n'y avait ni commentaires ni questions juridiques. Il n'y avait qu'une enfant qui l'avait convaincu de ses certitudes.

Il avait plus ou moins pensé que la requérante contesterait sa sentence et ferait appel, mais l'automne arriva, puis l'hiver rude et sec lui succéda et le jugement resta inchangé.

Earth, Texas

Septembre 1960

30

Les hurlements commencèrent vers trois heures du matin, puis se déchaînèrent en un seul cri perçant : « Nooon ». Tout se passait toujours de la même façon : elle prononçait toujours le même mot à la même heure, ce cri déchirant trouait brusquement le silence du petit matin. Et Amelia Harlow fit les mêmes gestes qui se répétaient maintenant depuis un an. Elle posa le dossier qu'elle avait apporté, franchit les quelques pas qui la séparaient du lit de Kate et la prit dans ses bras.

Kate se redressa et s'assit, droite comme un piquet, sous le baldaquin. Son visage empourpré était tout ensommeillé et ses pupilles noires et dilatées restaient insensibles à la lumière. Amelia serrait contre elle le petit corps raidi jusqu'à ce qu'il se détendît enfin et s'abandonnât complètement. Puis elle reposait délicatement Kate contre l'oreiller et l'embrassait sur le front. Et elle quittait la pièce, éteignait la lumière en passant, laissant la vieille chambre d'enfants du troisième étage plongée dans le noir.

Serrant son dossier d'une main et la rampe de l'autre pour ne pas trébucher dans l'escalier assez raide, Amelia regagna sa chambre. Un carafon de vin rouge l'attendait sur la commode blanche à côté de son lit. Elle s'en versa un demi-verre et le but à petites gorgées. Puis elle réussit enfin à s'endormir elle aussi.

Les cris retentissaient une fois par semaine, parfois deux. Et Amelia était toujours là. Ces hurlements faisaient maintenant partie de sa vie depuis douze mois, depuis le procès.

Erreur

Telle une présence indésirable, ils surgissaient au cœur de la propriété ceinte de murs blancs aux abords de la ville. Il s'agissait d'une réaction a posteriori liée à la mort de son père et aux changements survenus dans sa vie, lui avaient dit les médecins. Et ça passerait.

Dans la vieille chambre d'enfants du troisième étage, Kate dormait sans souvenir de ses propres cris et, tous les matins, elle se réveillait, heureuse d'être ce qu'elle était. Kate Harlow, dix ans, qui, un jour, avait fait une chose qu'elle se devait de faire. Elle s'était rendue au palais de justice situé à l'autre bout de la ville et elle avait dit ce qu'elle avait à dire. Elle s'était montrée ferme et aimable dans ses propos, comme Grandmelia, et elle avait obtenu ce qu'elle voulait, comme Grandmelia.

Elle n'avait pas tout dit. Elle avait caché au juge qu'elle était remontée très loin, très très loin dans ses souvenirs et qu'elle savait que sa mère était une sorcière. Cela aurait été trop compliqué de tout lui expliquer. Cela aurait pris trop de temps pour lui démontrer comment elle avait fini par se rappeler, parmi les méandres de ses pensées, qu'une nuit, qu'elle croyait avoir oubliée, elle avait entendu sa mère hurler. « Meurs ici, braillait sa mère. Meurs ici. »

Cela aurait été trop compliqué de lui expliquer que son père était effectivement mort, que sa mère était partie et que tous ses vilains tours s'étaient réalisés exactement comme elle l'avait prédit. Ses malédictions s'étaient exaucées, puis avaient disparu au fond de longs tunnels.

Et pour lui expliquer la partie la plus compliquée, cela aurait pris... Kate ne le savait même pas. Des heures, peut-être plus encore. Cela aurait pris très longtemps pour lui parler du jour où elle avait réalisé elle-même un tour de magie : elle avait réussi à convaincre son père de rester à la maison avec elle, là où il était en sécurité. Ça avait été une journée très agréable. Ils étaient allés voir des puits de pétrole et quelqu'un lui avait donné une pièce de vingt-cinq cents. Son père n'avait pas piloté son avion ce jour-là. Et il n'était pas mort ce jour-là, mais hélas, Kate n'avait pas choisi le bon jour.

Kate ne lui avait rien dit de tout cela et, une fois que tout fut terminé, elle avait chassé ces pensées de son esprit.

Elle avait oublié la sorcière et les tours de magie, elle avait tout oublié jusqu'au retour de Caroline.

« Non, je n'irai pas. Je n'irai pas », hurla-t-elle quand Grandmelia lui dit qu'elle devait y aller. Caroline se trouvait dans une chambre d'hôtel à Dallas, elle l'attendait et Kate devait aller la voir. « Je n'irai pas, hurla-t-elle.

— Tu dois y aller, ma chérie », dit Grandmelia et elle la prit sur ses genoux. Kate savait qu'elle était trop grande pour faire des choses comme cela, mais c'était bien agréable. Elle garda la main de Grandmelia serrée dans la sienne pendant tout le trajet. « Nous irons prendre une glace chez Neiman après, mon chou », lui promit Amelia lorsque Kate descendit de voiture. Duke lui fit traverser le hall et la confia à un groom. Dans l'ascenseur, le chasseur appuya sur un bouton; Kate prit une profonde inspiration et sa respiration changea de rythme.

Les portes de l'ascenseur s'ouvrirent et se refermèrent. Les couloirs s'étiraient devant elle. Une autre porte s'ouvrit et se referma et elle se retrouva dans une chambre avec un grand lit. « Kate, ma chérie. Tu es ravissante. » La voix était aiguë et stridente, comme dans son souvenir. Meurs ici, disait-elle.

Kate ne leva pas les yeux vers elle; pourtant, elle savait que sa mère avait une nouvelle coupe de cheveux, ils étaient plus souples et plus longs et elle portait une barrette neuve très brillante. Kate concentrait son attention sur d'autres choses; elle fixait le motif du tapis, le papier peint ou ses chaussures. Elle fit ce qu'on lui avait demandé, mais rien de plus. On posa sur ses genoux une boîte emballée dans du papier argenté et entourée d'un ruban rouge. « Ouvre-la, ma chérie. » Elle retira la faveur, défit le papier et s'arrêta.

« Comment peux-tu être aussi lente, ma chérie? Moi, je déchire toujours le papier quand on m'offre un cadeau. Je n'ai pas la patience d'attendre. »

Un souvenir lui revint brusquement en mémoire : elle revoyait sa mère déchirer un papier à pois qui enveloppait une boîte de chez Carr et rire de plaisir à la vue du parfum que Maggie et elle avaient acheté avec leur argent de poche. Sa mère aimait les cadeaux, mais elle pas. Celui-ci ne lui plairait pas. Elle allait défaire le paquet, mais elle ne le regarderait même pas.

« Kate », dit sa mère. Elle avait juste dit cela, juste son nom, mais Kate avait perçu une intonation qui lui était familière et elle releva les yeux et surprit le regard de sa mère. Elle ne supportait pas ce regard. Ces yeux lui demandaient trop et elle n'avait rien à donner. « J'aimerais rentrer maintenant », dit Kate. Elle se leva et détourna les yeux.

La porte s'ouvrit et le couloir s'étira devant elle. Les portes de l'ascenseur s'ouvrirent et se refermèrent. Elle détestait ce drôle de sentiment qu'elle éprouvait; il lui semblait qu'il était arrivé une chose effroyable, mais elle ne savait pas quoi.

Et les cauchemars de Kate commencèrent. « Meurs ici », disait la sorcière. « Non », disait Kate.

Elle rêvait d'un jour où quelqu'un lui avait donné une pièce de vingt-cinq cents. N'y va pas aujourd'hui, papa. Ils allaient voir des puits de pétrole et quelqu'un lui donnait une pièce de vingt-cinq cents. Il ne pilotait pas son avion ce jour-là, mais ce n'était pas le bon jour. Non, disait-elle, dans ses rêves. Ce n'est pas le bon jour.

Puis, quand la pouliche fut plus grande, Kate se mit à monter à cheval pour s'amender de n'avoir pas choisi le bon jour.

« Papa était né ici, n'est-ce pas Grandmelia? »

C'était un samedi après-midi d'automne froid et humide. Kate avait dix ans et elle entraînait Grandmelia vers les écuries pour lui faire une surprise.

« Oui, mon chou. Ici.

— Et il n'est pas parti pendant quelque temps quand il était plus vieux?

— Oui, il est allé faire ses études dans l'Est.

— Et après, il est rentré?

— Non, non, pas tout de suite. Tu te souviens, ma chérie. Il est parti pendant quelque temps dans cette île qui s'appelle Cuba.

— Pourquoi? » Kate s'arrêta un instant pour enlever la boue qui maculait le bout de ses bottes neuves.

Amelia releva le col de son manteau. Les questions de

Kate la contrariaient toujours. « C'était après la guerre. Il était jeune et il avait envie de voyager. » Elle continua à marcher et Kate la rattrapa en courant, puis glissa sa main dans celle d'Amelia.

« Et ma jument vient de là-bas. Papa aimait beaucoup ses chevaux, n'est-ce pas? »

Amelia acquiesça d'un signe, puis regarda Kate seller son cheval bai; c'était la dernière pouliche qu'avait mise au monde la jument argentine que Bliss avait fait venir de La Havane par bateau.

Elle montait comme son père le lui avait appris : elle avait une assise légère, serrait bien les cuisses et se soulevait bien de son assiette pour sauter. Maintenant, elle s'entraînait sérieusement et elle avait troqué son ancienne selle pour une anglaise. Kate montait bien et Amelia admirait son style.

« Tu as vu? lui lança Kate du paddock.

— Oui, répondit Amelia.

— Tu sais à quelle hauteur est cet obstacle, Grandmelia?

— Très, très haut, mon chou.

— A un mètre cinquante, Grandmelia. Ça y est, elle est prête », lança-t-elle et elle sauta la haie. « Au départ, j'avais pensé quitter l'école pour l'emmener à Dallas. Ils ont de bons entraîneurs là-bas. Mais je pense qu'on pourrait en faire venir un ici, chez nous? D'accord? » Elle tira sa grand-mère par la main, contraignant ainsi Amelia à participer à cette aventure qui allait se transformer en un rituel d'exorcisme déconcertant.

L'entraîneur arriva; c'était un ancien de la cavalerie texane du nom de Alec Riddle qui entraînait les spécialistes du saut de haut niveau depuis des générations.

Kate montait le matin, l'après-midi et même le soir à la lumière des projecteurs qu'on avait installés autour du paddock. Elle montait le cheval bai de son père et elle exorcisait son sentiment de culpabilité. Elle se concentrait sur les obstacles qui se dressaient devant elle pour sauter toujours plus haut, plus en souplesse et pour acquérir un meilleur style.

Six mois plus tard, ils commencèrent à voyager. Ils

participèrent d'abord à des shows au Texas, puis disputè-
rent des compétitions au niveau national et, l'année de ses
douze ans, Kate fut sélectionnée pour concourir aux épreuves du Madison Square Garden en novembre. « C'est la seule
manifestation qui compte vraiment », avait-elle déclaré à
Grandmelia quand celle-ci s'y était opposée. « La seule. »

Mr. Riddle s'était occupé du transport en train du cheval
bai et, le lendemain, Kate avait pris l'avion pour New York
avec Amelia et Eleanor. « Je ne voudrais pas manquer ça,
pour tout l'or du monde », avait dit tante Eleanor. C'était elle
qui avait fait les réservations et elle avait retenu des suites
au Plaza sur la Cinquième Avenue pour tout le monde.

« Sur la Cinquième Avenue, s'était plainte Kate. Mais le
Madison Square Garden n'est pas sur la Cinquième Avenue.
Je veux aller dans un autre hôtel.

— Il n'y en a pas d'autre, avait répliqué Eleanor. Aucun
qui puisse nous convenir. »

Le nez contre le hublot, Kate avait boudé pendant tout le
voyage jusqu'à New York. Puis, donnant une main à Eleanor
et l'autre à Amelia, elle s'était frayée un chemin parmi la
foule de photographes réunis à Idlewild Airport et s'était
engouffrée dans la limousine qui les attendait. Elle était
reconnaissante à sa tante de s'être montrée si astucieuse : les
portiers du Plaza refouleraient les photographes.

Le National Horse Show commença le mardi et, ce soir-là,
ils s'installèrent aux places d'honneur pour assister aux
épreuves internationales de saut.

Tout le monde leur avait dit que cette manifestation ne
ressemblerait en rien aux autres... et c'était vrai. Le Madison
Square Garden était immense, la foule innombrable et il y
avait des milliers de personnes en tenue de soirée. Les
musiciens du Meyer Davis Orchestra jouaient entre chaque
épreuve et des jeunes filles circulaient parmi les gradins
avec des plateaux pour proposer du pop-corn et des Coca-
Cola. Les lumières baissaient au début de chaque épreuve et,
lorsqu'on décernait les prix, elles se rallumaient et les
musiciens entonnaient un air. Et Kate mangeait du pop-corn
en attendant le samedi.

Eleanor n'était pas allée à New York pour faire plaisir à

Kate, mais parce qu'elle en éprouvait le besoin. Elle avait trente-six ans et elle avait l'impression que sa vie s'était arrêtée. Lorsque le calme était revenu après la tempête déchaînée par le procès et que ces souvenirs pénibles s'étaient estompés, elle avait réalisé qu'elle se sentirait éternellement comme amputée d'une partie d'elle-même. Bliss était mort et avait emporté avec lui toute une tranche de son passé. Mais parfois, il lui semblait simplement que sa vie s'était arrêtée.

Ben et elle s'étaient disputés une seule fois depuis leur mariage. Il lui avait dit qu'il aimait bien Caroline : c'était une petite chose charmante, prête à aimer et à être aimée. Et il s'était violemment élevé contre le jugement.

« Ne te mêle pas de ça, répliqua Eleanor. Reste en dehors de toute cette affaire, Ben.

— Je n'ai pas le droit de me taire », hurla-t-il en refermant la porte de la chambre d'un coup de pied.

Eleanor se jeta dans un fauteuil. « C'est une moins que rien. Elle n'est pas digne d'élever l'enfant de mon frère.

— Mais pour l'amour du ciel, c'est sa mère. Tu as pensé à cela, Eleanor ? Tu aimerais que quelqu'un t'arrache Jay ?

— Arrête ! » hurla-t-elle.

Mais il ne baissa pas les armes. Une certaine forme de violence s'était insinuée dans leurs vies... et il fallait qu'elle s'en rendît compte.

« Tu es ridicule, Ben », lança-t-elle, puis elle se leva et se dirigea vers la porte.

Il la suivit pour l'empêcher de sortir. « Anna Janes était ridicule aussi ? Et Will ? Et maintenant, elle a obligé Caroline à partir et elle a convaincu sa fille de rester. Elle ne renoncera jamais à rien ni à personne qu'elle considère comme sa propriété. »

Elle voulut le gifler, mais il saisit sa main au vol et la garda prisonnière tout en la fixant d'un regard noir de colère. « Bliss n'était qu'un pauvre type sans aucune ambition. Tu possèdes plus de talents dans ton seul petit doigt que lui n'en a jamais eu dans toute sa vie de désœuvré. Mais tu es aussi une femme arrogante, Eleanor. Et tu ne céderas pas non plus.

— Sors d'ici. » Elle se dégagea brutalement de son étreinte. Il ouvrit violemment la porte et fit exprès de la claquer derrière lui.

Il rentra avant le coucher du soleil, se glissa dans le lit avec elle, la prit dans ses bras et lui fit l'amour... comme par le passé. Peut-être existaient-ils des rapports particuliers entre deux jumeaux, lui dit-il, des choses qu'il ne comprenait pas. Mais il l'aimait et il ne se mêlerait plus de tout cela dorénavant.

Dans les années qui suivirent le procès, elle oublia cette dispute. Pourtant, ce sentiment de vide persista, cette impression que sa vie s'était arrêtée.

Et, en ce mois de novembre, elle prit l'avion pour New York avec Kate et Amelia.

Elle appela Alfred Reece le lendemain de leur arrivée. «Tu viens me prendre, Alfred? Vers cinq heures?» Elle l'attendit devant l'entrée du Palm Court.

Il arriva quelques minutes après cinq heures. Il avait sa canne à pommeau d'argent à la main, une fleur à la boutonnière et il se dégageait toujours la même élégance de sa démarche saccadée, rythmant ses longues foulées. Pendant un instant, Eleanor eut l'impression que rien n'avait changé. Mais en fait, tout était différent. Elle se mit sur la pointe des pieds et l'embrassa sur la joue. «On ne pourrait pas aller ailleurs? Je ne supporte plus cet endroit.»

Ils sortirent vers Central Park South et se dirigèrent vers la Cinquième Avenue. La fontaine qui se dressait devant l'entrée de l'hôtel était vide et la statue était givrée depuis la dernière vague de froid. Elle tenta de sourire et ils partirent vers l'est.

Des voitures à cheval attendaient le long de la rue; les chevaux soufflaient des nuages de buée dans le froid. «Allez, viens, dit Alfred, on va faire un tour.»

Ils entrèrent dans le parc et laissèrent la ville derrière eux. Ils n'entendaient plus que le martèlement des sabots, les grognements du cocher qui pestait de temps à autre et les bruits étouffés de la circulation qui leur rappelaient que la ville était toujours là.

Il lui prit la main, la cacha sous la couverture qui protégeait leurs jambes et ils parlèrent de leurs vies. Ils parlèrent de leurs fils, de Ben et de Jenny, la femme d'Alfred. Puis Eleanor lui demanda : « Alfred, pourquoi n'es-tu pas resté après la mort de Bliss? J'avais cru que tu resterais un peu. » Elle leva les yeux vers lui. « Je me souviens que j'étais heureuse de ta présence à l'enterrement. Et puis, tu es parti. J'avais besoin de toi à ce moment-là. »

Le vent s'était levé et, lorsque Alfred se tourna vers elle, le passé pesa de tout son poids dans leurs mains. « Nous allons rentrer », dit-il au cocher.

Elle ne l'effleura pas lorsqu'ils traversèrent le hall du Plaza, prirent l'ascenseur et suivirent les longs couloirs recouverts de moquette qui menaient à sa chambre. Elle referma la porte, tourna la clé dans la serrure, s'approcha du lit et ouvrit les draps. Elle enleva son manteau, le jeta sur un fauteuil et se tourna vers lui. Il se déshabilla, puis elle fit de même et, terriblement vulnérable dans sa nudité, s'offrit, juste revêtue de son mini-slip. Il traversa la pièce et la serra contre lui, puis il la renversa sur le lit et retira sa culotte. Il ramena la couverture sur eux et l'attira contre lui. Elle l'enlaça, puis son corps commença à bouger sous le sien, le désir montant en elle; son désir n'était pas doux et serein comme autrefois, mais pressant, enflammé et irrésistible. Il plongea en elle et, les yeux grands ouverts, ils se regardèrent dans la pénombre de cette fin d'après-midi new-yorkais, et finirent par s'endormir.

Lorsqu'ils se réveillèrent, il faisait nuit; seuls les lampadaires qui éclairaient Central Park leur rappelaient l'existence de ce monde. Elle tendit la main vers la lampe de chevet et l'alluma. « Merci », dit-elle et elle se mit à pleurer.

Ces larmes émanaient d'un univers enfoui au fond d'elle-même : elle versait ces larmes sur elle, sur Alfred, sur Bliss et sur tout ce qui composait leur passé. Il l'attira vers lui, la prit dans ses bras et lui caressa les cheveux jusqu'à ce qu'elle cessât de pleurer. « Ça va mieux? » demanda-t-il enfin.

« Alfred, serai-je de nouveau heureuse un jour? »

Il la prit par le menton. « Oui. Peut-être pas aujourd'hui, ni demain. Mais un jour sûrement.

— Nous l'avons forcé à rester, ma mère et moi.

— Eleanor, moi aussi, je connaissais bien Bliss. Il est resté parce qu'il n'a rien trouvé de mieux à faire. Il était comme ça.

— Et maintenant, il est mort.

— Et notre vie à tous s'est brisée en morceaux, mais un jour tout redeviendra normal. » Il la serrait contre lui, puis elle se glissa sur lui et il la pénétra, les entraînant vers la sérénité et la fin d'un voyage.

Ils commandèrent des œufs, des toasts et du café, puis prirent une douche et s'habillèrent.

« Tu es heureux, Alfred, n'est-ce pas?

— Oui.

— J'en suis ravie. » Et il la quitta, il sentait encore la chaleur de son baiser au creux de sa main.

31

Kate patienta en assistant au Fine Harness Championship, à la Black Watch Marching Band, au Working Hunter Under Saddle et aux exhibitions de la police montée de la Ville de New York. Le samedi matin, elle se leva de bonne heure et se prépara à l'hôtel. Elle était vêtue de neuf de la tête aux pieds : elle avait des bottes de cuir noir, une culotte de cheval beige, une chemise et une cravate blanche, une veste d'équitation noire et une bombe assortie.

Alec Riddle et Kate étrillèrent la pouliche jusqu'à ce que son poil fût parfaitement luisant sur ses quinze paumes. Kate peigna ensuite sa crinière et la lissa sur l'encolure de l'animal, puis ils attendirent le début des épreuves prévu pour onze heures.

On les appela avec un quart d'heure d'avance : Kate prit place sur la ligne de départ. Elle était en troisième position. Il y avait une fille en premier, puis un garçon; leurs superbes chevaux de chasse aux pattes effilées étaient respectivement de seize et dix-sept paumes. Kate entendit la voix du présentateur, puis l'écho d'un grand cor de chasse en cuivre lui parvint de l'arène.

La fille fit un bon temps et celui du garçon n'était pas mauvais non plus. Mr. Riddle lui fit alors la courte échelle pour la hisser en selle et la lumière aveuglante d'un flash l'éblouit. Le visage impassible, elle attendit que ces stupides points rouges qui dansaient devant ses yeux s'estompent. Grandmelia avait raison. Elle n'aurait probablement pas dû venir ici. D'un coup de talon, elle fit entrer le cheval bai dans l'arène et un tonnerre d'applaudissements déferla dans le Madison Square Garden.

Elle perçut aussitôt la différence. L'odeur lui paraissait différente, mais aussi les clameurs et le public qui se pressait sur les gradins du bas de la piste jusqu'en haut du stade. Puis tout alla de nouveau comme d'habitude. Il n'y avait plus qu'elles deux. Ni public ni projecteurs. Juste le martèlement du petit galop de sa pouliche sur la sciure tassée et la voix de Mr. Riddle qui résonnait dans sa tête : « Souples, les rênes, souples. Vas-y en douceur. » Et une autre voix plus lointaine qui lui soufflait : « Serrés les genoux, serrés. Prends bien ton assise. » Elle fit un premier tour, puis entama le second.

« Mesdames et Messieurs... » La voix résonnait dans le haut-parleur.

Kate ne l'entendit même pas. Elle se tenait bien haut sur l'encolure, puis elle relâcha les rênes. Et elle laissa sa monture redoubler de vitesse. Le style ne comptait pas et elle avait le droit de tutoyer la barre. Mais il fallait que les poteaux restent droits, que les murs en carton ne tombent pas et, dès lors, la seule chose qui comptait, c'était le temps.

Elle fit six sauts. Des sauts de plus en plus hauts. Des sauts très allongés et des demi-tours très rapides. Elle les prit tous à angle droit, guidant sa pouliche vers le prochain obstacle. A gauche, à droite, tout droit. Elle réduisait au maximum les temps morts entre chaque saut, caracolant contre la montre.

Septième saut. Huitième. Neuvième.

Puis elle prit son dernier virage à la corde dans un nuage de sciure de bois et dix mille personnes se redressèrent brusquement. Mais en cet instant, l'univers de Kate se

réduisait à deux choses : elle ne voyait que le cheval bai de
son père et une barrière blanche d'un mètre soixante-sept de
haut. Les rênes bien en main, elle se souleva de selle, très
concentrée sur l'encolure, prit le virage à la corde et
s'engagea dans la ligne droite. Elles pilonnaient la sciure,
martelant la piste, puis la pouliche se rassembla pour
sauter. Et dans un mélange de sueur et de cuir, elles
s'élancèrent.

La jument se déploya au-dessus de la dernière barrière
blanche du Madison Square Garden pendant un instant qui
dura une éternité et sa cavalière s'envola avec elle, frêle
silhouette perdue dans la crinière de sa monture et l'éclat
des projecteurs.

Amelia et Eleanor la retrouvèrent au moment où le
valet d'écurie entraînait le cheval bai et sa cavalière
hors de l'arène. Elle était affalée contre l'encolure de sa
pouliche et tenait son ruban bleu, son prix, bien serré
dans sa main. « J'ai réussi, Grandmelia. J'y suis arrivée.
C'est fini. »

Cet après-midi-là, elles l'emmenèrent prendre un sand-
wich et une crème renversée à la new-yorkaise chez Reuben.
Sur les conseils du serveur, elle opta pour la crème au
chocolat. « C'est ce qu'il y a de meilleur à New York, lui dit-il
dans un sourire, la crème renversée au chocolat. »

Elles se rendirent ensuite juste à côté, chez F.A.O.
Schwarz, et choisirent des jeux et des livres dans le plus
grand magasin de jouets du monde, allant et venant parmi la
foule qui se pressait déjà pour les cadeaux de Noël. Charmant, dit Kate. Presque aussi bien que chez Neiman.

32

Pour Maggie Harrington, la vie était divisée en deux
parties : il y avait avant et après.

Autrefois, elle avait une vraie mère, une famille et un endroit bien à elle dans une maison blanche aux abords d'une petite ville. Puis il y avait eu une cassure soudaine. On l'avait secouée au milieu de la nuit pour la réveiller et on lui avait ordonné de faire ses bagages. De tout emporter. Et sur-le-champ. Elle s'était rebiffée, mais le couperet était tombé. Après, il y avait eu les nuits de New York, de Londres, Paris, Rome et Mykonos ; sa mère était dans la chambre voisine en compagnie d'un amant et la jeune fille au pair, au bout du couloir. Maggie faisait des cauchemars : elle rêvait de cette maison et d'un rire qui résonnait à ses oreilles et elle se réveillait en sursaut, trempée de sueur. Elle les haïssait. Ils l'avaient chassée. Ils avaient gardé Kate et ils l'avaient chassée.

Parfois, allongée sur son lit dans un dortoir, les yeux fixés sur la neige qui tombait sur Paris, elle s'imaginait qu'elle rentrait chez elle sans sa mère. Elle arrivait à Dallas en avion, un chauffeur noir et une limousine l'attendaient à l'aéroport et il la reconduisait vers la propriété de Earth dans la chaleur d'une nuit d'été. Cependant, même dans ses rêves éveillés, la maison était sombre et les portes et fenêtres closes. Et elle se redressait brusquement, trempée de sueur.

C'est ainsi qu'elles étaient parties... juste après la rupture. Duke était allé chercher la voiture au milieu de la nuit et les avait conduites à l'aéroport. Elles n'avaient pas échangé une parole. Elles n'avaient pas ébauché un geste de tendresse. Sa mère était épuisée et silencieuse. Ses cheveux noirs tombaient en désordre sur son manteau de vison jeté sur ses épaules et ses lunettes cachaient son regard sombre. Maggie, petite jeune fille de treize ans vêtue d'un blue-jean et d'un T-shirt, la suivit dans les couloirs de l'aéroport de Dallas, monta la passerelle derrière elle et l'accompagna au dernier rang des premières classes.

On ne lui donna aucune explication sur le moment. Caroline ne se justifia que par la suite, après que son procès fut terminé et perdu.

L'après-midi où sa mère rentra après le procès, Maggie était assise seule dans le salon du manoir de Portia. Elle entendit une portière claquer et une voiture qui repartait.

Elle perçut un concert de voix dans le hall, puis la porte du salon s'ouvrit et sa mère apparut.

« Maggie? »

Au son de cette voix étranglée de sanglots, Maggie, les yeux fixés sur le livre posé sur ses genoux, comprit que les journaux avaient dit vrai. Elle n'avait pas voulu y croire, pas vraiment, mais maintenant elle ressentait une douleur au creux de l'estomac, il lui semblait que quelque chose se cassait à jamais et elle sut que ces signes ne la trompaient pas.

« J'ai perdu, Maggie. Ils ont raconté des mensonges à Kate sur mon compte. J'en suis certaine. Et Kate n'a pas voulu venir. »

Maggie releva les yeux et regarda sa mère qui se dirigeait vers le meuble où Portia rangeait le scotch.

« Des mensonges? dit-elle. Il était inutile qu'ils lui mentent. Il suffisait qu'ils lui disent la vérité. »

La main sur le loquet, Caroline se figea dans son geste.

Maggie s'enfonça dans son fauteuil. Elle parlait d'une voix calme et atone. « Ils n'avaient qu'à lui parler de cet homme. Celui qui est venu te voir tous les soirs après la mort de papa. Je l'ai vu monter vers la maison. C'est comme ça que j'ai su. Et j'ai vu la fille. Oui, je sais cela aussi. »

Maggie s'extirpa de son fauteuil et se dirigea vers la porte du salon. « Allons-nous bientôt partir d'ici? »

Caroline la fixa, comme paralysée. Elle n'avait pas réfléchi à ce problème. Elles n'avaient nulle part où aller.

« Je veux partir, poursuivit Maggie. Et je veux changer de nom. Je veux reprendre le nom de Harrington. Je déteste cette idée, Caroline. Je ne supporte pas que tout le monde sache que ma mère est officiellement une " mère juridiquement incompétente ". » Elle haussa les épaules et monta dans sa chambre.

Caroline retira sa main, toujours accrochée au loquet. Ses deux filles la haïssaient et maintenant, elle se rappelait le nom de l'école de Maggie. Rookery School, dans High Street, à Chevely. Elle apercevait les lettres brodées sur la poche du blazer bleu posé sur le bras du fauteuil, à quelques pas d'elle.

Après un moment qui lui parut durer une éternité,

Caroline ouvrit enfin le petit meuble et se versa un scotch. Dès demain matin, elle appellerait ses avocats pour que Maggie puisse changer de nom. Cela l'aiderait peut-être à supporter ces épreuves. Ensuite, elles partiraient en voyage pour oublier. Et elle serait très gaie et très gentille avec Maggie et alors, peut-être Maggie oublierait-elle.

Maggie était une jeune fille de quatorze ans, grande, mince et renfrognée, lorsqu'elles quittèrent le manoir de Portia cet hiver-là. Maggie ne demandait jamais où elles allaient et cela la laissait indifférente. Des années plus tard, elle disait que le seul souvenir qu'elle avait gardé de ses voyages en Europe, c'était l'endroit précis où se trouvaient les meilleures toilettes du coin. En haut de l'escalier de marbre du George V, tourner à gauche. En bas de l'escalier du Hassler à Rome, prendre sur la droite. Au Quisisana à Capri, passez devant la réception, tournez à droite après le kiosque à journaux et traversez le bar.

Les préceptrices se succédaient et les amants de Caroline défilaient dans sa vie. Maggie s'asseyait dans des salons d'hôtel où résonnaient l'écho vide si typique des villes étrangères. Elle s'attendait toujours à ce que Kate franchît la porte et imaginait inlassablement le texte des cartes postales qu'elle lui écrivait dans sa tête. Chère Kate. Me voilà au Parthénon. J'aimerais que tu sois là. Chère Kate. J'aimerais que tu sois là.

Cette année-là, elles voyagèrent toutes les deux sous le nom de Harrington. La plupart du temps, elles prenaient le train, mais il leur arrivait aussi de louer des voitures et, une fois, elles prirent le bateau. Au crépuscule, le petit bateau à vapeur largua les amarres, sortit du port de Syracuse et fendit les eaux un peu agitées de la Méditerranée. Il mit le cap vers l'île de Malte, colonie anglaise située à cinquante milles au sud des côtes de la Sicile.

Le lendemain matin, le jour se levait à peine lorsque Maggie s'éveilla dans sa cabine. On avait coupé les moteurs. Elle enfila un trench-coat, suivit la passerelle et monta l'escalier qui menait au pont supérieur.

L'île de Malte lui apparut tel un grand gâteau de mariés un peu fragile posé sur l'assiette bleue des eaux de la

Méditerranée. Le bateau dégageait des jets de vapeur dans un bruit de soufflerie. Ils étaient arrivés en face de l'entrée du port, comme une tranche rapportée du grand gâteau de mariés, lorsque Maggie remarqua la présence d'une autre personne accoudée au bastingage. C'était un homme petit et trapu, vêtu d'un costume de tweed anglais et des larmes coulaient sur son visage buriné qui n'était plus de prime jeunesse. Il esquissa un sourire timide, puis il prit un grand mouchoir dans la poche de son pardessus et se moucha.

« J'ai combattu ici pendant la dernière guerre, dit-il. Ça a été une très grande bataille. Nous tenions l'île de Malte. Oui, elle était à nous. J'ai participé à de nombreux assauts pendant la dernière guerre, mais ce combat fut le plus dur et le plus audacieux. Et aujourd'hui, je reviens ici. Pour quelques jours de vacances, tout seul. Je dois avouer que je suis assez ému. Vous savez, c'est comme si je rentrais chez moi. »

Maggie hocha la tête et sentit le chagrin lui nouer l'estomac. Il avait des maisons. Il en avait probablement une à la campagne, peut-être était-ce un cottage. Et il avait cette autre maison où il revenait. Elle, elle n'avait rien. Elle s'appuya plus fort contre le bastingage et tenta de refouler ses larmes.

« Et vous, jeune demoiselle? Vous êtes aussi en vacances?

— Non, dit-elle. Enfin, oui, en un certain sens. Je ne sais plus. Je voyage.

— Ah, dit-il enfin. Je vois. »

Le bateau se rapprocha du port de La Vallette bordé de hauts murs blancs. Sur le pont, il y avait une jeune fille américaine et un officier à la retraite de l'armée britannique; tous deux étaient en larmes.

Elle prit son premier amant à Mykonos, l'empruntant à sa mère l'espace d'une journée sur la plage. Stilianos était grec et il avait dix-neuf ans. Bronzé et bien bâti, il pêchait sur le bateau de son père et Maggie vit dès le premier abord, le lendemain de leur arrivée à Mykonos, que Caroline allait se l'approprier.

Sa mère et elle étaient allées dîner dans un petit café-restaurant sur les quais. Elles étaient assises à la terrasse et dégustaient du résiné lorsque Maggie vit Caroline changer de figure. Quelqu'un fendait la foule. Maggie était sûre qu'il s'agissait du pêcheur et elle ne s'était pas trompée.

Maggie prit la bouteille de vin et jeta un coup d'œil vers Caroline pour voir si elle s'en était aperçue. Apparemment, elle n'avait rien remarqué. Mais ce n'était pas le cas de Stilianos. Il lança un petit sourire à Maggie.

« C'est terminé pour le moment, le vin, ma chérie. » Caroline repoussa la bouteille. « Avant le dîner, un verre, c'est suffisant. »

Maggie haussa les épaules. Elle percevait la présence de Stilianos avec une acuité toute particulière et sentait que son corps s'éveillait à la vie. Elle avait du mal à éviter son regard fixé sur elle et, lorsqu'elle rentra ce soir-là, l'image de Stilianos l'accompagna dans la maison sombre quand elle traversa le hall et monta à sa chambre située au second étage.

Elle retira son jean et son T-shirt, sentit contre son dos la douceur des draps propres et, lorsqu'elle enfouit son visage dans l'oreiller, perçut les odeurs mêlées de sel et de soleil.

Tout naturellement, ses mains glissèrent sur son corps; ses doigts s'attardèrent sur sa poitrine et elle sentit son sein gonfler sous ses caresses. De légers frissons la parcoururent, puis son autre main poursuivit sa route et se faufila entre ses jambes. Elle était mouillée et son corps répondait à ses caresses. Sa main s'agita tout doucement, puis plus rapidement et, enfin, une sensation complètement nouvelle l'envahit.

Le lendemain après-midi, elle découvrit Stilianos sur la plage : il s'était assoupi au creux des rochers. Il cligna des yeux et se redressa. Et, dans son anglais rudimentaire et maladroit, il lui dit : « Vous voulez? » en faisant un geste vers son pubis.

Maggie avait imaginé cet instant la nuit précédente, pourtant, elle ne sentait plus rien maintenant. Elle ne savait même pas si elle arriverait à bouger.

Son sourire d'une blancheur éclatante illuminait son visage hâlé et il porta la main à son slip de bain noir. Il le glissa sur ses hanches, puis sur ses cuisses bronzées et enfin le retira. Les parties de son corps non exposées au soleil

étaient toutes blanches et son pénis était rose. Maggie eut
soudain envie de pouffer de rire. On aurait dit une énorme
crevette rose. Elle le regarda se caresser, le vit remuer sous
ses doigts, puis se redresser. Il l'entraîna sur le sable. Il la
fixa d'un regard très grave. Il retira alors le bas de son
bikini; ses mains glissèrent sur son ventre, puis plongèrent
entre ses jambes et il lui cacha le soleil.

Tout fut très rapide, très facile et très rien. Et ce fut
terminé.

Il était allongé à son côté; il jouait avec ses cheveux et lui
murmurait des choses en grec. Puis il s'arrêta. Maggie se
redressa. Une silhouette, drapée dans un caftan, se dirigeait
vers eux. Maggie chercha son bas de maillot à tâtons et
l'enfila rapidement. Et soudain, Caroline était là, devant
eux; elle hurlait entre deux sanglots et griffait Stilianos qui
se débattait pour se relever et repoussait ses assauts tout en
essayant de remettre son slip de bain. Il abandonna la
bataille et disparut derrière les rochers. Le visage éperdu et
déformé par la douleur, Caroline tomba à genoux dans le
sable.

Un mois plus tard, Maggie se retrouva dans le hall de
marbre d'un bâtiment situé aux environs de Paris. Elle avait
une nouvelle coupe de cheveux qui lui cachait juste
les oreilles et portait une gabardine grise, uniforme de cette
école qui avait la réputation d'accueillir les jeunes filles
difficiles.

« Je m'enfuirai. »

Caroline refoula ses larmes. « Ne sois pas ridicule, ma
chérie. » Elle serra sa fille dans ses bras. « Je suis sûre que tu
vas te plaire ici. »

— Je me sauverai. »

Caroline se détourna et lui fit un petit signe de la main.
Maggie sentit une violente décharge au creux de son estomac et fut saisie de panique. « Je le ferai! » lança-t-elle à sa
mère quand Caroline franchit la porte et disparut sous les
flocons qui tombaient sur la cour.

Il neigea très souvent à Paris cet hiver-là. Mais les
bourrasques avaient cessé lorsque la « nouvelle » arriva
d'Amérique. Maggie se souvenait de cela. Il ne neigeait plus.

Elle s'appelait Peggy et était de Chicago. « Enfin, avant.

Mais plus maintenant », dit-elle aux autres filles qui étaient venues aux renseignements vers minuit le soir de son arrivée. « Maintenant, je suis de Genève. Mon père est installé là-bas. Et de Venise aussi. Ma mère y habite. Ils sont divorcés. »

Elle répéta tout cela en français, puis leva les yeux et son regard se fixa aussitôt sur Maggie. « Tu es du Texas, toi? Tu es l'autre fille Harlow. »

L'une des élèves italiennes pointa sa lampe de poche vers Maggie. « Elle s'appelle Harrington. Maggie Harrington. Et elle est de New York.

— Non, c'est pas vrai. » La nouvelle secoua la tête. « Je t'ai vue dans *Life Magazine*. C'est affreux ce qui vous est arrivé à ta sœur et à toi. »

Maggie se retira du cercle de lumière jaune formé par les lampes de poche. « Je m'appelle Harrington. Je n'ai pas de sœur. Et je n'en ai jamais eu.

— Si, tu en as une. »

Un silence pesant s'était abattu sur la pièce et, lorsque Maggie se rua dans le couloir désert, la voix de la fille la poursuivit. « Elle s'appelle Kate. Je me souviens de toute l'histoire. »

33

Le printemps revenait sur les collines boisées de l'est du Texas suivi d'étés interminables et caniculaires. Amelia Harlow n'avait jamais eu l'occasion de quitter les terres de l'Ouest après qu'elle eut ramené Kate de New York. Les Entreprises Harlow étaient une société texane, une société de l'Ouest et Amelia n'était jamais repartie ailleurs.

Parfois, elle repensait au premier été qu'elle avait passé au Texas. A l'époque, elle n'était encore qu'une jeune femme et la chaleur l'accablait à un point tel qu'elle n'arrêtait pas de respirer des sels par crainte de défaillir. Elle n'avait plus l'impression qu'il faisait une chaleur suffocante au Texas et en août, lorsque les collines couvertes de pins semblaient danser dans la lumière aveuglante, elle trouvait qu'il faisait bon.

Cependant, en ce dimanche matin du mois d'août, il faisait très chaud lorsque Amelia, à l'abri du porche, regarda la Lincoln d'Eleanor s'éloigner de la grande maison blanche. Elle la vit se fondre parmi les peupliers, puis disparaître derrière la grille en fer forgé lorsqu'elle prit la direction de la grand-route qui allait la mener sur la tombe de son père. Quelques minutes plus tard, Eleanor était morte.

Il plut cette nuit-là. Immobile devant la fenêtre, Amelia regardait les lumières rouges de la tour de la radio clignoter dans l'obscurité et le crachin. La colère surgit alors en elle et elle reconnut ce vieil instinct qui lui dictait de se protéger et de passer à l'attaque.

Quatrième Partie

New York

Le premier lundi d'août 1975

34

Alfred Reece était seul sur la banquette arrière de la Mercedes grise qui serpentait dans les allées de Central Park. Le gros titre s'étalait en bas et à droite de la une du *New York Times*. « Mort du président des Entreprises Harlow. » Sa photo était en dernière page. Ce n'était pas le cliché d'agence officiel. Eleanor ne fixait pas l'objectif; les cheveux au vent, elle souriait à quelqu'un. Reece contempla la photographie en attendant que son émotion s'apaise.

Il l'avait vue pour la dernière fois à New York où elle était venue faire un discours à une conférence. Cette belle femme d'une cinquantaine d'années vêtue d'un pull-over bleu et d'une jupe de tweed se tenait parmi un groupe de gens. Ils s'apprêtaient à s'éclipser pour aller prendre un verre quand quelqu'un l'avait prise par le bras. « Je n'en ai pas pour longtemps, lui avait-elle dit. Tu m'attends un instant, Alfred?

— Je suis déjà en retard. » Il s'était penché vers elle et l'avait embrassée sur la joue.

La Mercedes était arrivée à la sortie du parc et se retrouva coincée dans le goulot d'étranglement donnant sur la 59ᵉ Rue. Il n'entendait que les bruits étouffés de l'animation d'un lundi matin new-yorkais à l'heure de pointe.

Il songeait que quelque part en lui, il avait toujours été amoureux de la sœur de Bliss Harlow. Pendant des années, depuis l'université de droit et jusqu'au début de son mariage, il avait conservé en lui l'image d'Eleanor, le souvenir d'une jeune fille dans une chambre de Bryn Mawr, la lumière de la lampe de chevet zébrant son visage. Avec les souvenirs, il avait emporté un regret : quelque chose lui dictait de ne pas la poursuivre, lui disant que sa vie était ailleurs.

Il avait vingt-cinq ans quand il sortit de Harvard et son premier client fut un homme qui avait été un ami de son père.

Il l'appelait oncle Eddie à l'époque où cet homme court sur pattes et bedonnant arpentait en haletant la plage de West Hampton en agitant des pétitions : il cherchait des subsides pour soutenir la cause des Républicains espagnols ou pour aider les orphelins de l'Europe détruite, ou même des millions pour la Palestine. Personne ne savait d'où Eddie tenait son argent, mais le fait est qu'il en avait. Quand Alfred l'avait vu pour la dernière fois, il partait pour Hollywood. Une girl de revue voulait devenir une star et Eddie allait écrire des scénarios et produire des films pour que son rêve devînt réalité.

Eddie admettait volontiers qu'il était allé une ou deux fois à des réunions de cellule communiste, mais il n'avait pas voulu citer le nom des gens qu'il y avait rencontrés. « Ils étaient charmants, tu sais, Alfred. Ça ne me paraît pas juste. »

Eddie avait fait un an de prison au moment du maccarthysme dans les années cinquante et lorsqu'il en était sorti, il s'était retrouvé sur la liste noire des communistes et sympathisants. L'homme qui s'était assis dans le petit bureau new-yorkais de Reece avec un scénario que tous les producteurs d'Hollywood avaient refusé, était fort amer. « C'est le meilleur truc que j'aie jamais écrit, Alfred. Tu sais, à une époque, c'étaient mes amis. Et aujourd'hui, ils ne me prennent même pas au téléphone. »

Reece avait envoyé le script suivant sous un pseudonyme de son cru et, quatre ans plus tard, le film avait reçu l'Academy Award pour le meilleur scénario original de l'année. Le soir de la remise des prix dans un théâtre bondé de Hollywood, le producteur du film se leva et remit un mot à l'huissier qui était venu jusqu'à lui. Un instant plus tard, le maître de cérémonies levait la main pour réclamer le silence.

Il déplia la feuille, s'approcha du micro et lut à haute voix le discours d'acceptation de l'auteur inconnu devant les caméras de la télévision qui retransmettaient le spectacle dans tout le pays. « Mes amitiés à Hollywood, avait écrit Eddie. Je réserve mes remerciements à mon avocat et agent, Alfred Reece. »

Eddie mourut quelques années plus tard ; grâce à ce vieil homme, son jeune avocat et agent était devenu une célébrité dans le monde du spectacle. Reece et ses associés avaient quitté leurs bureaux du fin fond de New York et sa femme et lui avaient acheté une maison sur Riverside Drive.

Ils s'étaient rencontrés à l'opéra au cours de sa dernière année à Harvard. La Callas ouvrait la saison dans *Madame Butterfly* et il y était allé avec quelques amis de ses parents. Il s'était retrouvé assis à côté d'une jeune femme aux cheveux noirs et flous.

« Mon vrai prénom, c'est Geneviève », lui avait-elle dit pendant l'entracte. Puis elle avait ajouté avec une certaine nostalgie : « Mais personne ne m'appelle comme ça. »

Il lui avait souri. « Alors, je vous appellerai Geneviève.

— Non, sûrement pas. Jenny, c'est tellement plus simple et malheureusement, avait-elle dit en souriant, il semble que je sois une Jenny et pas du tout une Geneviève. »

Il l'appela Jenny et Jenny Kaas était bien à l'image de son surnom : elle était petite, chaleureuse et éclatante. Leur premier et seul enfant, Nicholas, naquit un an après leur mariage. Il avait treize ans en ce jour de novembre où Eleanor l'avait appelé du Plaza. « Viens me prendre, Alfred », lui avait-elle demandé et il avait abandonné son bureau de Park Avenue pour aller la voir.

Après cette soirée au Plaza, Eleanor était retournée à Ben et à sa vie et Alfred à Jenny. Ils avaient refermé une page du passé qui était restée inachevée. Assis sur la banquette arrière de la Mercedes qui sortait de Central Park pour s'engager dans les rues de la ville, Alfred Reece commença à peser l'avenir.

35

Quand Alfred Reece l'appela ce lundi matin, Maggie Harrington était chez Philip Shaw dans les Hamptons. Elle
passa l'après-midi sur la plage; dans un sac de paille posé à
côté d'elle se trouvaient tous les quotidiens de New York.

Le soleil était très chaud et le ciel, d'un bleu éclatant, se
perdait dans l'océan et sur les dunes. De somptueuses
demeures bordaient la côte sud de Long Island et les quelques estivants disséminés çà et là sur la plage y étaient pour
se montrer, tout comme Maggie.

Elle s'étira, puis se retourna pour se faire bronzer le dos et
cacha son visage entre ses bras. L'été au bord de la mer... et
cette sensation qui se fit plus violente et plus aiguë, en ces
instants qui suivirent le coup de téléphone d'Alfred, que ce
genre d'été était irréel. L'été, c'était avant, quand il lui
semblait que le soleil ne se coucherait jamais sur les
immenses terres sauvages du Texas.

Même sur les collines plantées de pins, la végétation était
complètement desséchée en été et on soulevait des nuages de
poussière quand on donnait un coup de pied dans la terre.
Maggie trouvait qu'il y régnait une atmosphère douce et
sereine, mais aujourd'hui elle n'y voyait que vide et expec-
tative.

A l'époque, l'été, c'était le ronronnement lointain de l'air
conditionné qui tournait dans les pièces glacées et les
grillons dont elle pensait qu'ils la rendraient folle, mais qui
la berçaient et elle finissait par s'endormir. L'été, c'était
aussi l'écho de la voix d'une femme noire qui lui demandait
de rentrer, à l'abri de la chaleur, pour boire une limonade
avec des glaçons et un chien haletant à ses côtés quand elle
marchait dans les roseaux, là où vivaient les serpents
disait-on, dans l'espoir d'en apercevoir un pour pouvoir lui
tirer dessus avec son pistolet à air comprimé.

Elle avait alors une famille, une sœur, des amies à l'école
avec lesquelles elle jouait, un cheval et un emploi du temps

déterminé qui donnait un sens à sa vie. Il y avait aussi un homme qu'elle appelait papa et qui était grand et blond comme la femme qui était morte hier.

Maggie avait trente ans. Elle était rentrée aux États-Unis depuis douze ans. Elle avait dix-huit ans quand Alfred était venu la chercher à l'aéroport en ce mois de septembre. Elle arrivait de Paris. Il l'attendait à la douane, cherchant à reconnaître la jeune fille, dont il avait reçu une photo prise le jour de la remise de son diplôme de fin d'études secondaires, quand il entendit une voix crier : « Oncle Alfred ! » Une jeune fille s'était jetée sur lui alors qu'il était appuyé à la barrière et l'avait embrassé sur les deux joues sans même l'effleurer. Elle portait un jean et un T-shirt et avait renoncé aux soutiens-gorge.

Il avait pensé l'emmener directement au campus de Sarah Lawrence au nord de New York, mais il changea d'avis et demanda au chauffeur de les conduire à sa maison de Riverside Drive.

Jenny se montra parfaitement à la hauteur. Elle accueillit Maggie comme si elle était attendue et, lorsqu'ils se retrouvèrent dans leur chambre, elle s'assit et se lima tranquillement les ongles alors qu'Alfred explosait.

« Il n'est pas question que je lâche une créature pareille dans la nature... » dit-il en pointant un pouce menaçant vers la chambre de Maggie. « Non, ça, sûrement pas. Pas avant d'avoir pris certaines précautions. » Il faisait les cent pas, ses longues jambes se croisant en d'incessants aller et retour. « Il faut que tu t'en occupes. Moi, je ne peux pas. » Il s'effondra sur le bord du lit. « Je veux dire... Mon Dieu, Jenny. Tu l'as *vue* ? »

Jenny l'avait bien vue.

« Ma chère Maggie », dit-elle le lendemain matin au petit déjeuner. Elle se versa une autre tasse de café. « J'ai pris rendez-vous pour toi chez mon gynécologue. »

Maggie coupait une brioche en deux. « Pourquoi ?

— Pour te faire adapter un diaphragme, ma chérie.

— Je n'ai même pas encore rencontré qui que ce soit.

— Non, mais ça va arriver. Crois-moi.

— Quand on se met à utiliser ce genre de trucs, on perd toute spontanéité, tu ne crois pas ? »

Jenny but une gorgée de café. « Il y a la pilule bien sûr.
— Non. Ça baise tout le système hormonal et je suis
convaincue que c'est pas le style de baise dont on parle. C'est
vrai, non ? » Maggie sourit.

« A une heure, ma chérie. Nous prendrons un taxi. »

Maggie supporta Sarah Lawrence et adora New York.
Elle connut trois semestres de bals de débutantes, deux de
liberté surveillée et un assortiment d'une demi-douzaine de
lits. Puis elle trouva un ami et put enfin recoller les
morceaux de la vie.

Philip Shaw était maître-assistant sur la pièce que montait
sa classe. Ils préparaient *Le Songe d'une nuit d'été* et
lorsqu'il dit : « Très bien, mesdames. Maintenant, nous
allons avoir besoin d'un régisseur », Maggie avait levé la
main et s'était proposée : « Moi ? »

Il cria après elle à toutes les répétitions pendant une
semaine ; il se levait de sa chaise comme un diable de sa
boîte avec une rapidité étonnante pour un homme aussi
gros, songeait Maggie. Quand, un jour, il lui parla calmement et lui demanda s'il pouvait la voir une minute, elle en
fut fort surprise.

« Je crois savoir que vous parlez bien français ? »

Elle acquiesça d'un signe.

« Comment dit-on *shit* ?

— Merde. »

Elle le prononçait de façon exquise.

Il lui caressa les cheveux. « Alors, coupons la " merde ",
miss Harrington. »

Il approchait de la trentaine et avait grandi dans une
petite ville du Midwest. « Je croyais être le seul homosexuel
que le monde ait jamais conçu », lui dit-il un soir devant un
café, « moi et Oscar Wilde.

— Jusqu'à ce que tu viennes à New York », ajouta-t-elle.
Elle sourit et fut heureuse de l'entendre en rire. Elle l'aimait
bien et c'était agréable d'avoir un ami qui avait grandi dans
la solitude comme elle.

Il avait tenté sa chance comme acteur pendant un
moment, puis il avait fini par y renoncer et s'était mis à
écrire des pièces que personne n'avait jamais lues et avait
aussi abandonner ce projet. « J'aimerais bien les lire, un
jour », lui dit-elle.

Il haussa les épaules. « C'est facile. J'en ai plein mes tiroirs. »

Au mois de février de sa première année d'université, Maggie entra dans le bureau d'Alfred Reece avec un script de Philip. « Je vais monter ça, annonça-t-elle avec un large sourire. A Broadway. » Elle posa le manuscrit sur la table.

« Tu dois être devenue complètement folle. » Il ne se donna même la peine de le prendre.

« Non. Je parle très sérieusement. Et si tu ne veux pas m'aider, je trouverai quelqu'un d'autre. C'est une excellente pièce. C'est très drôle et tout le monde va l'adorer. Mais pour le moment, j'ai besoin d'argent, de conseils et de... enfin, tu vois, quoi.

— Monte-la à l'université, Maggie. Je viendrai. Je te le promets.

— Impossible. Je laisse tomber mes études. »

Deux heures plus tard, elle avait obtenu une pile de notes et tout le jargon juridique nécessaire à son projet ainsi qu'une promesse d'Alfred Reece : il lui avait dit que si la pièce n'était pas trop nulle, il essaierait de lui dénicher quelques commanditaires.

Payoff était une pièce drôle et tendre. C'était l'histoire d'un comédien au chômage qui n'arrivait pas à vivre dans un monde qui n'était pas « comme au cinéma ». Ce n'était pas mauvais. Alfred la relut ce week-end-là et passa quelques coups de téléphone. Les auditions commencèrent dès la semaine suivante et, six mois plus tard, la première eut lieu au Wonderhorse Theater dans la 4e Rue Est devant un public composé principalement d'invités : il y avait les amis des acteurs, ceux de Philip et la liste au grand complet des clients d'Alfred.

Ce soir-là, Maggie était à côté de Philip au fond de la salle. Elle regarda les lumières s'éteindre. Depuis des jours et des jours, elle fumait comme un pompier et ne mangeait plus rien, mais cela lui était égal. Il n'y avait pas de rideau de scène, mais cela n'avait pas d'importance non plus. Le régisseur envoya le premier effet, les projecteurs filtrés au rouge éclairèrent une pension de famille du Midwest et, quelques instants après, des rires fusèrent dans la salle. Elle se tourna vers Philip, lui prit la main et soudain l'étreignit violemment. Sur la façade, s'étalaient en lettres noires le nom de Philip, ceux des acteurs et le sien. Maggie Harring-ton, Productrice. Les gens allaient lire son nom à l'affiche et ainsi, ils sauraient qu'elle avait fait quelque chose. Elle n'était pas seulement l'autre fille Harlow. Et maintenant, tout le monde le saurait... même à Earth au Texas.

Payoff se joua six mois à New York, puis la pièce partit en tournée en province. Maintenant, Maggie n'avait plus de problèmes pour trouver de l'argent. Elle acheta les droits pour les États-Unis d'une pièce qui avait fait un triomphe à Londres et produisit une comédie qui avait terminé sa saison à Broadway et partait en tournée.

Elle ouvrit un bureau dans le quartier des théâtres et engagea une étudiante qui avait abandonné ses études pour faire un premier tri parmi l'énorme tas de scripts qu'elle recevait tous les jours par la poste. Elle acheta un duplex au dernier étage d'un hôtel particulier XIXe situé à un pâté de maisons du Lutèce. Liz Smith écrivit des articles sur elle et *Women's Wear* publia sa photo.

Puis Philip termina sa nouvelle pièce et Maggie l'envoya à un producteur de cinéma qui avait assisté à la première de *Payoff*. Le script l'intéressa et Maggie et Philip partirent pour Hollywood pour la signature du contrat : on allait en faire un film dont Maggie serait coproductrice. De New York, Reece régla les derniers détails du contrat avec la Paramount par téléphone et, ce soir-là, Maggie et Philip quittèrent leurs chambres du Beverly Hills Hotel et descen-dirent au Polo Lounge pour aller fêter l'événement.

Et ce soir-là, Maggie ne fêtait pas seulement le contrat, mais sa nouvelle vie. Elle n'avait plus rêvé de la grande maison blanche depuis plus d'un an. Et le Beverly Hills Hotel, c'était mieux qu'une maison dans une petite ville du Texas. Sa présence en ce lieu signifiait quelque chose, non seulement à ses yeux, mais aux yeux de tous. Il y avait un téléphone dans la salle de bains de la suite qu'elle occupait et, lorsqu'elle avait décroché l'appareil, la standardiste lui avait dit : « Oui, miss Harrington. Qui demandez-vous ? » Non pas quel numéro, mais qui.

« Mr. Mull à la Paramount.

— Je suis désolée, miss Harrington, Mr. Skolnik occupe la ligne. Je vous rappelle dans un instant. »

Maggie avait l'impression d'être quelqu'un dans cette ville et cela la grisait.

Ce soir-là, on leur avait réservé une table d'angle au Polo Lounge. Maggie leva son verre pour porter un toast à Philip.

« A nous, Philip. Que peut-on espérer de plus?

— A toi, Maggie », dit-il en levant son verre.

Longeant d'immenses palmiers qui se dressaient dans le ciel sans étoiles, une Ford Mustang bordeaux s'arrêta dans l'allée circulaire. Un portier, vêtu d'une livrée rouge, descendit la rampe d'accès et ouvrit la portière à la jeune fille, puis au jeune homme. Il était blond et bronzé — c'était un adepte du surf — et lorsqu'il la prit par le coude pour l'entraîner vers l'escalier, quelque chose dans son attitude montrait qu'il la considérait comme sa propriété.

Elle avait dix-huit ans et venait d'entrer à l'université de Californie. Elle portait une robe d'été en coton blanc entièrement bordée de festons. Elle l'avait achetée juste après son inscription. Elle n'avait jamais quitté le Texas avant, enfin pas vraiment, et cette robe était typiquement californienne, elle correspondait à la nouvelle allure qu'elle voulait se donner. Elle prit le garçon par le bras et ils traversèrent le hall entièrement moquetté et pénétrèrent dans le Polo Lounge.

Elle cligna des yeux. La pièce était sombre et bruyante. Soudain, un éclat de rire fusa d'une table d'angle. Puis elle s'habitua à la pénombre et son regard se fixa sur un visage qu'elle connaissait bien.

« Je veux rentrer. Tout de suite. » Elle fit volte-face et passa précipitamment devant le jeune homme. Il la rattrapa par le bras.

« Hé! On vient juste d'arriver. On va nous donner une table dans une minute.

— Non. Il faut que je parte. Immédiatement. » Elle avait les mains moites et sentait ses pieds nus coller aux semelles en cuir de ses sandales.

Il la regarda, médusé. « Qu'y a-t-il? Que se passe-t-il?

— Rien. Je dois partir, c'est tout. » Sa voix s'éleva parmi le bruit des verres et des rires et se brisa. « Tout de suite. Sur-le-champ. »

Les conversations se fondirent en un bourdonnement. Un gloussement de rire fusa d'une banquette quelque part, puis la jeune fille et son cavalier se frayèrent un chemin vers la sortie et disparurent.

A la table d'angle, Philip se rapprocha de Maggie et la prit par le bras, puis il se pencha vers elle. « Maggie? Que se passe-t-il... Maggie? »

Son verre toujours levé vers Philip, elle se souvint soudain d'une maison où elle avait vécu autrefois et d'une sœur qu'elle avait baptisée Morning Glory et à qui elle avait appris à monter à cheval. Une petite fille avec des fleurs en papier dans les cheveux.

Et aujourd'hui, Maggie était assise, seule, sur une plage dans les Hamptons. Le soleil se couchait dans son dos et, devant elle, la pleine lune se formait au ras de l'eau. Elle sentait le sable froid et gris sous ses pieds. La plage était déserte; elle n'apercevait qu'un pêcheur solitaire, au loin, qui quittait le rivage.

Elle avait envie de plonger, nue, dans les eaux calmes derrière la barrière du ressac. Mais elle entendit un bruit qui couvrit le murmure des vagues; une jeep déboucha à toute allure sur la plage, une Renegate blanche qui passa en trombe dans un nuage de sable. Elle attrapa son sac en paille, en sortit un pull-over et croisa les bras pour se protéger du vent. Elle se leva et suivit les dunes pour rejoindre la maison de Philip.

Il lui semblait que tout avait mal tourné de nouveau après cette soirée au Polo Lounge. Lorsque son coproducteur lui avait affirmé que le budget du film était suffisant, elle l'avait cru sur parole, mais ils l'avaient dépassé d'un demi-million de dollars et le chef du département financier du studio s'était chargé de lui annoncer la mauvaise nouvelle. Il avait longuement tourné autour du pot, mais en fait, la situation se posait en ces termes : s'ils ne trouvaient pas de nouvelles liquidités, la Paramount se verrait contrainte d'arrêter le film. Maggie avait donc été obligée de puiser dans les fonds de sa société et elle avait récupéré l'argent destiné à monter sa prochaine comédie musicale à Broadway.

Personne ne l'avait su. Son coproducteur avait rassemblé deux cent cinquante mille dollars et elle avait apporté la même somme. Elle ne lui avait pas demandé où il avait trouvé ses fonds et il ne s'était pas montré plus curieux quant à ses sources. Ils s'étaient rendus dans la salle de montage du studio, puis avaient récupéré un gros chèque de la Paramount; elle avait donc pu réinvestir dans la comédie musicale et tout allait bien. Oui, tout était parfait. D'ailleurs, elle savait qu'au bout du compte, ça marcherait.

Après cet épisode, elle était revenue au théâtre. Elle avait monté d'autres pièces et une nouvelle comédie musicale, puis produit un autre film. Mais cette fois-ci, elle avait refusé les propositions des studios et monté l'affaire toute seule.

Elle avait dépassé son budget d'un million de dollars. Elle avait donc appelé les studios, mais Hollywood avait connu une mauvaise année et Maggie Harrington était de ces personnes qu'on jette après usage.

Elle s'était assise, seule, dans son bureau de New York et avait repensé à cette soirée au Polo Lounge. Kate ne connaîtrait jamais l'échec. Kate avait tout. Et elle, elle n'avait rien. Elle serait toujours Maggie, celle qu'on pouvait jeter après usage.

Cette fois-ci, elle ne disposait d'aucun fonds pour jouer avec l'argent. Maggie avait donc remercié la société comptable qui gérait ses liquidités et dispersé les bénéfices des financiers provenant des recettes des spectacles en tournée. Elle avait donné un mois de vacances à son administrateur et avait rédigé elle-même les chèques du loyer et des employés. Puis elle avait fait un retrait d'un million de dollars à sa banque et avait terminé le tournage.

« Ce n'est que provisoire, oncle Alfred », avait-elle allégué une semaine plus tard, quand Reece l'avait convoquée dans son bureau.

Un financier qu'Alfred connaissait depuis longtemps l'avait appelé pour se plaindre. L'idée de réclamer ne lui plaisait guère, mais au bureau de miss Harrington, on lui répondait toujours qu'elle était sortie. Et où était le chèque ? Bien sûr, les paiements étaient souvent différés pour une raison ou une autre, quand les versements provenaient d'une banque de province par exemple, mais d'habitude elle n'avait jamais autant de retard sur ses échéances. Il était absolument navré, mais il avait besoin de cet argent.

Quand Maggie eut enfin terminé son histoire, Reece appuya sur l'interphone et demanda à sa secrétaire d'envoyer un chèque au monsieur qui avait appelé. Puis il se mit à hurler.

Aux yeux de la loi, les détournements de fonds, c'était toujours un crime et si elle n'était pas foutue de récupérer de l'argent au plus vite, tout le monde allait devenir très nerveux. Quelqu'un ne tarderait pas à reconstituer toute l'histoire et, un beau matin, elle trouverait dans son courrier une assignation pour comparaître en justice. « Et je vais te dire ce que *Variety* [1] va faire de cette histoire », tonna-t-il. Il avait les mains posées à plat sur son bureau et la colère se lisait sur son visage. « Ils vont publier ça à la une. Et tu sais ce que ça veut dire ? » lança-t-il d'un ton hargneux.

Elle acquiesça d'un signe. Ils signeraient ainsi sa perte. Elle ne pourrait jamais plus trouver un cent.

Et il l'envoya dans la maison de Philip Shaw dans les Hamptons. Il lui avait dit qu'il l'appellerait quand il aurait découvert le moyen de « te procurer un million de dollars en quatrième vitesse, espèce de sale petite conne ». Il ne l'avait même pas regardée lorsqu'elle lui avait dit au revoir.

Tout cela s'était passé vendredi dernier. Et aujourd'hui, en ce premier lundi d'août, soit trois jours plus tard, il lui avait téléphoné.

Ils avaient discuté un long moment. Puis elle avait raccroché et avait rejoint Philip sur la terrasse.

« Je crois que tout va s'arranger. Je vais hériter de... Je ne sais pas encore de combien exactement. Dans les soixante millions de dollars.

— Tu parles sérieusement ? » Elle hocha la tête. Il s'extirpa de sa chaise longue et la serra dans ses bras. « Tu sais, je serais venu te voir en prison. Je le jure devant Dieu. » Il eut

---

1. Le journal corporatif du monde du spectacle. (*N. d. T.*)

un large sourire et l'éloigna de lui pour la contempler. Elle leva les yeux et découvrit son reflet dans les lunettes de soleil de Philip. « Ma tante Eleanor est morte. »

Il faisait presque nuit maintenant et le ciel qui se profilait derrière la silhouette de Maggie était d'un bleu argenté. La mer était très calme sous les reflets de la lune et, au bord du rivage, les vagues se brisaient contre le sable. Elle alluma une cigarette, l'écrasa et s'approcha de l'eau. Elle se déshabilla rapidement et plongea dans l'océan. Elle fut saisie par le froid et éprouva une sensation aussi violente lorsqu'elle sortit de l'eau, mais elle ne se sentait pas mieux. Tout allait de travers. Absolument tout.

36

Kate ne revit jamais le jeune homme qui l'avait emmenée au Polo Lounge. Il la raccompagna à son campus et tenta de lui prendre la main quand elle ouvrit la portière. « Hé! Attends, dit-il. Mais qu'est-ce qui se passe à la fin?

— Laisse-moi tranquille, hurla-t-elle. Fiche-moi la paix. » Elle claqua la portière et remonta l'allée en courant.

Elle fit ses bagages le soir même et tremblait de tout son corps tout en s'efforçant de ne pas penser à Maggie. C'était elle... elle l'avait aperçue tout de suite. Elle était radieuse et faisait si adulte; puis il y avait eu ce moment bizarre qui avait semblé durer une éternité quand elles s'étaient reconnues. Jusqu'à aujourd'hui, elle avait effacé ce visage de sa mémoire tout comme elle avait gommé celui de sa mère, et soudain, elle avait réapparu. Ce n'était pas sa place; elle ne devait pas se trouver près d'elle, nulle part, jamais.

Elle s'allongea ensuite sur son lit en attendant que le jour se lève et finit par s'endormir; elle eut un sommeil agité et peuplé de rêves inachevés. Elle entrait au Polo Lounge et

Maggie était là. Kate, qui paraissait très adulte elle aussi et irradiait de beauté, traversait la pièce. « Salut, Maggie. Tu te souviens de moi? » Puis elle se réveilla.

Elle quitta Los Angeles dès le lendemain matin. Elle prit le premier avion pour Dallas. Elle arriva chez elle en début d'après-midi; tout était très calme dans la maison, elle ne vit que Matty qui s'affaira autour d'elle, puis finit par la laisser tranquille. Elle s'assit devant la fenêtre dans l'immense pièce aménagée sur l'arrière de la maison et regarda le soleil poursuivre sa course vers la Californie. Des rideaux pâles pendaient aux carreaux, les parquets cirés brillaient et les pieds incurvés du piano s'y reflétaient ainsi que les courbes harmonieuses des commodes en marqueterie où s'alignaient, dans des cadres en argent, des clichés pris sur le vif et des photos plus posées de Kate à tous les âges.

Ces photos reflétaient ses mille activités : on reconnaissait un cours de danse classique où Kate était entourée de onze fillettes en tutu, sur une autre, elle nageait dans un lac avec des amis et sur une troisième, elle faisait du ski nautique tirée par un bateau à moteur conduit par un garçon qui s'appelait Danny. L'été de ses seize ans, elle avait eu un coup de foudre pour Danny. Là, elle portait la robe qu'elle avait choisie pour donner son premier récital de piano. Grand-melia, oncle Ben et tante Eleanor avaient vivement applaudi le prélude de Rachmaninov qu'elle avait joué dans l'auditorium du lycée.

Tout en haut d'un placard où l'on rangeait les vieux souvenirs, on avait accroché un portrait d'elle en costume de cheval. Il y avait aussi des photos prises pendant les vacances avec Amelia ou durant les voyages qu'elle avait faits avec Ben, Eleanor et Jay. Ils n'étaient jamais allés en Europe. Par accord tacite, personne n'avait jamais émis cette idée, car ils savaient tous que l'Europe, c'était l'univers de Caroline. Ils avaient divisé le monde en deux, chacun devant respecter cette ligne de démarcation. Et tout allait parfaitement bien jusqu'au jour où Maggie avait rompu les règles en franchissant la ligne.

Quand elle entendit la voix de Matty qui saluait le retour de Grandmelia du *Bugle*, elle était prête à l'affronter. « Cette enfant vous attend, Mrs. Harlow. Elle est rentrée de Californie avec armes et bagages.

— Kate? » Amelia se dirigea prestement vers la grande salle. Matty referma la porte derrière elle et Kate se leva pour embrasser sa grand-mère.

« Que s'est-il passé? Il est arrivé quelque chose?

— Non, rien. Je te jure. » Kate s'assit, une jambe affalée sur le bras du fauteuil. Elle n'éprouvait plus rien maintenant hormis cette farouche fidélité à Grandmelia qui lui interdisait de lui révéler que Maggie comptait malgré tout dans sa vie. « La Californie ne m'a pas plu. » Elle se concentra sur son jean pour en retirer une peluche imaginaire.

Ce fut tout ce qu'Amelia Harlow put tirer de Kate. Elle mena sa propre enquête dès le lendemain matin et, avant midi, elle savait que Maggie Harrington était à Hollywood en ce moment. Elle ignorait les détails de leur rencontre et ne chercha pas à les connaître. Mais elle savait que son instinct ne l'avait pas trompée. Quand Kate lui annonça qu'elle avait envie d'aller faire un tour à Mexico pendant quelque temps, Amelia ne s'y opposa pas. Elle ne souhaitait qu'une chose : que Maggie Harrington puisse être rayée de sa vie à jamais.

En janvier, Kate quitta le Texas pour Mexico. Deux semaines plus tard, elle rencontra David Franck, un anthropologue britannique d'une trentaine d'années qui occupait une chaire à l'université pour le printemps.

Elle avait passé son samedi à prendre des notes au musée national pour préparer un examen. Elle avait parcouru les salles consacrées aux Olmèques et aux jeunes dieux des Aztèques, aux dieux du feu et aux bâtisseurs des pyramides de Veracruz et se tenait devant une vitrine où étaient exposés des instruments chirurgicaux, quand elle entendit une voix très douce à ses côtés : « Les Aztèques étaient un peuple sanguinaire. »

Elle leva les yeux.

Il lui sourit. « Il fallait nourrir les dieux. »

Il était petit et portait un grand chapeau rejeté en arrière sur sa chevelure hirsute.

« Les Aztèques croyaient que le soleil se levait chaque matin grâce au cœur humain. » Il eut un large sourire.

« C'est ce que je pense aussi d'ailleurs. C'est grâce au cœur humain que le soleil se lève tous les matins. »

Son sourire ironique, ses intonations typiquement anglaises, ses traits fins et ses yeux bleus la séduisirent. Il se présenta et elle le suivit dans les salles, écoutant ses propos sur les civilisations mortes. Ils passèrent sous l'auvent en pierre qui protégeait une partie du patio, puis se retrouvèrent sous les arbres du parc Chapultepec. « Je ne connais pas votre nom, dit-il.

— Vous n'avez pas arrêter de parler. Je n'ai pas eu le temps de glisser un mot », répliqua-t-elle en poursuivant son chemin ; elle était sûre qu'il la suivrait.

Le lendemain après-midi, ils se mêlèrent aux milliers de personnes qui étaient venues saluer l'arrivée des pèlerins qui avaient marché deux jours entiers, de Toluca à Mexico, pour rendre hommage à la Vierge de Guadalupe. Le Paseo de las Palmas était bondé de vieillards qui se reposaient à l'ombre des palmiers. Des femmes dressaient des stands pour vendre des tacos. Des jeunes filles vêtues comme des danseuses de flamenco passèrent à côté d'eux en compagnie de jeunes gens qui portaient des chemises blanches et des pantalons noirs. Un murmure parcourut la foule quand les pèlerins arrivèrent : ils chantaient et avaient les bras chargés de fleurs et de couronnes qu'ils allaient déposer dans le lieu saint.

Le lendemain, ils prirent sa voiture pour aller voir les pyramides au bord du lac Texcoco. L'après-midi, ils firent des courses au National Pawn Shop et burent de la tequila sous la superbe verrière teintée du Gran Hotel Ciudad. Ils assistèrent à des corridas au Plaza et dînèrent dans des restaurants dans de petites rues tranquilles loin de la foule des touristes. Et lorsqu'il lui dit : « Kate, j'ai envie de coucher avec toi », elle accepta.

Les pièces étaient petites et très simples et des rangées de livres couvraient les murs blanchis à la chaux.

« Il y a une brosse à dents dans la salle de bains », dit-il en débarrassant Kate de sa veste.

« Tu m'attendais, David ?

— Oui. » Il l'embrassa dans le cou. « Je t'aime, je veux t'épouser et je t'ai acheté une brosse à dents. »

Elle enleva le papier qui protégeait la brosse à dents bleue, se lava les dents et s'éclaboussa le visage d'eau froide. L'eau était gelée et elle frissonna, mais ses mains tremblaient déjà de toute façon.

Quand elle revint dans la chambre, la pièce était plongée dans l'obscurité et il l'attendait sur le lit. Il était torse nu et avait une cigarette à la main. Il l'écrasa lorsqu'elle s'assit à côté de lui et chercha ses lèvres froides. « C'est la première fois? lui demanda-t-il.

— Oui.

— Alors, nous allons faire tout doucement. »

Ses doigts suivirent les courbes de ses cuisses, puis glissèrent le long de son cou jusqu'à sa poitrine. Il caressa longuement ses seins et se pencha tout doucement pour effleurer ses tétons de ses lèvres. Il goûta le premier, puis le second et dessina inlassablement des cercles délicats jusqu'à ce que tout son corps se mît à vibrer. « Encore, murmura-t-elle. Je t'en prie, continue. » Ses lèvres parcoururent son corps et s'insinuèrent entre ses cuisses qui s'écartèrent de plus en plus. Sa main remonta vers sa poitrine, ses caresses se firent plus pressantes et sa langue jouait entre ses cuisses.

« S'il te plaît, David », chuchota-t-elle. La sueur perla sur ses mains quand ses hanches commencèrent à onduler sous ses baisers, elle voulait le sentir en elle plus profondément et plus fort. « S'il te plaît », supplia-t-elle. Son corps se pressa sur le sien, leurs désirs se confondant en une union passionnée. Elle cria, juste une fois, il lui semblait qu'elle n'était plus que liquide; puis elle s'abandonna et éclata en sanglots.

Après cette nuit-là, ils ne firent plus de tourisme et elle arrêta ses cours. Elle passa tout le printemps allongée dans son lit, attendant le moment où il se déshabillait, son ombre se profilant dans la chambre à la lueur d'une bougie. Elle mourait d'envie de retrouver sa peau contre la sienne, de le sentir enfoui en elle et d'entendre sa voix qui lui murmurait : « Je t'aime, Kate. »

Elle s'était installée chez lui et sortait très rarement. Le soir, ils dînaient dehors tous les deux et rentraient main dans la main. Lorsqu'il allait donner ses cours, elle attendait qu'il lui revînt. En mai, elle apprit qu'elle était enceinte.

Ce soir-là, ils allèrent dîner au Cazuelas, un restaurant aménagé dans un bâtiment du xviiie situé dans une rue en pente au nord-ouest de Zocalo. « Épouse-moi, dit-il à l'apéritif.

— C'est la quatrième fois en deux mois. Demande-le-moi encore une fois, David. Pour me porter bonheur », dit-elle en lui prenant la main.

David ne réitéra pas sa demande. Pourtant, lorsqu'elle y repensa par la suite, elle comprit que ce n'était pas à cause de cela. Non, ce n'était pas cela. Mais elle perçut quelque chose dans son sourire et dans la façon faussement négligente dont sa main se défilait sous ses caresses et se glissait dans ses boucles. Soudain, Kate comprit tout.

Elle appela le serveur et commanda une daurade grillée au feu de bois. Quand on la lui eut servie accompagnée de poivre frais, quand on eut rempli leurs verres de vin et que les serveurs en veste noire se furent éclipsés discrètement, Kate l'interrogea.

« Combien d'enfants avez-vous ta femme et toi, David? »

Il portait son verre à ses lèvres et se figea dans son geste. Puis il but une gorgée de vin et lui répondit : « Deux. »

Kate enfouit ses mains dans sa serviette posée sur ses genoux. « Ça doit être charmant. Deux petits garçons?

— Kate...

— Ou des petites filles?

— Non. Des fils.

— Transmets-leur mes amitiés. » Kate se leva et posa soigneusement sa serviette sur son assiette toujours pleine.

Elle n'avait aucune amie à l'université; pourtant, cette nuit-là, elle s'en découvrit une. C'était une femme de ménage mexicaine. Elle arpentait les couloirs de la maison des étudiants de sa démarche traînante et s'apprêtait à se mettre au travail lorsqu'elle trouva Kate, assise par terre derrière un canapé dans l'une des salles communes.

Elle observa la jeune fille roulée en boule et, lorsqu'elle se pencha pour lui prendre la main, elle ne put retenir ses larmes.

Elle ne comprit pas très bien l'histoire que lui raconta la jeune fille dans un espagnol maladroit entrecoupé de sanglots où se mêlaient des propos sur les remords qu'elle éprouvait envers sa mère. Mais elle la garda tout de même dans ses bras. Elle connaissait tout des mères mortes qu'on désire retrouver, des souffrances de la vie, des rapports entre les hommes et les femmes et elle connaissait aussi un médecin qui, dit-elle, était *simpatico*.

Kate Harlow quitta Mexico la semaine suivante. Elle conduisit le pied au plancher et mit dix heures pour arriver à la frontière. Maintenant, elle était au Texas. Le paysage et la route lui étaient familiers et, à mille trois cents kilomètres au nord-est se trouvaient sa maison et les collines plantées de pins. Elle appuya à fond sur l'accélérateur.

Il faisait nuit lorsqu'elle s'arrêta devant le *Bugle-Times*, mais elle vit de la lumière dans les bureaux et le veilleur de nuit la laissa entrer. Quand elle poussa la porte du bureau d'Amelia, elle découvrit Eleanor assise sur le divan et Amelia à sa table de travail.

Elles levèrent les yeux vers elle, un silence soudain s'abattit sur la pièce quand Kate s'approcha. « Je vous en prie, engagez-moi. Je travaillerai dur, je ferai tout ce que vous voudrez. J'ai besoin de travailler. »

Elle avait maintenant vingt-cinq ans et avait appris le travail sur le tas comme Eleanor. Après son retour de Mexico, elle avait de nouveau complètement oublié Maggie et sa mère. Cette fois-ci, cela lui avait paru encore plus difficile, mais elle avait fini par arriver à chasser leurs visages de sa mémoire grâce aux journées longues et épuisantes qu'elle passait au journal.

Ce lundi-là, elle resta la matinée à la maison avec Amelia et gravit les marches du *Bugle-Times* à midi. Elle salua les employés en passant et fut soulagée de leur réaction : personne ne se précipita vers elle pour lui témoigner sa sympathie ou lui présenter ses condoléances. Elle entra dans son bureau, prit les messages des communications téléphoniques posés sur sa table et feuilleta les différentes fiches.

Grandmelia lui avait dit que, juridiquement, Maggie détenait la moitié des parts du lot d'actions personnel pour lesquelles Kate votait depuis deux ans. Mais tout cela avait appartenu à son père et Kate y avait mis toute sa fierté. Et tout cela restera en ta possession, lui avait assuré Grandmelia. Fais-moi confiance.

37

Clint Dossey quitta Dallas le lundi après-midi. Il prit l'avion pour New York, descendit au Pierre et, le mardi matin, commanda un taxi pour se rendre au Seagram Building dans Park Avenue. Il était neuf heures lorsqu'il entra dans le cabinet juridique de Cave, Brown, Cave & Reece pour remettre l'enveloppe que Clayton Benedict lui avait confiée.

L'hôtesse, une femme impeccable d'un certain âge qui avait des reflets bleutés dans les cheveux, leva les yeux vers lui. Elle avait une voix cassante. « Non, Mr. Reece ne reçoit que sur rendez-vous.

— J'attendrai », dit-il. Il lui tendit sa carte. « Je n'en ai pas pour longtemps. Dites à Mr. Reece que cela concerne une de ses clientes. Margaret Harrington. »

Elle se dirigea à pas feutrés vers un couloir moqueté de gris. Il la suivit du regard. Elle passa devant plusieurs portes closes, puis s'arrêta enfin. Elle frappa discrètement, attendit un instant et entra.

Contrairement aux innombrables lieux où on l'avait prié d'attendre, la réception était une pièce grande et claire qui donnait, à droite sur l'Empire State Building et, à gauche, sur le Chrysler Building. On faisait des travaux en bas, comme dans toute la ville, et il supposait qu'une autre tour ne tarderait pas à leur boucher la vue. Il se demanda une fois de plus comment on pouvait vivre à New York, puis il se détourna de la fenêtre et jeta un coup d'œil sur les magazines posés sur la table basse.

Ce n'était pas le genre de revues juridiques ou de rapports

sur la délinquance juvénile qu'on trouve habituellement dans les cabinets d'avocats. Il y avait *Variety*, le *New York Times*, le *Hollywood Reporter* et le *Women's Wear Daily*. Les murs étaient couverts d'affiches sous verre de films et de spectacles et il aperçut aussi un storyboard encadré; il savait qu'il s'agissait d'un dessin représentant une scène d'un film avec la place des acteurs et des caméras. Il le regarda de plus près et reconnut Jimmy Stewart devant le Lincoln Memorial; il pensa qu'il s'agissait peut-être de *Mr. Smith Goes to Washington*. Il s'amusa à l'idée de mettre une chose de ce genre dans son cabinet, mais cela risquait de déplaire à sa clientèle; de plus, il pensait qu'il n'aurait probablement pas l'occasion de demander à Mr. Alfred Reece où il pourrait se procurer des storyboards. De toute façon, ça ne ferait pas bien dans son bureau. Il ne travaillait pas pour les gens du spectacle, lui.

L'hôtesse regagna son bureau, lui lança un bref coup d'œil et glissa une feuille de papier à en-tête dans son I.B.M. électrique.

Une porte donnant sur le couloir s'ouvrit et un jeune homme d'environ vingt-cinq ans, jugea Dossey, se dirigea vers le hall d'entrée. Il avait des cheveux noirs, mesurait un peu plus d'un mètre quatre-vingts et portait un pantalon kaki, une chemise Oxford bleue à col ouvert et un blazer bleu marine. Il pénétra dans le hall et lui tendit la main. « Mr. Dossey? Nicholas Reece. »

Le fils. Yale, promotion 71. Havard, section droit, promotion 74. Mais c'était encore un bleu.

Clint Dossey lui serra la main. « C'est votre père que je suis venu voir. »

Il vit une question poindre dans le regard du gamin, se prépara à la riposte, puis comprit qu'il y avait renoncé.

« Il ne sera pas là avant dix heures. Il a une journée très chargée et je ne puis vous assurer qu'il vous recevra. »

Il fallait reconnaître au moins une chose au jeune Reece : il avait parfaitement évalué la situation et comprit qu'il ne pourrait pas refiler Dossey à un subalterne.

« J'en prends le risque, si vous n'y voyez pas d'inconvénients. »

Nicholas acquiesça d'un signe et disparut dans le couloir.

Dossey s'installa. Il attendrait toute la journée s'il le fallait, mais il pensait que ce ne serait pas nécessaire. Il estimait qu'à peine dix minutes après l'arrivée d'Alfred Reece, il se retrouverait dans son bureau. Reece devait l'attendre... il devait attendre la visite de quelqu'un.

Il était juste dix heures passées lorsque la porte d'entrée s'ouvrit de nouveau. Tout en gardant les yeux fixés sur le gros titre de *Variety* « Échec des Revendications des Acteurs », Dossey regarda du coin de l'œil l'homme qui venait d'entrer. Silhouette élancée, la cinquantaine, il avait un teint rosé et portait une canne à pommeau d'argent.

Reece salua l'hôtesse, s'engagea dans le long couloir et pénétra dans l'un des bureaux exposés au sud. Il posa son attaché-case sur le coin de son bureau et appuya sur l'interphone. Un instant plus tard, son fils le rejoignit. Un large sourire ourlait le coin de ses lèvres.

« Tu as vu la superbe paire de bottes dans l'entrée? »

Reece acquiesça d'un signe et appuya de nouveau sur l'interphone. Quelques instants après, l'hôtesse introduisait Clint Dossey dans son bureau et refermait la porte.

Il traversa la pièce avec une grâce surprenante, ses bottes glissaient en silence sur la moquette. Reece lui désigna un fauteuil à oreillettes installé face à Nicholas et le regarda s'asseoir et poser sa serviette par terre à côté de lui.

« Mr. Reece, vous représentez une jeune femme du nom de Maggie Harrington.

— C'est exact. » Il ouvrit sa mallette et, sans autre préambule, posa une enveloppe blanche sur le bureau de Reece. « Je suis ici pour le compte de Clayton Benedict ou, plus exactement au nom d'une de ses clientes, Amelia Harlow. »

Il avait une voix douce et un accent traînant typiquement texan qu'on reconnaissait aussitôt. « Je suis venu en messager, Mr. Reece, je ne suis pas ici pour négocier. Je ne peux engager aucune polémique. Il suffit que je rentre au Texas avec une simple réponse. Oui ou non. »

Reece hocha la tête et Dossey posa nonchalamment sa botte sur son genou.

« Mrs. Harlow a fondé une société familiale il y a quelque temps, Mr. Reece. Mais beaucoup d'eau est passée sous de nombreux ponts depuis et Mrs. Harlow estime qu'il est temps de rappeler à miss Harrington qu'elle ne fait plus partie de la famille. Quand elle a renoncé à porter le nom des Harlow pour reprendre le sien... Eh bien, Mrs. Harlow pense que c'était une décision judicieuse. Et elle considère qu'il vaudrait mieux que miss Harrington reste sur ses positions. »

Il semblait parfaitement à l'aise et parlait sans ambages. Reece l'écoutait et attendait qu'il en arrivât aux parts des Entreprises Harlow, sujet qui justifiait sa venue.

« Miss Harrington pourrait revenir sur ses positions quant à sa situation, poursuivit Dossey. Mais Mrs. Harlow le lui déconseille fortement. Car, dans ce cas, elle se verrait contrainte de contester l'adoption de miss Harrington et de porter l'affaire devant les tribunaux. Or, Mrs. Harlow ne souhaite pas en arriver là, Mr. Reece. Cela n'entraînerait que de grosses pertes de temps et d'argent pour tout le monde.

— Je suppose qu'elle a une idée en tête », avança prudemment Reece qui gardait un ton d'exquise politesse. « Une solution qui m'éviterait de perdre mon temps. »

Clint Dossey referma son attaché-case, se leva et désigna l'enveloppe toujours posée sur le bureau de Reece.

Les mains dans les poches, Reece se leva à son tour.

Pour la première fois depuis le début de l'entretien, Clint Dossey marqua une seconde d'hésitation avant de se décider à lui tendre la main.

« Mr. Reece, je vous propose de débattre de ce problème avec votre cliente. J'aimerais avoir de vos nouvelles d'ici quarante-huit heures. Vous pouvez me joindre au Pierre. » Il se dirigea vers la porte. « Messieurs. » Puis il s'engagea dans le couloir et regagna le hall d'entrée.

Nicholas saisit l'enveloppe et la décacheta. Il jeta un coup d'œil sur les différents documents, puis tendit à son père le chèque et le papier stipulant que Maggie renonçait à tout autre droit sur l'héritage. Le chèque, d'une valeur de deux millions de dollars, était à l'ordre de Maggie Harrington. Quant au protocole d'accord, il signifiait qu'elle abandonnait toutes ses parts dans les Entreprises Harlow.

« Pas mal, dit Nicholas. Comme ça, au moins, on récupère

de l'argent liquide tout de suite. » Il se dirigea vers la porte.
« Tu veux que je l'appelle?

— Laisse-moi un moment pour y réfléchir. » Reece fit
pivoter son fauteuil.

Il pensa à Eleanor et à Bliss. Et il réalisa qu'il avait
toujours regretté Bliss Harlow tout comme aujourd'hui, il
souffrait en silence de l'absence d'Eleanor.

Il s'interrogea un moment sur cette question. Puis il revint
face à son bureau et appuya sur l'interphone.

Maggie était assise sur les marches de la maison de Philip.
Et elle tremblait. Le soleil qui illuminait la plage était chaud.
Elle n'avait pas froid. Elle était en colère... Une fois de plus,
elle revoyait une image qui se dessinait très clairement
devant ses yeux : une grande maison blanche dont les portes
et les fenêtres se refermaient devant elle.

Alfred avait raison. Elle devait y aller. Il fallait qu'elle
prenne l'avion pour Dallas, tout comme dans son rêve qui
s'était si souvent répété pendant toutes ces années, puis une
voiture qui la conduirait vers cette maison dans la nuit. Mais
cette fois-ci, la porte ne se refermerait pas devant elle et elle
n'irait pas seule.

Elle gravit les marches et traversa la terrasse. « Philip,
lança-t-elle vers la cuisine. Philip, je m'en vais. »

Elle téléphona à Alfred et, une demi-heure plus tard,
composa l'indicatif de Rome. Elle entendit des grésillements
sur la ligne, puis l'écho lointain d'une voix qui parlait italien
lui parvint. Maggie refit le numéro de Caroline et attendit
que la liaison fût plus claire.

La dernière fois qu'elle avait vu sa mère, c'était dans un
restaurant à Rome. Elle était allée en Italie pour la première
de son film dans la péninsule et elles avaient déjeuné
ensemble au Tre Scalini. Caroline avait parlé de son baron et
Maggie de ses projets concernant son prochain spectacle à
Broadway. Elles avaient gardé un ton de politesse prudente
et, lorsque l'épreuve fut terminée, Maggie en fut soulagée et
repartit pour les États-Unis dès le lendemain.

« Tu as besoin d'elle aujourd'hui, avait insisté Alfred.
Crois-moi... tous les appuis que tu pourras trouver te seront
nécessaires. Appelle-la, avait-il répété. D'ailleurs, si tu ne

l'appelles pas, moi je le ferai. » Et maintenant, les grésillements s'estompaient et elle entendait la voix de sa mère au bout du fil.

« *Pronto... pronto.* »

Il lui semblait qu'elle était loin, très très loin, puis soudain très proche.

« *Chi parla ?* »

Les yeux de Maggie se brouillèrent de larmes. Tout cela était si bête... elle qui n'avait jamais pleuré, sauf devant les vieux films.

38

Il était midi en ce mercredi lorsque la baronne von Buehler enleva le masque qu'elle mettait pour dormir. Elle ouvrit les yeux sur cette nouvelle journée idyllique qu'aucun nuage ne viendrait troubler. La lumière filtrait à travers les jalousies qui protégeaient les hautes fenêtres. Une légère brise berçait la ville. Quelque part dans la rue, un ouvrier sifflait avec cette allégresse qui, aux yeux de Caroline, était typique du tempérament italien. Et tout à coup, la pensée surgit dans son esprit, parfaitement claire, troublant soudain cette journée et déchaînant en elle angoisse, rage et soulagement. Elles allaient retourner là-bas.

Elle se glissa hors des draps blancs, abandonna à terre sa chemise de nuit de soie blanche et, de sa démarche gracieuse, se dirigea vers la salle de bains toute de blanc carrelée.

Elle se pencha vers l'immense baignoire encastrée dans le sol, ouvrit le robinet à tête de lion, puis décrocha le téléphone intérieur et entendit le ton chantant d'une voix italienne. « *Un quarto d'ora* », répliqua-t-elle et elle reposa le combiné. Un café relevé d'une once de chocolat et de lait chaud bien mousseux l'attendrait sur la terrasse dans un

quart d'heure accompagné d'un petit pain croustillant et
d'un pot de marmelade. Elle plongea dans l'eau chaude et
joua avec les images qui se superposaient dans son esprit.

Blanc, tout était blanc. Mais son blanc n'avait rien à voir
que celui d'Amelia Harlow. Il s'en dégageait douceur,
sensualité et vie; toutes les autres couleurs de la pièce s'y
mêlaient en un voluptueux jeu de lumière. Des rayures
rouges zébraient le velours clair du fauteuil Empire. Une
touche de mauve soulignait le pied du lit et, sur les murs, des
lignes argentées rehaussaient la soie blanche. Il y avait des
gravures et des fleurs partout. C'était une chambre très gaie
malgré tout ce blanc.

Caroline se savonna et repensa à Eleanor. Elle essayait de
trouver dans cette mort l'ombre d'un triomphe ou un
arrière-goût de revanche. Mais elle ne ressentait plus rien.
Elle sortit de son bain et prit un drap de bain blanc sur la
commode où on avait disposé une énorme pile de serviettes
épaisses.

Elle se dirigea vers son boudoir, s'assit devant la coiffeuse
et brossa ses cheveux légèrement humides qui étaient toujours d'un noir étincelant. Elle effleura chacun des flacons
disposés sur la table, puis jeta un coup d'œil vers la glace et
s'abandonna à ses souvenirs.

Elle avait cinquante-quatre ans et elle n'avait pas vu Kate
depuis quinze ans. Elle revoyait la petite fille, muette et
raide comme un piquet, qui se tenait dans l'embrasure d'une
chambre d'hôtel de Dallas, juste après le procès.

La revoir l'avait bouleversée. Elle n'avait pas prévu cette
réaction, pourtant elle avait été meurtrie dès le premier
regard. Le choc lui avait presque coupé le souffle, puis elle
avait tenté de prendre un ton badin pour meubler le silence.

« Entre, mon chou. Je suis si heureuse de te revoir »,
avait-elle dit, puis elle avait entraîné Kate vers un fauteuil
près de la fenêtre. « Tu es si jolie, ma chérie. Absolument
ravissante. »

Ce n'était pas vrai : Kate était blême et son regard était
vide. Elle était raide comme une statue : les mains sur ses
genoux et ses sandales rouges bien à plat par terre. Elle
ressemblait à une poupée en carton qu'on aurait installée
sur ce fauteuil.

Caroline s'était approchée de la commode. « Je t'ai apporté ces jouets miniatures... ils viennent de Londres, tu sais, ma chérie. » Elle lui avait tendu une superbe boîte emballée dans un papier scintillant à fines rayures argentées et rehaussée d'un énorme nœud rouge.

« Ouvre-la, ma chérie. Je suis impatiente de savoir si ça te plaît. »

Kate avait défait le nœud et tiré sur le ruban rouge. Elle avait enroulé la faveur autour de sa main, dégagé l'écheveau, puis tapoté pour qu'il fût impeccable et l'avait posé à côté d'elle.

Caroline la regardait. « Comment peux-tu être aussi lente, ma chérie ? Moi, je déchire toujours le papier quand on m'offre un cadeau. Je n'ai pas la patience d'attendre », avait-elle dit en riant. Sa voix s'était cassée et son ton perçant et trop aigu avait résonné à ses oreilles.

Kate avait levé les yeux un instant, puis s'était concentrée sur son travail. Elle avait décollé les deux morceaux de scotch, puis déplié le papier et enfin ouvert le couvercle.

Et elle les avait tous déballés, un par un, ces vingt-cinq objets miniatures faits à la main qui constituaient le décor luxueux de la maison de poupée que Caroline avait fait expédier au Texas.

Caroline avait repris son babillage. « Tu vois, ma chérie. Il y a des fauteuils et des commodes et même un petit repose-pieds. Et tu vas voir la maison de poupée. Tu vas l'adorer. Elle est rouge et blanche et c'était la plus jolie de chez Harrods, je trouve. Rouge avec des... » Elle n'avait pas terminé sa phrase.

Les jouets étaient alignés par terre. Il n'y avait plus de papier de soie à retirer ni d'objets à déballer.

Caroline tenta de vaincre son silence par un sourire. « Tu veux qu'on y joue maintenant ? lui avait-elle demandé. Peut-être devrions-nous d'abord commander le déjeuner et puis on jouera après... Qu'en penses-tu ? »

Kate était restée silencieuse. « Kate ? »

Elle avait levé les yeux et prononcé ses premières paroles depuis son arrivée. « J'aimerais rentrer maintenant. »

Caroline avait mis un moment à comprendre le sens de ces mots, puis cligné des yeux pour refouler ses larmes et appelé la réception. Craignant que sa voix ne s'étrangle, elle l'avait embrassée pour lui dire au revoir et, sans un mot, l'avait regardée s'éloigner dans le couloir et se diriger vers les portes de l'ascenseur. Ce ne fut qu'en rentrant dans la chambre vide qu'elle avait découvert les jouets miniatures. Ils étaient là, abandonnés, alignés bien proprement à côté du papier et du ruban.

Caroline n'était jamais retournée voir Kate après cet épisode. Elle avait épuisé tout son courage dans cette chambre d'hôtel de Dallas. Il ne lui en restait plus aucun.

Elle n'avait plus que Maggie, le chèque trimestriel des Entreprises Harlow et les boutiques où elle se rendait chaque année début juin.

A birthday gift for my little girl, please.
Cerco un regalo, per mia bambina.

« Je voudrais un petit cadeau pour ma fille, s'il vous plaît. Quelque chose de joli. C'est pour son anniversaire. »

Chez Aspreys dans Bond Street, des messieurs en costume sombre, très dignes derrière leur étal, répondaient à sa requête. De jeunes femmes avec des chemisiers à poignets blancs l'entraînaient à leur suite dans les boutiques du faubourg Saint-Honoré. Et enfin, lorsqu'elle se fut installée à Rome, un petit homme grassouillet l'accueillait à bras ouverts et s'empressait dans les allées de Buccellati pour la satisfaire.

Elle avait perdu de son éclat au cours de ces dernières années, elle avait le teint terreux et les yeux cernés. Pourtant, vantant toujours ses charmes en des termes voilés, il l'accueillait en soulignant que seule son élégante présence honorait la maison Buccellati de la Via Condotti à Rome. « Et votre fille, *signora*? » lui demandait-il toujours quand il était temps de passer aux affaires. « Elle va bien? »

Elle ne parlait pas très bien l'italien mais, comme tous ses concitoyens, il se montrait très gentil face à ce genre de problèmes. Il parlait lentement et n'employait que des phrases très simples, comme lorsqu'on s'adresse à un enfant. Il gardait toujours dans ses dossiers une petite carte où il avait annoté la liste de ses achats des années précédentes et, grâce à ce mémento et aux quelques indications dont il disposait, il la guidait dans ses choix. La jeune fille avait les cheveux noirs comme sa mère et les yeux bleus. Il lui conseillait l'or plutôt que l'argent car, avouait-il, il trouvait que l'argent seyait mieux aux blondes. Parfois, son choix se portait sur un petit saphir pour rehausser l'éclat de ses yeux, disait-il.

Une fois le cadeau emballé, ils parlaient de Rome, des grèves incessantes et du temps qui, en juin, était toujours si agréable. Elle avait changé de nom au cours des années. Lorsqu'il l'avait connue, elle avait un patronyme à consonance française, puis russe et enfin allemande. Mais le nom inscrit sur le paquet à envoyer était toujours le même. Il l'écrivait lui-même de son écriture raffinée d'Européen. Signorina Kathryn Harlow, Earth, Texas, U.S.A.

Tous les ans, il glissait la petite carte qu'elle lui remettait dans le paquet, puis le donnait à une employée pour qu'elle allât le poster aussitôt et reconduisait la *signora* à la porte. « *Buon giorno, signora.* » Puis il ajoutait très lentement pour qu'elle comprît : « A l'année prochaine. »

Tous les ans, tout se passait de la même façon. Caroline se retrouvait dans la rue étroite, restait un moment immobile dans la chaleur de l'après-midi, puis cherchait ses lunettes de soleil dans son sac. Elle éprouvait toujours ce sentiment de rage et de vide insupportable et se dirigeait vers la Via Veneto, là où brillait la vie et l'insouciance, et où elle pourrait trouver un jeune inconnu pour oublier le goût amer de cet après-midi.

Elle choisissait un café, s'installait à une table et prenait un apéritif; son regard, caché derrière ses lunettes de soleil, observait les allées et venues. Et il se trouvait toujours un jeune homme pour s'approcher et quêter sa permission avant de s'asseoir à côté d'elle. Elle commandait un autre verre pour son compagnon et ils échangeaient quelques mots courtois. Puis elle reposait son verre, se levait, laissait quelques billets sur la table et lui disait : « *Andiamo.* » Et il la suivait. Ils la suivaient toujours, car ils comprenaient qu'il n'était plus temps de badiner. Elle avait envie d'autre chose. Elle voulait sentir leurs corps jeunes et nus contre le sien; elle voulait qu'ils s'enfoncent en elle, très loin, très fort, pour lui faire tout oublier.

Puis les jeunes gens partaient et, comme les cadeaux, elle les oubliait jusqu'à l'année suivante.

Caroline avait découvert la propriété de Rome, une maison que lui avait léguée son ex-mari, le jour où le vendeur de biens fort avisé qu'elle avait engagé pour la vendre lui avait fait faire la visite des lieux. Elle avait oublié pourquoi elle s'était mariée et même pour quelle raison elle avait divorcé. A l'époque, Maggie était en pension et, sans sa présence, elle s'était mise à boire et avait tendance à oublier la plupart des choses.

Mais la maison lui avait plu. Les lourdes portes de bois sculpté donnaient sur une cour ornée en son centre d'une pièce d'eau. L'eau jaillissait de la bouche d'un ange qui avait perdu une main depuis longtemps et qui portait les traces des années et de la végétation qui s'y était accrochée. Leurs pas résonnèrent dans la vieille demeure lorsqu'ils traversèrent le hall où régnait une odeur de renfermé, puis quand ils montèrent l'escalier en marbre qui menait à une galerie dans le plus pur style baroque.

C'était une maison rêvée pour donner des réceptions, pensa-t-elle, tandis qu'ils poursuivaient leur visite. Elle était allée à des centaines de soirées, mais elle n'avait jamais vu une demeure comme celle-ci. Peut-être devrait-elle s'installer à Rome et donner des soirées dans cette maison, se disait-elle.

Elle prit sa décision dès qu'elle aperçut la terrasse. C'était une maison idéale et Portia l'aiderait dans ses projets. Portia s'était remariée depuis peu; elle avait épousé un Ponsonby qui était en poste à l'ambassade de Grande-Bretagne à Paris. Elle commencerait par inviter les relations de Portia du monde diplomatique, puis continuerait sur sa lancée.

Au cours des années suivantes, elle s'appliqua à oublier un nouveau mariage et un nouvel échec. Et les débuts juin qui se succédaient inexorablement. Mais Caroline avait réalisé son vieux rêve : elle était devenue l'une des hôtesses de marque de la vieille Europe. Lorsqu'elle contemplait le passé et devait s'avouer qu'elle avait acquis son titre de baronne grâce à une soirée donnée par une autre, elle en était presque déçue.

« Viens, ma chérie. Tu dois venir. » Portia l'avait appelée de Paris pour l'inviter. « Nous allons fêter officiellement l'anniversaire de la reine la semaine prochaine à l'ambassade et nous tenons absolument à ta présence. Nous mourons d'envie de te voir. »

Caroline était allée à Paris et... il était là. Elle avait toujours apprécié les hommes grands aux traits racés.

« Quel pays représentez-vous? » lui avait-elle demandé.

« Aucun, Dieu merci. Je dois avouer que je trouve ce genre de fonctions affreusement ennuyeuses. » Il avait souri. « Pas vous?

— Je m'ennuie depuis des années.

— Venez. » Il l'avait arrachée à la foule et au bruit et l'avait entraînée sur l'avenue Foch dans la douceur de cette nuit parisienne.

Le baron Wolfgang von Buehler était un homme calme aux tempes argentées et il avait quelques années de plus que Caroline. Lorsqu'ils portèrent un toast à la reine Elisabeth II au cours de leur dîner au Ritz, il tomba amoureux d'elle.

Il lui fit la cour avec charme. Il la couvrit de fleurs, l'emmena déjeuner chez Lipp et, l'après-midi, ils allaient aux courses à Longchamp. Il était très romantique dans ses attentions et il se déclara au cours d'un pique-nique composé de truites fumées et de baguettes de chez Fauchon dégustées sur les pelouses du jardin du Luxembourg. « Acceptes-tu de m'épouser, Caroline? Me feras-tu cet honneur? »

Elle avait tiré tout doucement le panier de pique-nique jusqu'à elle. La bouteille de vin était vide. Des voix d'enfants résonnaient au loin et une haie de géraniums rouges bordaient les massifs. Son cœur battait la chamade et, pendant une seconde, elle se sentit redevenue une jeune fille. « Oui, dit-elle. Cela me ferait grand plaisir. »

Ils partageaient leurs vies entre Rome et Munich. Les jeunes gens faisaient partie du passé et Caroline était heureuse. Ce n'était pas comme avec Bliss, mais à l'époque elle était jeune. Le monde entier était jeune en ce temps, mais cela remontait très très loin.

Son café avait refroidi lorsqu'elle arriva sur la terrasse. Elle sonna pour qu'on lui en apportât un autre et s'assit à côté de Wolfgang ; sa présence sereine la réconfortait. Elle adorait la vue qu'on découvrait d'ici : les toits en tuile couleur potiron, le dôme gris d'une église qui se profilait contre le ciel et la fontaine blanche de la *piazza* qu'on apercevait à peine au bout de la rue bordée de maisons aux murs délavés.

On lui apporta son café bien chaud et tout mousseux. Wolfgang leva les yeux par-dessus son journal. « Tu n'as pas l'air bien, mon amour. Tu es belle, mais pas en forme. »

Elle lui sourit et but son café à petites gorgées.

« Tu n'es pas obligée d'y aller, Caroline. Le passé, c'est le passé.

— Tu sais, ce n'est pas vraiment le passé.

— Bon. » Il marqua un temps et replia son journal. « Veux-tu que je t'accompagne. Cela te faciliterait-il les choses ? »

Il était très gentil et très bon, mais Caroline devait y aller seule. Cet après-midi-là, elle demanda qu'on lui montât ses valises et elle passa la soirée à faire une chose qu'elle faisait à la perfection : ses bagages.

Trois jours plus tard, le premier samedi d'août, Alfred Reece attendait l'avion de la Braniff qui, une fois de plus, allait déposer la baronne von Buehler sur le sol du Texas. « La réunion est fixée à lundi matin, lui dit-il. Tout est arrangé. » Puis il alla chercher ses bagages et la conduisit jusqu'à la voiture de louage où l'attendaient Maggie et Nicholas. Elle embrassa Maggie sans même effleurer ses joues, serra la main de Nicholas et prit place sur le siège avant.

39

Tout compte fait, Earth, Texas, n'avait rien d'une ville aux yeux de Nicholas Reece.

Ils s'installèrent au Cozy Cottages Motel ce samedi-là, puis Nicholas alla voir Maggie. « Allez, viens, dit-il. Tu vas me montrer la ville de ton enfance.

— Tu l'as déjà vue, Nicholas. Main Street... c'est le début et la fin. »

Il n'y avait pas grand-chose d'autre à découvrir. Il avait entendu parler de cette ville et des Harlow depuis toujours. C'était juste une petite bourgade du Texas... et ça aussi, on le lui avait répété depuis toujours. Mais dans son esprit, elle avait pris plus d'importance et il était bien difficile de reconnaître l'objet de son imagination dans ces immeubles aux toits de bardeaux inclinés et dans ces rues paisibles qui rôtissaient au soleil dans la poussière.

Il se gara dans Main Street et se promena à l'ombre du trottoir couvert. Les boutiques qui bordaient la grand-rue étaient modestes et presque désertes. Il passa devant la quincaillerie de Bill Ray, le salon de beauté de Trixie et devant un autre magasin, juste à côté, où il aperçut des tissus et articles de mode dans la vitrine. Puis il vit une carte écrite à la main devant une photo encadrée de noir posée contre la vitre en verre teinté. Il s'arrêta pour la lire : Eleanor Austin Harlow Rawlings, 1924-1975.

Nicholas leva les yeux et découvrit l'inscription « Chez Carr — Magasin de Tissus et Nouveautés et Drugstore. » Il poussa la porte et entra.

Il passa devant les articles de mode et de toilette, s'arrêta pour jeter un coup d'œil sur le rayon de magazines, puis continua son chemin et s'installa devant le comptoir où l'on servait uniquement des boissons non alcoolisées.

C'était un vieux comptoir en acajou patiné par les milliers de coudes qui s'y étaient appuyés et les centaines de coups de chiffon humide. Il y avait huit tabourets alignés le long du bar et les assiettes et les verres posés sur des étagères en verre se reflétaient dans le long miroir. Il y avait des cakes et des tourtes disposés dans des corbeilles, trois énormes fontaines à café, un grand pichet de thé glacé et un autre, plus petit, rempli de pailles.

L'homme, qui était derrière le comptoir, posa une coupe de glace garnie de fruits devant l'unique autre cliente. « Voilà, miss Kate », dit-il, puis il se mit à essuyer le bar, qui était déjà rutilant, avec son chiffon doux.

Nicholas commanda un café et contempla le reflet de la jeune femme dans le miroir. Elle dégustait sa glace très lentement, bouchée par bouchée, tout en feuilletant un magazine.

Elle avalait la cerise qu'elle avait gardée pour la fin, quand Nicholas déplaça sa tasse et prit son tabouret pour se mettre juste à côté d'elle. « Miss Harlow, je suppose. Miss Kathryn Morning Glory Harlow. » Il lui tendit la main. « Nicholas Reece. »

Elle leva les yeux, puis se replongea aussitôt dans son magazine et tourna une page. « Je crois que vous devriez partir.

— Je n'ai pas encore terminé mon café », dit-il en cognant sa tasse contre sa soucoupe.

« Eh bien, moi, j'ai fini ma glace. » Elle ferma son journal, repoussa son tabouret et glissa à terre.

Nicholas secoua la tête. « Non, pas encore. »

L'homme qui était derrière le comptoir posa une autre glace devant elle d'un air penaud. « C'est lui qui l'a commandée, miss Kate. »

Elle lança un regard noir à Nicholas.

« Je vous parie un dollar que vous n'en mangerez pas deux. »

Elle haussa les épaules et se rassit.

Cette fois-ci, elle mangea beaucoup plus vite et l'ignora totalement lorsqu'il lui dit : « Ça ne ressemble pas du tout à ce que j'avais imaginé. » Cependant, elle le regarda dans le miroir tandis qu'il tournait son café et finit par baisser les armes.

« Quoi donc ?

— Cette ville. Elle est minuscule. Par contre, vous, vous êtes exactement comme je pensais.

— Trouvez un autre sujet si vous avez envie de parler.

— Dites-moi quelque chose alors. Vous êtes allée à New York. Ça vous a plu ?

— Je ne m'en souviens pas. » Elle repoussa la coupe de glace. « Merci, Mr. Reece. Je suppose que je vous verrai lundi. » Il la regarda circuler entre les allées pour regagner la porte.

« Non, Nicholas, lança-t-il. Et je vous dois un dollar. »

Kate laissa la porte se refermer sur elle et se dirigea vers sa voiture. Elle aurait bien aimé l'appeler Nicholas si les choses avaient été différentes. Elle repoussa cette pensée et tourna la clé de contact.

Nicholas regarda la Porsche qui faisait marche arrière dans Main Street, puis se retourna vers le bar et commanda un autre café.

En fait, l'amusant dans l'histoire, c'est qu'elle ne ressemblait pas du tout à l'image qu'il avait d'elle. Il songea qu'il l'avait sans doute toujours identifiée à la petite fille de la couverture de *Life*, tout comme Caroline était restée « la jeune femme de l'affaire Harlow ».

Il avait rencontré Caroline une seule fois lorsqu'il était enfant. Elle était assise dans le salon de leur maison de Riverside Drive quand il était rentré de l'école. Sa mère avait ramené ses cheveux en arrière et l'avait pris par la main pour le présenter à la femme assise près de la fenêtre. Elle avait levé les yeux et lui avait dit : « Je suis ravie de faire ta connaissance, Nicholas. » Il avait répété les mêmes mots, puis ses parents l'avaient excusé et il était monté à sa chambre, bouleversé par la tristesse qu'il avait lue sur son visage. Caroline était ensuite retournée en Europe. Quant à lui, il avait poursuivi ses études secondaires dans une école privée, puis était entré à l'université et il avait toujours gardé en lui cette impression d'enfant d'une ville du Texas qui était si grande et si étouffante qu'elle pouvait rendre une femme si triste.

Il sourit à son reflet dans la glace. Ce n'était qu'une petite ville où il ne se passait rien en dehors du ronronnement de l'air conditionné et du bruit de sa tasse quand il la reposait sur sa soucoupe.

Il régla son café, puis suivit l'allée et ouvrit la porte. Il se retrouva dans la chaleur de la rue et jeta un coup d'œil dans Main Street. Elle était déserte et rien ne bougeait.

Earth, Texas

Le deuxième lundi d'août 1975

40

La réunion était prévue à dix heures dans la salle de conférence du *Bugle-Times* en ce lundi matin. Jay Rawlings quitta San Antonio à sept heures. Il était juste neuf heures passées quand il atterrit aux commandes de son piper tout au fond de la propriété de Earth. Il repoussa le manche à balai et sentit les dernières vibrations de l'appareil se répercuter dans ses mains, ses épaules et son dos lorsque l'avion s'immobilisa devant le hangar dans un ultime sursaut.

Le coupé Mercedes vert l'attendait. Il mit le contact et se dirigea vers l'enceinte d'un blanc aveuglant qui entourait la propriété. Puis il tourna à droite et prit la direction de Main Street.

Quelque part en lui, la colère grondait; mais pour l'instant ce sentiment était diffus et il n'avait pas envie de le déterminer avec précision... pas encore.

Il se souvenait très bien de cette période de leurs vies : la foule déferlant sur Earth, les flashes des photographes crépitant sur leur passage et le haut mur blanc surgissant soudain parmi les peupliers. Il savait qu'il valait mieux faire comme Kate et feindre de croire que rien n'était arrivé; pourtant tout cela avait eu lieu et c'était terrorisant. Tout d'abord, il y avait eu l'oncle Bliss, puis Maggie et sa mère... tous étaient partis.

Il avait mis très longtemps à se remettre de ce climat de tension, mais il avait fini par y arriver et le jeune Jay, qui avait alors douze ans, avait découvert un nouvel élément dans sa vie. « Si nous avions su, se mit à dire sa mère, nous t'aurions appeler Bliss. » Et Jay avait compris qu'un jour, la place de Bliss lui reviendrait.

Et aujourd'hui, sa mère était morte et elles étaient de retour. « Nous ne pouvons pas attendre, avait dit sa grand-mère. Nous devons agir. » Elle avait donc fait une proposition et pourtant, elles étaient quand même revenues.

C'était lui qui avait reçu le coup de téléphone d'Alfred Reece. Il avait contemplé fixement le bouton jaune du téléphone de son bureau de Dallas qui clignotait inlassablement, puis il avait fini par décrocher. « Je suppose que vous désirez parler à ma grand-mère, Mr. Reece? »

Un léger silence s'ensuivit. « Je pense que cela importe peu, Mr. Rawlings. Nous arriverons samedi. Et je propose qu'on se réunisse lundi à dix heures au *Bugle-Times*. » Puis son ton s'était radouci et Jay avait perçu dans sa voix une gentillesse qu'il n'avait pas envie d'entendre. « Je suis navré pour votre mère, Jay. Sincèrement désolé. »

Jay avait raccroché et aussitôt appelé sa grand-mère.

Il avait vingt-six ans. Ben aurait aimé que son fils aille à l'université du Texas, comme lui. Mais l'oncle Bliss était allé à Princeton et Jay était donc entré à Princeton, puis à la Wharton School of Finance à Philadelphie. A son retour, on lui avait offert un poste de direction à la vice-présidence des Entreprises Harlow et un bureau au dernier étage de l'immeuble du centre de Dallas. Peu de choses avaient changé en son absence et il était heureux que les Entreprises Harlow l'aient attendu.

Cette année-là, il avait introduit la société en bourse. Il avait convié sa mère et sa grand-mère dans son bureau de Dallas, les avait priées de s'asseoir pour leur exposer la situation point par point. Le système des impôts en matière de patrimoine se modifiait et s'ils n'étaient pas cotés en bourse, bientôt il ne leur resterait plus rien. L'I.R.S. leur prendrait quatre-vingts pour cent des bénéfices nets et ils courraient droit à la faillite avant même la fin de ce siècle. Il avait alors posé son pied sur son bureau en attendant les félicitations de Grandmelia.

Mais il avait attendu en vain.

Ce fut sa mère qui finit par convaincre Grandmelia de se

rallier à ses positions. Jay mit alors le protocole d'accord au point et il prit l'avion pour New York afin d'assister à l'introduction de la société en bourse. La nouvelle était alors connue de tous : Jay avait tout fait pour cela. Le paquet d'actions qu'il lançait sur le marché représentait l'offre la plus alléchante de toutes ces dernières années. Preuve lui en fut donnée lorsqu'il observa, de la galerie, la frénésie qui s'était emparée de la corbeille où on menait les transactions. Les demandes ne cessèrent que lorsqu'on eut liquidé le stock d'actions proposé.

Ce soir-là, il donna une soirée où il convia toutes ses relations new-yorkaises. Kate, sa mère et tout ce que Dallas comptait de grosses légumes étaient présents. Tout le monde était là, sauf Amelia. Il circulait parmi la foule quand sa mère le prit par le bras et l'entraîna vers les baies vitrées qui donnaient sur Wall Street. « Je sais que tu regrettes son absence. Mais c'est dur pour elle, Jay. Elle est âgée maintenant et il lui a été très difficile de renoncer à tout cela. »

Il acquiesça d'un signe, puis il but une gorgée de bourbon. « Bliss Harlow l'aurait fait. Il aurait lancé tout le bastringue sur le marché. Elle ne le comprend donc pas ? »

Il ne savait au juste quand il avait cessé de se mesurer à l'ombre de Bliss. Mais un an plus tard, alors qu'il passait la journée à San Antonio pour affaires, il s'était rendu dans la banlieue de la ville, là où vivait Nina Benaros.

Il la connaissait pratiquement depuis toujours. La première fois qu'elle était venue passer une quinzaine de jours pendant les vacances d'été chez Rosie et son fils George, elle n'était qu'une petite fille de cinq ans. A l'époque, Jay avait onze ans et avec Kate ils lui avaient appris à nager. Elle était adorable dans son maillot de bain blanc qui tranchait sur son teint métissé et elle barbotait dans la piscine comme une petite poupée bien dodue.

Elle avait resurgi dans sa vie l'année où il était sorti de Princeton. La jeune femme qui était venue voir Rosie cet été-là était très mince et ses cheveux noirs, tirés en arrière, dégageaient son visage. Personne ne l'avait vu le soir où il l'avait retrouvée près de la piscine, lui avait pris la main et entraînée dans les peupliers. Il l'avait déshabillée et, sans un mot, avait retiré les épingles de ses cheveux qui s'étaient déroulés jusqu'à sa taille. Ses mains s'étaient attardées sur son corps, puis il s'était agenouillé devant elle dans le noir.

Il ne l'avait plus revue après cet épisode. Il n'était pas convenable qu'un héritier des Entreprises Harlow se montrât en compagnie d'une fille qui avait du sang mexicain dans les veines. Pourtant, cet après-midi-là à San Antonio, il avait garé sa Mercedes devant son immeuble et avait attendu dans l'étuve de la voiture jusqu'à ce qu'il la vît apparaître au coin de la rue déserte et sans cachet.

Et un an plus tard, le front collé à la vitre de la pouponnière d'un hôpital de San Antonio, Jay avait découvert son fils et il avait souri. Le bébé était petit, il pesait à peine trois kilos, mais ses poings s'agitaient avec force. Il était un quart Harlow, un quart Rawlings et les derniers cinquante pour cent étaient un mélange mexicano-texan. Mais c'était un fils. Son fils.

« Il s'appelle Bliss Houston Harlow Benaros », avait dit Jay à l'employé de l'état civil, puis il avait épelé le nom exact. Cela prenait trop de place sur le certificat de naissance, mais il l'avait fait recommencer jusqu'à ce que tout rentrât.

Il était dix heures moins le quart quand Jay se gara devant la banque. Il attendit que le caissier le laissât entrer, puis se dirigea directement vers le bureau de son père. Il frappa à la porte et entra.

Depuis l'enterrement, Ben avait passé la majeure partie de son temps là où il se trouvait en ce moment : assis à son bureau. Il se sentait plus chez lui à la banque maintenant qu'Eleanor était morte. C'était calme et il pouvait y boire en paix.

Une rangée de fenêtres donnaient sur le parking et les collines environnantes, mais les rideaux étaient tirés. La seule source de lumière provenait d'une lampe avec un abat-jour vert posée sur le bureau à côté d'une bouteille de bourbon. Il y avait deux tableaux de Remington accrochés au mur et une sculpture de Russel représentant un cow-boy sur un cheval cabré sur une table derrière le long divan. Eleanor n'était pas étrangère à cet autre élément de décor :

deux longues cornes de bœuf trônaient sur le mur du fond. Tous les matins depuis douze ans, Ben jetait son Stetson juste par-dessus son épaule et il ne ratait jamais sa cible.

« Papa ? »

Ben releva les yeux et finit par hocher la tête. Jay le regarda se lever péniblement. Le bourbon ne réussissait pas à son père et Jay était désolé de se montrer aussi froid. Ils sortirent de la banque et se dirigèrent vers les bureaux du *Bugle-Times*.

41

La salle de conférence située au dernier étage de l'immeuble du journal paraissait très sombre en ce lundi matin ; on avait fermé les stores pour se protéger de la lumière aveuglante de la rue. On avait ciré la longue table en chêne. On avait posé un stylo et un bloc jaune tout neuf devant chacune des neuf places. Et on avait disposé toute une série de cendriers en verre au milieu de la table.

Amelia arriva la première. Un peu plus tôt ce matin, elle avait discuté du plan de table avec Clayton, mais elle décida de le modifier. Elle mettrait Kate à sa gauche juste à côté de Ben et Clayton à sa droite, suivi de Jay. Officiellement, ils étaient là pour discuter de problèmes juridiques et financiers, lui avait dit Clayton, mais Amelia s'en garderait bien. Elle s'installerait en bout de table, là où était sa place.

Elle avait commis une erreur en tentant d'acheter Maggie pour la réduire au silence et elle n'avait plus l'intention de se tromper désormais. Le coup de téléphone d'Alfred Reece annonçant ce rendez-vous l'avait rendue folle de rage, mais elle allait déjouer cette mascarade et, lorsque toutes les cartes seraient sur la table, elle abattrait son jeu.

Elle s'était habillée avec grand soin pour l'occasion : elle portait une robe sombre à col montant. Elle avait tiré ses

cheveux pâles, zébrés de mèches plus claires et plus lumi-
neuses, et les avait retenus par un nœud juste au-dessous de
son chapeau sombre à larges bords. Rien dans son apparence ou son regard ferme ne trahissait la sensation de vide
et d'angoisse qui la dévorait. Elle avait d'ailleurs tout fait
pour cela.

Lorsque Kate et Clayton arriveraient et quand Jay et Ben
prendraient place, ils se tourneraient, telle une force unique
et soudée, vers la porte. Et lorsque les autres pénétreraient
dans la pièce, ils découvriraient la puissance invincible
d'Amelia.

Clayton entra de son pas tranquille. Il secoua la tête quand
il la vit installée en bout de table. « Certaines choses ne
changent pas, n'est-ce pas Amelia?

— Non, Clayton. Certaines choses ne changent jamais. »
Elle lui fit signe de s'asseoir à sa droite.

Ben et Jay arrivèrent ensuite. Ils déposèrent un baiser sur
la joue d'Amelia et se tournèrent vers Clayton Benedict pour
lui serrer la main. Kate fit son entrée à dix heures précises.
Elle portait un tailleur d'été et des sandales à hauts talons;
ses longues jambes étaient nues. Elle prit place à la gauche
de sa grand-mère, puis lança un regard à la ronde et sourit.
« Eh bien, dit-elle, qu'on amène les chrétiens. »

Lorsqu'ils étaient arrivés, on les avait conduits dans une
antichambre et on leur avait demandé d'attendre qu'on les
appelât. Et ils attendaient. Le silence bourdonnait dans les
oreilles de Maggie. Elle examina les lithographies accrochées au mur puis, pour la troisième fois, remua sur son
fauteuil en cuir pour trouver la position idéale. Elle portait
un pantalon de toile blanc. Elle croisa une jambe par-dessus
l'autre et la balança nerveusement. Sa sandale blanche
pendait au bout de son pied nu. Maggie fixa la courbe de son
pied. « On devrait peut-être jeter un coup d'œil sur la porte,
dit-elle en bâillant d'ennui. La vieille dame nous a peut-être
enfermés en jetant la clé aux oubliettes. » Personne ne sourit,
pas même Nicholas. Dans son costume gris et sa cravate
sombre, il avait l'air aussi sinistre qu'un étudiant qui attend
son tour pour passer un examen.

Il s'était montré d'humeur maussade et irritable depuis

qu'il était allé faire un tour en ville samedi et cela ne lui ressemblait guère. Maggie l'avait regardé partir, puis elle était sortie de la piscine du motel, avait regagné sa chambre d'un air irrité et s'était jetée sur le couvre-lit d'un orange épouvantable. Elle avait fini par changer d'avis et avait rejoint sa mère qui occupait la chambre voisine. Et elles avaient siroté le scotch de Caroline jusqu'à ce qu'oncle Alfred vienne frapper à la porte.

« Le dîner est servi », avait-il dit. Il se tenait dans l'embrasure de la porte, tout sourire, un plateau à la main.

Maggie avait ronchonné. « Tu te souviens de la cuisine de ce trou. On peut en *mourir.*

— Il faut que tu manges, chérie.

— Caroline, ne joue pas les mères poules, tu veux bien? » Elle avait sauté du lit et souri à Alfred. « Foie gras et champagne? C'est ça?

— Non, mal vu. Poisson-chat et chou en salade.

— Oh, mon Dieu », s'était exclamée Maggie en soulevant le couvercle. « C'est vrai. »

Elle s'était goinfrée comme un porc et n'avait pas fermé l'œil de la nuit; elle était si énervée qu'elle avait l'impression d'avoir des fourmis dans toutes les articulations.

Le dimanche, après cinquante longueurs de bassin, elle s'était endormie et avait fait le tour du cadran. A son réveil le lundi, il faisait si chaud et le ciel était si bleu que pendant un instant, elle crut avoir retrouvé ses douze ans. Pendant le trajet jusqu'aux bureaux du *Bugle,* elle n'avait pas jeté un seul coup d'œil sur les rues ou les boutiques. En sortant de la voiture, elle avait senti l'ombre fraîche d'un arbre et, tout à coup, ses souvenirs avaient resurgi. Mais elle avait repoussé cette menace, s'était élancée d'un pas ferme dans le hall, puis dans l'ascenseur et s'était enfin retrouvée dans l'antichambre à air conditionné où elle était en ce moment, assise sur ce fauteuil en cuir, les yeux fixés sur la cambrure de son pied.

Il lui semblait qu'ils étaient glacés, maintenant qu'elle ne pensait plus qu'à ses pieds. Elle se concentra sur cette sensation; elle aurait voulu que tout son corps baignât dans cette sensation de froid. Elle songeait toujours à cela lorsque la porte s'ouvrit sur quelqu'un qui dit : « Par ici, s'il vous plaît. »

Elle se leva et suivit l'oncle Alfred en pensant toujours à une sensation de froid glacial.

Très vaguement consciente des quatre silhouettes qui se redressaient en même temps qu'elle, Amelia Harlow se leva dès qu'elle entendit frapper. Elle fixa la porte et les jaugea tandis qu'ils entraient, deux par deux : un homme élancé d'une cinquantaine d'années accompagnait Maggie et un jeune homme vêtu de gris se tenait aux côtés de Caroline.

Il lui était arrivé d'imaginer cet instant. En fait, elle était assez curieuse de voir ce qu'était devenue Maggie et si Caroline avait bien vieilli. Elle jeta un regard vers les deux femmes et remarqua, très froidement, l'éclat familier des yeux noirs de Maggie et le manteau luxueux que portait Caroline comme une crème de beauté qui atténue les méfaits de l'âge. Tout en elle respirait l'argent : ses cheveux noirs, ses lunettes teintées, ses bijoux en or et sa robe en toile de lin d'une coupe très classique.

Elle nota tout cela, mais ne se concentra sur aucun de ces détails. Elle ne voyait qu'Alfred Reece et ses propres enfants.

Ils lui avaient parlé de cet ami... qu'ils appelaient Reece. Ils lui avaient souvent parlé de lui cet été-là pendant la guerre. Et aujourd'hui, il était là. Grand et froid, la cinquantaine élégante, il se dressait au fond de la salle de conférence avec sa canne à pommeau d'argent et son œillet rouge à la boutonnière de son costume sombre. C'était un homme sur le retour au visage marqué et ses enfants à elle ne vieilliraient jamais, ils ne prendraient jamais de l'âge comme leur Reece. Cette idée lui donnait envie de sourire... et de pleurer. Puis les portes se refermèrent et il s'avança vers elle.

« Je suis désolé pour votre fille, Mrs. Harlow. Je vous présente à tous mes sincères condoléances. »

Amelia les accepta d'un signe et réussit à dire : « Je vous remercie. Voulez-vous vous asseoir ? »

Caroline posa ses mains sur ses genoux et elles restèrent là, parfaitement calmes et détendues, grâce aux bienfaits d'un comprimé de Valium. En dehors d'elle, ce côté de la table était uniquement occupé par le clan Harlow et quatre chaises vides la séparaient de l'ennemi installé à l'autre bout. Elle jeta un coup d'œil vers Nicholas et Maggie assis en face d'elle et vers Alfred qui était seul à la place d'honneur face à Amelia. Puis, à l'abri de ses lunettes noires, son regard se fixa sur un point invisible au-dessus de la tête de Maggie.

Lorsqu'ils étaient entrés, elle avait pris soin d'éviter tous ces visages qui les attendaient, car elle savait que si elle s'était laissé tenter, son regard aurait été aussitôt attiré vers Kate. Caroline sentait que sa fille était assise exactement en diagonale par rapport à elle; elle garda donc les yeux fixés sur le mur tout en écoutant le ronronnement des voix cassantes des avocats.

Elle avait assisté à tant de réunions de ce genre au cours de sa vie. Il avait fallu régler les problèmes de séparations, de divorces et de pensions alimentaires, mais aussi un jour, dans cette pièce même, on avait débattu de la répartition d'un patrimoine mobilier. Des discussions qui avaient eu lieu en anglais, en français et en italien et toujours ce même bourdonnement des voix des avocats. Elle l'entendait maintenant ce ronronnement prudent mais ferme, ces voix qui s'élevaient puis retombaient. Cela changerait quelque chose au bout du compte. Cela finissait toujours ainsi. On suggérait ou on affirmait une chose et alors, il se passait quelque chose. Il arrivait toujours quelque chose.

Le point qu'elle fixait sur le mur devint plus gros et plus noir et elle se surprit à penser à un champ de neige et à Stockholm. Non, pas à Stockholm exactement, mais à une petite bourgade aux environs de la ville. Elle ne se souvenait plus du nom de ses hôtes, ni de la maison de campagne où elle séjournait, pas plus que du prénom de l'amant avec lequel elle avait voyagé cet hiver-là. Elle se rappelait juste un sauna et se revoyait courir dans la neige en pleine nuit et rouler dans tout ce blanc.

Les yeux toujours rivés au mur, elle fronça les sourcils et se demanda pourquoi elle avait pensé à cela. Puis elle réalisa qu'elle avait failli regarder Kate et qu'elle se l'était interdit inconsciemment.

Elle se concentra encore plus fort sur le point imaginaire. Puis elle y renonça et se jeta à l'eau, rapidement, en prenant

juste une légère inspiration, tout comme elle s'était élancée
dans la neige de Stockholm. Et son regard échoua sur les
yeux bleu acier qui la dévisageaient.

Elle détourna les yeux; elle était soulagée d'avoir pris un
Valium. Elle en percevait les effets : elle se sentait comme
dans du coton et tout ce déferlement d'amour et de regrets,
ce choc de la revoir étaient comme noyés dans un brouillard
ouaté.

Elle aurait reconnu ce visage n'importe où. Les yeux
n'étaient pas de la bonne couleur, les cheveux non plus et le
teint pas davantage. Et Caroline n'avait jamais eu les
cheveux courts. Mais tout le reste était semblable. Kate avait
perdu son visage d'enfant et était devenue une copie
conforme de Caroline à dix-sept ans. Elle se souvenait
encore de cette année-là et se rappelait les examens critiques
et quotidiens devant sa glace. Chaque jour l'interrogation
devenait plus cruciale jusqu'au moment où elle avait enfin
découvert que le visage qui se reflétait dans le miroir avait
changé, qu'il était ravissant et que c'était le sien.

Caroline sourit. C'était son visage... et aujourd'hui celui de
Kate.

Puis elle avait de nouveau changé après cela. Elle était
ainsi lorsqu'elle était partie pour La Havane, mais quand
elle était revenue aux États-Unis, elle était devenue plus
maniérée, plus banale. Ses yeux avaient perdu de leur éclat.
Elle éprouvait une pointe de jalousie assez déplaisante à
l'idée que sa fille eût réussi à garder sa fraîcheur plus
longtemps. Puis Caroline chassa ce sentiment. Cela lui était
égal finalement puisque ce visage, c'était le sien. Elle
plongea la main dans son sac, prit une cigarette et fêta cette
superbe revanche génétique par une bouffée de fumée.

Le ronronnement des avocats continuait. Clayton Benedict
avait pris un ton plus dur, sa voix grondait alors qu'Alfred,
de sa voix grave et légèrement grinçante, refusait ses
propositions mais d'un ton toujours aussi courtois. Il
employait des expressions telles que « nous sommes peu
enclins à ce genre de solution » ou « nos positions sont
immuables », mais en d'autres termes, cela voulait dire non.
Personne ne voulait d'argent d'Amelia; ils voulaient plus. Il
ne le disait pas, mais en fait toute la question était là.

Caroline sourit de nouveau et réalisa soudain à travers les brumes du Valium qu'il allait se passer quelque chose.

« Je ne vous suis pas très bien, Mr. Reece. »

De l'autre bout de la table de conférence, la voix cassante d'Amelia Harlow s'était élevée. « Peut-être auriez-vous la bonté de vous expliquer. » La voix résonna, puis retomba de nouveau.

« Deux millions de dollars, n'est-ce pas suffisant pour éviter la prison à miss Harrington ? »

La main gauche de Caroline fut secouée d'un mouvement convulsif. L'espace d'une seconde. Puis elle retomba, parfaitement immobile. Ils savaient donc tout. Comme cela leur ressemblait d'aller fouiller la boue pour en éclabousser Maggie. Et comme cela lui ressemblait de s'en apercevoir... mais trop tard.

Kate Harlow sourit, puis elle serra son stylo très fort et chassa son sourire.

Elle avait tracé un dédale de lignes sur le bloc jaune à en-tête posé devant elle. La pointe de son stylo resta figée sur le bas de la feuille à droite. Elle leva les yeux et surprit Jay qui regardait son père d'un air assez perplexe. On les avait tous les deux laissés à l'écart de toute cette affaire... les enfants. Cela lui était égal car, quelles qu'aient été les décisions prises, Kate savait que ça allait marcher. Elle le pressentait au silence soudain qui s'était abattu sur l'autre bout de la table. Maggie avait des problèmes. Elle allait empocher les deux millions de dollars et quitter la ville. Et rien ne changerait. Absolument rien.

Kate sourit à nouveau et les propos échangés entre Nicholas et Alfred Reece lui échappèrent. Nicholas écarquilla légèrement les yeux et Alfred hocha imperceptiblement la tête.

« Eh bien, c'est un bon début, Mrs. Harlow. »

Kate jeta un coup d'œil vers eux et vit Nicholas se redresser d'un bond.

« Je vous félicite pour la précision de vos informations. Cela vous ennuierait-il de nous révéler vos sources ? »

Grandmelia prit un ton presque amusé. « Non, Mr. Reece, cela ne me dérange pas.

— Il me semble que c'est déjà fait, Mrs. Harlow. » Nicholas n'avait pas du tout un ton badin. Il parlait d'une voix dure et froide et c'est alors que Kate Harlow comprit que quelque chose tournait mal.

Le silence qui s'était établi au bout de la table semblait se propager inéluctablement vers son côté. Kate s'efforça de rester calme et de continuer à regarder la suite du drame tandis que Nicholas Reece desserrait son nœud de cravate. Il lança un coup d'œil vers elle; Kate détourna les yeux et repoussa son stylo sur la feuille jaune. Nicholas poursuivit son propos.

« Mrs. Harlow, parlez-nous de votre messager, l'homme aux grosses bottes noires. L'avez-vous envoyé fouiner dans tout le quartier des théâtres de New York pour déterrer quelque chose? La moindre bricole? Lui avez-vous demandé d'aller traîner dans les coulisses, d'aller discuter avec les gens du spectacle pour trouver quelque chose? C'est ça que vous lui avez demandé? »

Il marqua un temps et sa voix se perdit dans le silence. « Et que lui avez-vous dit quand il est revenu les mains vides, Mrs. Harlow? D'essayer le bureau d'Alfred Reece? C'est ça que vous lui avez suggéré? »

Kate jeta un coup d'œil vers Amelia. Elle entendait presque la voix de sa grand-mère résonner dans sa tête. Grandmelia allait l'appeler « jeune homme » et lui dire qu'il se trompait. « Vous faites erreur, Mr. Reece. Ce n'est pas notre style. Nous ne donnons pas dans ce genre de procédés. » Mais la seule voix qui retentit à ses oreilles fut celle de Nicholas Reece.

« Dossey a été contraint d'en arriver là au bout du compte, n'est-ce pas, Mrs. Harlow? Il est venu faire un petit tour dans mon bureau au milieu de la nuit et il a trouvé un dossier dans le coffre avec la mention " Documents financiers — confidentiel ". Vous le savez très bien et maintenant nous le savons aussi. »

Clayton Benedict repoussa son fauteuil. « Vous n'avez aucune preuve, mon garçon. »

Nicholas sourit. « Je suis prêt à le parier, monsieur. »

Ils se fixèrent un instant, puis le fauteuil de Clayton Benedict reprit sa place devant la table.

Il doutait fort, affirma-t-il, qu'on ait pu commettre un tel acte ; cependant, ajouta-t-il, les avocats de la partie adverse feraient mieux de garder une chose en tête : le Monsieur en question était à son service et non au service d'Amelia Harlow. « Ma cliente n'a certainement pas été tenue au courant de cela, poursuivit-il. Elle n'aurait jamais toléré une chose de ce genre. »

On perçut un petit rire sarcastique à l'autre bout de la table. Caroline se leva en vacillant. Entraîné par ce mouvement brusque, son fauteuil se renversa, puis un silence médusé s'abattit sur l'auditoire.

« Allons, Clayton, dit-elle avec un petit sourire féroce. Vous appelez ça entrer par effraction, non ? On appelle ça comme ça... n'est-ce pas, Alfred ? » Elle jeta un coup d'œil vers la femme assise à l'autre bout de la table. « C'est ainsi qu'on appelle ce genre de choses, non ? Et encore, ce n'est pas le pire. N'est-ce pas, Amelia ? »

Caroline tendit la main vers le fauteuil vide à côté d'elle. Elle avait besoin de s'accrocher à quelque chose. Elle avait l'impression de flotter et ce n'était pas seulement à cause du Valium. C'était autre chose. Elle sourit. Amelia Harlow était restée collée à son siège et elle, Caroline, s'était levée. Oui, voilà pourquoi elle se sentait soudain si légère. Les mains moites, elle s'agrippa encore plus fort au fauteuil. « Vous souvenez-vous de Will, Amelia ? Vous souvenez-vous d'Anna Janes ? » Elle avait parlé d'une voix trop faible et elle répéta ces questions. Plus fort. Voilà. Cette fois-ci, ils avaient entendu.

« Caroline... » La voix de Clayton, lourde d'avertissement, déferla d'un bout de la table à l'autre.

« Vous vous rappelez de Will et Jane, n'est-ce pas, Clayton ? Et ça, c'était pire que d'entrer dans un bureau par effraction, non ? »

Son regard se posa de nouveau sur Kate. Elle avait l'air d'un petit animal pris au piège entre deux phares aveuglants ; elle semblait redouter d'entendre une chose qu'elle ne voulait pas connaître. Mais son regard trahissait aussi une certaine curiosité... Caroline s'en rendit compte. Elle se retourna vers Amelia qui était toujours d'un calme impassible à l'autre bout de la table. Elle détestait ce regard. Elle l'avait toujours détesté.

« Je pense que nous nous souvenons tous d'Anna Janes, n'est-ce pas, Amelia? Tous sauf Kate. Et Jay. » Elle inclina la tête et sourit au fils d'Eleanor. « Non, Jay ne le sait pas non plus. C'est exact, non? Pauvre Jay.

— Ça suffit, Caroline. » C'était Ben, il parlait d'une voix lasse et usée. « Pourrait-on poursuivre et se limiter à notre affaire, messieurs?

— Mais c'est notre affaire. » La voix de Caroline s'étrangla de sanglots et elle s'efforça de se dominer. « C'est notre affaire, Ben. C'est la mienne. Et celle de tous. Amelia a étranglé Will Harlow. Nous le savons vous et moi, Ben. Et après, elle a étouffé Bliss et m'a arraché ma fille. Mais nous avions deux filles, Ben. Deux filles... et c'est pourquoi elle a conçu les Entreprises Harlow selon ces structures. Bliss n'aurait jamais accepté qu'elle laisse Maggie à l'écart. Jamais. Et aujourd'hui, il est mort et Eleanor aussi, et Maggie est là, Ben. En face de nous. » Elle s'arrêta. Ben ne la regardait plus. Il avait détourné les yeux. La voix de Caroline s'éleva de nouveau dans la salle. « Eleanor est morte, Ben. »

Amelia se tourna vers Clayton en hochant légèrement la tête. « Faites-la sortir d'ici, Clayton. »

Caroline sentit que le silence stupéfait qui l'entourait se relâchait. Un fauteuil bougea et certains se raclèrent la gorge. Amelia lui avait déjà dit cela une autre fois... et elle s'était exécutée. Caroline redressa les épaules et elle trouva le courage de répéter : « Elle est morte, Ben. Eleanor est morte. » Et soudain, Kate Harlow se leva.

« Je m'en vais. »

Elle était blême et ses mains tremblaient. Elle ne pouvait en supporter davantage. Elle ne pouvait plus supporter cette voix perçante qui hurlait à la ronde. Elle repoussa son siège et traversa toute la salle de conférence. Elle poussait déjà la porte quand Caroline la retint par la main. « Je suis désolée, Kate... pour tout.

— Ne la touchez pas. » Amelia se redressa d'un bond et sa voix se fit cinglante. « Je vous interdis de la toucher. Vous avez causé assez de mal comme ça. Laissez-la tranquille. Et sortez. »

Caroline abandonna la main de Kate et se retourna vers Amelia. « Non, je vais d'abord terminer ce que j'ai à dire, Amelia. Votre fils m'aimait. Le jour de sa mort, il me désirait encore. » Sa voix se brisa sur ces mots; elle ferma les yeux et poursuivit. « Il m'avait refait l'amour ce jour-là et c'est alors que j'ai compris que vous aviez perdu, Amelia. Nous allions enfin partir. Bliss allait vous quitter. Nous allions partir, tous les quatre. » Elle tentait de se dominer pour garder un ton ferme, car elle sentait que Maggie et Kate l'écoutaient. « Mais il est mort et vous l'avez gardé... comme vous le vouliez. Je me suis toujours demandé si Kate savait que son père voulait partir, si elle savait vraiment qui vous étiez quand elle a choisi de rester avec vous.

— Arrêtez. »

Cela ressemblait à un ultimatum. Pourtant, Caroline secoua la tête et continua. « Ne me demandez pas de me taire, Amelia. Je pense que Kate doit savoir avec qui elle a choisi de vivre. » Elle cligna des yeux et regarda Amelia en face. « Je crois qu'elle devrait lire les minutes du procès, Amelia.

— Ça suffit maintenant. »

Caroline soutint le regard d'Amelia, puis le suivit lorsque celle-ci jeta un coup d'œil vers Kate. Et Caroline découvrit aussi la curiosité candide qui se lisait sur le visage de la jeune femme qui se tenait devant la porte de la salle de conférence. Caroline se détendit et baissa les bras. « Je vous en défie, Amelia, lui lança-t-elle. Je vous en défie », répéta-t-elle. Elle se sentit soudain épuisée. Tout son courage l'abandonnait. Les derniers effets du Valium s'estompaient. Mais elle savait qu'elle avait gagné. Elle attendit patiemment la réaction d'Amelia et l'accueillit d'un hochement de tête serein.

« Très bien, Clayton. Faites ce que vous pouvez. »

42

Il était presque cinq heures quand le coursier quitta le palais de justice, chargé des documents, et il était six heures

quand Kate demanda à Matty de prévenir sa grand-mère
qu'elle ne dînerait pas avec elle. Les deux femmes Harlow
ne prirent pas leur repas ensemble ce soir-là : Amelia dîna
seule dans le silence de la salle à manger devant l'imposante
table vide et Kate dans sa chambre, roulée en boule dans le
fauteuil bleu installé devant la fenêtre, à la lueur de cette fin
de soirée. Elle ne prêtait aucune attention aux plats que
Matty avait disposés sur un plateau. Tout lui était devenu
indifférent; elle ne pensait plus qu'aux feuillets posés sur ses
genoux.

Le classeur, sur lequel était inscrit « Affaire concernant
l'enfant mineur Kathryn Morning Glory Harlow », était
encombrant et un peu difficile à manier. Elle lut d'abord sa
propre déposition qui était consignée dans l'appendice à la
toute fin du dossier. Elle la parcourut deux fois et soudain,
elle se rappela très distinctement la pièce, les meubles et les
personnes présentes. Il y avait là un juge, un greffier et un
ours en peluche dont elle ressentait la présence plus qu'elle
ne s'en souvenait. Dans sa déclaration, rien ne lui parut
familier. Aucun mot, aucune phrase... en dehors de celle-ci :
« Je souhaite ne plus jamais revoir ma mère. » Ça, elle s'en
souvenait parfaitement.

Elle reprit depuis le début au « Oyez, oyez » de l'huissier
qui, quinze ans auparavant, avait annoncé le début de
l'audience du Tribunal de la cinquième circonscription du
Texas et commença sa lecture.

Il lui fallut juste une minute pour s'habituer à la présen-
tation du compte rendu; cela ressemblait à une pièce où on
aurait laissé des blancs pour qu'elle s'imaginât les avocats
arpentant la salle, ou le marteau du juge s'abattant sur la
tribune ou encore la présence du public. Elle lut le dossier
très lentement. De temps à autre, elle se demandait si
quelqu'un s'était levé d'un bond pour intervenir avec véhémence. Elle lut lentement et posément, puis soudain le ton
des témoignages changea : objections et dénégations se
succédaient, interrompant les propos des témoins. On fit
ensuite évacuer la salle et fermer portes et fenêtres pour se
protéger des regards des curieux. A la lueur d'une lampe de
bureau, Kate feuilletait les pages, examinant les interven-
tions où se mêlaient offensive et contre-attaque, cherchant

la vérité à travers ces longs paragraphes touffus. Puis elle reprit tout depuis le début; elle était assez surprise de constater que les débats avaient presque commencé sur un ton inoffensif.

Elle n'avait jamais entendu parler d'Anna Janes jusqu'à aujourd'hui. Pourtant, elle était là, inéluctablement présente dans ces pages : c'était une femme de Tyler, Texas, qui vivait en Arizona avec son mari, une étrangère qui avait quelque chose à dire. Elle imaginait qu'Anna Janes Potter était une personne timide qui avait répondu sur un ton prudent aux questions des avocats.

« Oui... oui, monsieur. Je connais bien Amelia Harlow.

Mack : Peut-être pourriez-vous nous dire comment vous l'avez connue?

Le témoin : En tant que directrice de journal. Elle était très connue au Texas, on parlait d'elle dans les magazines, on l'interviewait à la radio... enfin, des choses comme ça. A l'époque, on la prenait en exemple comme le type même de la femme moderne. Par la suite, elle est devenue pour moi l'épouse de l'homme qui était mon amant et mon fiancé. »

Kate s'arrêta dans sa lecture. Elle revint au début du paragraphe et le relut entièrement. Elle avait vu une photographie de son grand-père un jour : c'était un homme au regard tendre et au sourire effacé. Tante Eleanor lui avait dit qu'il était très gentil et que c'était un bon médecin. Tout le monde l'aimait beaucoup, avait-elle ajouté. Mais personne ne lui avait jamais parlé d'Anna Janes.

Kate retrouva l'endroit où elle en était : Clayton Benedict avait élevé une objection que la cour avait repoussée. Elle poursuivit sa lecture.

« Quand avez-vous fait la connaissance du Dr Harlow, Mrs. Potter?

— C'était en septembre, dans les années trente. On m'avait conseillé de m'adresser au Dr Harlow. On m'avait dit que ce serait le meilleur médecin traitant pour ma mère. Il est donc venu la voir et ensuite, il est venu tous les jeudis et tous les samedis pendant dix-sept ans, Mr. Mack.

— En tant que médecin traitant de votre mère.

— Oui, mais aussi à titre personnel. Il était mon amant et mon fiancé. Ma mère est morte en 1940, près de dix ans après la première visite du Dr Harlow. Et à l'époque, nous pensions déjà au mariage depuis quelque temps. Depuis Noël 1933 très précisément.

— Pourtant, à l'époque, le Dr Harlow n'a pas essayé de divorcer. Or, vous n'étiez pas mariée. Pourquoi cela, Mrs. Potter?

— Parce qu'il avait peur.

— De quoi...?

— De sa femme.

— Objection, Votre Honneur. Tout cela n'est que conjecture et je m'oppose violemment à...

— J'ai dit, peur. Peur de ne plus jamais revoir ses enfants...

— Objection, Votre Honneur. Je réitère mon objection. »

Kate entendit le marteau du juge résonner sèchement dans sa tête.

« Je m'élève fermement contre ces procédés. Et je vous rappelle à l'ordre. Je n'accepterai pas ce genre de choses sous peine de sanctions. Mr. Mack, demandez au témoin de mesurer ses propos. D'autre part, Mr. Benedict, la cour refuse votre objection. J'accepte... »

Suivaient de nouveaux arguments de la défense. Kate relut le bas de la page.

« J'aimerais vous donner un exemple si vous me le permettez. Pendant la guerre, le fils du Dr Harlow a voulu s'engager. Il en a parlé à son père, puis est retourné dans l'Est pour rejoindre les rangs de l'armée. Et elle l'en a empêché. Elle a fait jouer ses relations et elle l'a coincé. »

Suivaient d'autres paragraphes où se mêlaient les arguments de la défense interrompus par les objections de Benedict et enfin la Cour déclara qu'elle acceptait l'objection de la partie adverse : Anna Janes ne pouvait en dire davantage. Mais désormais, les choses étaient claires dans l'esprit de Kate. Elle se rappelait certaines questions d'autrefois et de vieux souvenirs d'un jeune homme qui voulait voyager. Elle tourna la page.

« Mais un jour, les circonstances ont changé et le Dr Harlow a envisagé de quitter sa femme?

— Oui.

— Voulez-vous nous expliquer, s'il vous plaît, comment la

situation a évolué. Quels sont les événements qui l'ont poussé à changer d'avis? Son fils s'était enfui et s'était installé à Cuba. Le Dr Harlow pensait que sa mère ne pourrait rien faire contre lui là-bas et le laisserait donc tranquille. D'autre part, sa fille s'était mariée quelque temps après et nous étions désormais libres de songer à nos projets personnels... nos projets de mariage.

— Pourtant, ce mariage n'eut jamais lieu?

— Non, Mr. Mack. Effectivement. C'était en 1948... un dimanche d'octobre 1948. La sonnette a retenti et Amelia Harlow s'est retrouvée là, devant moi. Sa fille, Eleanor, l'accompagnait. Il y avait deux voitures garées devant la maison et deux chauffeurs. La jeune femme portait un attaché-case. Amelia Harlow est entrée et m'a parlé quelques instants. Et ses menaces étaient plus qu'explicites, Mr. Mack.

— Des menaces, Mrs. Potter?

— Elle m'a dit qu'elle m'humilierait publiquement si je ne quittais pas la ville et le Texas sur-le-champ. Elle a ajouté qu'il était hors de question qu'elle divorce et que je ferais mieux de repartir de zéro et d'aller m'installer ailleurs. Puis elle a pris la mallette des mains de sa fille et m'a donné vingt-cinq mille dollars. En liquide. Elle m'a dit que si je ne partais pas, elle écrirait des articles sur ma bassesse morale dans tous ses journaux et qu'elle me ferait renvoyer de mon école. Puis elle est partie. Mais le deuxième chauffeur est resté. Il m'a dit qu'il serait ravi de m'aider à faire mes paquets et ensuite, à la gare, il s'est occupé de mes bagages et de mon billet. Je ne savais pas quoi faire d'autre, alors je suis partie le soir même.

— Avez-vous reçu des nouvelles du Dr Harlow par la suite, Mrs. Potter?

— Oui. Elle avait insisté pour que j'écrive une lettre et elle l'avait emportée avec elle. Un mois plus tard, je l'ai reçue à ma nouvelle adresse avec quelques vieilles factures et des prospectus.

— Il s'agit de cette lettre?

— Oui.

— Voulez-vous que je la lise à la cour?

— Je vous en prie, faites, Mr. Mack.

— " Cher Will. Il est arrivé quelque chose et j'ai décidé de partir. S'il te plaît, ne fais rien pour me retrouver. Je t'aime, Anna. " Il y a encore une ligne au bas de la page, Mrs. Potter. D'une autre écriture.

— Oui, d'une autre écriture. C'est celle du Dr Harlow. Et je peux vous la citer mot pour mot. Il a écrit : " Elle a fini par gagner, n'est-ce pas, Annie? D'une façon ou d'une autre, elle a réussi son coup. "

— C'est le Dr Harlow qui a écrit cela?

— Oui. Il a écrit cela, puis il a posté la lettre et il s'est suicidé. Les journaux ont annoncé qu'il était mort de mort naturelle, mais les gens savaient qu'il s'était pendu. Et moi aussi, j'ai fini par l'apprendre.

— Mrs. Potter, je sais... enfin, je crois savoir combien cette situation a été cruelle pour vous. Mais je voudrais vous poser une dernière question. J'aimerais que vous disiez à la cour, si cela vous est possible, pourquoi vous êtes venue témoigner aujourd'hui.

— Caroline Harlow m'a téléphoné. Elle m'a dit qu'elle avait besoin de prouver que d'autres personnes avaient fait l'objet de menaces et qu'on les avait contraintes à signer des papiers contre leur volonté. Je ne suis pas une femme courageuse, Mr. Mack. Tout d'abord, j'ai refusé, puis j'ai pensé au Dr Harlow. Je ne pouvais plus rien faire pour lui, hormis une chose : dire à sa place tout ce qu'il aurait voulu dire. Le fils du Dr Harlow voulait partir loin d'ici, il voulait vivre ailleurs. Et il est fort triste qu'il soit revenu mourir ici, Mr. Mack. Après tout cela, il a fini par mourir ici et aujourd'hui, elle ne veut pas laisser partir cette petite fille non plus. Mais cette petite fille n'est pas celle d'Amelia Harlow, Mr. Mack. Ce n'est pas son enfant. »

Kate Harlow éteignit la lampe de bureau et resta assise dans le noir, le regard absent. Il y avait encore d'autres témoignages, mais elle n'avait plus envie de les lire. Elle ne voulait plus qu'une chose : rester ainsi dans le noir. Elle aurait aimé que l'obscurité fût encore plus profonde, suffisamment sombre pour lui cacher les images qui défilaient dans sa tête.

Elle se revoyait quand elle était enfant, une image lointaine d'une petite fille très seule. La fillette qu'elle voyait plongeait en elle pour extraire tous ses sentiments de son cœur et les examiner un à un. Puis elle en choisissait un et repoussait tous les autres... Elle les refoulait en elle, très profondément, rabattait violemment un couvercle dessus et le scellait solidement. Ensuite, elle entrait dans un palais de justice et brandissait le sentiment qu'elle avait choisi dans le lot, l'offrant à l'examen du juge. Et c'était une petite fille qui avait l'air très sûre d'elle-même.

L'image se rapprochait. La fillette devenait plus grande, plus âgée. Elle avait vingt-cinq ans. Pourtant, c'était toujours une petite fille à la recherche d'un père qui n'était qu'une illusion imaginée et entretenue par une grand-mère qui lui avait menti.

Amelia la retrouva près d'une heure plus tard. Elle gravit l'escalier étroit qui menait au grenier, poussa la porte et se sentit aussitôt envahie par les effluves de chaleur et de poussière qui se mêlaient à la légère odeur de moisi de tous ces objets jetés au rebut. Kate était assise tout au fond dans un coin; sa silhouette se dessinait dans le cercle de lumière jaune diffusée par une ampoule nue.

« J'ai vu de la lumière de la terrasse, dit Amelia. Il y a un ventilateur. Tu veux que je le branche?

— Oui, si tu veux. »

Au bout d'un moment, la pièce se rafraîchit. Amelia se fraya un chemin dans la pénombre et tomba sur un monceau de papier d'emballage, de rubans et de ficelle. Elle s'apprêtait à s'asseoir sur une caisse en bois quand Kate l'interrompit dans son geste.

« Ça ne te dérange pas, dit Kate. Il y a un fauteuil juste là. Je voudrais ouvrir ce paquet. »

Amelia se releva et chercha le fauteuil dans l'ombre. C'était un vieux rocking-chair en osier dont les bras étaient fendus; il trônait sous le porche autrefois. Elle le tira dans la lumière et s'installa dans le vieux fauteuil aux contours familiers.

Kate était assise par terre, en tailleur, juste devant elle. On ne distinguait presque pas ses jambes nues noyées sous un torrent de papier de soie, de rubans aux couleurs fanées, de boîtes et de jouets. Il y avait une boîte de peinture, un tas de

livres d'images et une poupée harnachée d'un curieux
accoutrement. Elle portait un long collier de perles et une
chaîne plus courte avec un cœur en or. On avait disposé un
bracelet en diamants autour de sa taille et une bague
rehaussée d'un saphir à l'un de ses doigts.

« Je n'ai jamais ouvert aucune de ces boîtes.

— Tu ne voulais pas les ouvrir. »

Kate jeta un coup d'œil vers Amelia; son regard était froid
et sans équivoque. « Non, c'est vrai. J'ai dû faire un choix et
je l'ai fait. Tu m'as dit que j'étais sa Morning Glory, sa petite
fille texane et j'ai décidé de jouer ce rôle. Il était texan et j'ai
voulu l'être aussi. Il faisait partie des Entreprises Harlow et
j'ai voulu reprendre sa place. Il montait à cheval et j'ai voulu
monter aussi. Sa place était ici et je n'ai jamais voulu
partir.

— Kate...

— Non, ne me dis rien. Je ne t'ai que trop écoutée.

— Alors, écoute-moi encore une fois. Ton père a épousé
une femme qui n'était pas d'ici, car il ne se sentait pas lié à
cette terre. Il ne se sentait chez lui nulle part et c'était là le
drame de sa vie.

— Mais ils étaient liés l'un à l'autre, Grandmelia, tout
comme j'étais liée à eux. Personne ne t'appartient. »

Amelia tendit la main et effleura les pieds de la jeune
femme. « Kate, nous avons tous besoin de nous sentir lié à
une terre. Et ton père n'a jamais pu trouver sa place. Quand
voulais-tu que je te dise une chose pareille? Quand tu avais
neuf ans? Ou dix? Ou quinze?

— J'étais en droit de savoir. » Elle regarda sa grand-mère,
puis mit la main dans la poche de sa robe-chemisier.

« Ce sont quelques-unes des cartes qu'elle a écrites, Grandmelia. Écoute. » Les enveloppes étaient d'un petit format et
les cartes toutes blanches.

« Chère Kate. Tu as seize ans aujourd'hui, c'est un âge
merveilleux. Bon anniversaire. Je penserai à toi toute la
journée. »

« Chère Kate. J'avais des perles comme celles-ci quand
j'avais vingt ans. J'en ai toujours été très fière. J'espère que
tu en seras fière à ton tour. »

Elle remit les cartes dans les enveloppes, puis releva

les yeux. « Tu veux que je t'en lise d'autres, Grandmelia ? »

Sa question resta sans réponse. Elle les enfouit dans sa poche, se pencha vers la caisse et entreprit de l'ouvrir à main nue. Elle était vieille et, à chaque fois qu'un clou rouillé sautait, le craquement du bois se répercutait dans le silence du grenier. Les côtés cédèrent sous ses efforts et elle s'attaqua à la boîte en carton coincée à l'intérieur, tirant et déchirant le paquet jusqu'à ce que la maison de poupée apparaisse. C'était une maison de poupée rouge à deux étages avec des volets d'un blanc éclatant et un toit noir.

Elle se redressa et fourragea dans les boîtes jusqu'à ce qu'elle en trouvât une où était inscrite l'adresse d'un hôtel de Dallas. Les jouets miniatures étaient éparpillés sur ses genoux : il y avait des tables et des fauteuils, un divan capitonné recouvert de velours sombre et un minuscule repose-pieds. Elle prit un petit tableau représentant un champ de fleurs blanches et glissa la main dans la maison de poupée pour le poser sur le manteau de la cheminée.

« C'est vraiment adorable, tu ne trouves pas, Grandmelia ? »

Amelia ferma les yeux et s'appuya un moment contre le dossier du fauteuil à bascule, puis elle contempla le visage pointé vers elle.

« Ils sont tous superbes. Tous ces cadeaux. Elle tentait de te reconquérir, Kate. Bien sûr, tous ces présents étaient très beaux. Mais tu n'en voulais pas. Et tu ne voulais pas partir non plus.

— Non, je ne voulais pas partir. J'avais fait mon choix. J'avais choisi le père que tu m'avais inventé. »

Elle se redressa sur ses genoux, puis se leva. Sa robe était pleine de poussière et elle se pencha pour la secouer. Elle rassembla le tas de papier de soie et les rubans et commença à entasser le tout dans un carton. « Savais-tu que je croyais qu'elle l'avait tué ? »

Le regard d'Amelia se posa sur elle. « Non, dit-elle. Bien sûr que je ne le savais pas. »

Kate haussa les épaules et continua à enfoncer le papier dans le carton. « Je pense que, même à l'époque, il devait y avoir un recoin caché quelque part dans mon esprit comme une pièce secrète. Et si j'avais ouvert la porte et si j'étais entrée, j'aurais su que ce n'était pas vrai, j'aurais compris qu'il était mort tout simplement. Sans doute était-ce plus commode d'en accuser quelqu'un... Et c'était elle que je voulais condamner. Je voulais la haïr pour pouvoir rester ici et grandir ici. Comme papa. Et travailler pour les Entreprises Harlow... comme papa. »

Elle eut un petit rire dur qui déferla en une vague de sarcasme.

« Les Entreprises Harlow, là où les dimanches sont tes jours préférés, n'est-ce pas, Grandmelia? » Elle se tourna vers Amelia et éleva la voix. « Les dimanches... quand on se rend à Tyler dans des voitures noires conduites par des chauffeurs noirs avec des attachés-cases bourrés de liquide. Les dimanches... quand on abuse du tout-puissant pouvoir de la presse pour terroriser les maîtresses d'école qui sont restées vieilles filles. Et où s'est-il pendu, Grandmelia? Dans quelle pièce? »

Dans un geste complètement inconscient, Amelia se redressa et frappa violemment Kate au visage. Sa main laissa une marque blanche sur la joue de sa petite-fille. Seul, le grincement du rocking-chair qui se balançait toujours sur le parquet trouait le silence.

Elles restèrent ainsi pendant un moment qui parut durer une éternité avant que Kate ne reprît la parole.

« Où s'est-il pendu? Je voudrais le savoir. »

Amelia se détourna et s'effondra dans le fauteuil. Elle effleura le sol pour redonner du mouvement au rocking-chair. « Dans son bureau », dit-elle, puis elle ajouta : « J'avais vingt ans quand j'ai repris le *Bugle*. Tous les Harlow étaient morts. » Elle se tut puis, après un moment, poursuivit. « Je croyais que mon mari était mort aussi. Je n'avais plus rien en ce monde. J'ai donc repris le *Bugle* et je me suis mise à travailler. J'ai fait renaître ce journal de ses cendres et cela m'a sauvée. Ensuite, mon mari est rentré et il disait du journal que c'était mon joujou. Mais cela n'avait pas d'importance jusqu'au jour où il a voulu épouser Anna Jones. Il voulait tout vendre, empocher l'argent et partir. Alors, j'ai dit non. Je ne voulais pas laisser Will Harlow et cette femme me prendre ce qui était toute ma vie. »

Elle s'arrêta un moment et son regard se perdit dans la

pénombre. Son ton s'était radouci lorsqu'elle reprit : « Des gens en ont souffert, Kate, et je pourrais le regretter. Mais il y aura toujours des gens blessés. Les choses sont ainsi et il en sera toujours ainsi. Et il te faudra apprendre à vivre avec cela, Kate. »

Elle lança un coup d'œil vers sa petite-fille. Son visage était blême et ses yeux écarquillés. « Grandmelia, tu ne peux croire que ce que tu dis est juste.

— Juste? » Amelia effleura de nouveau le sol pour redonner du mouvement au fauteuil à bascule. « Tu as reçu le pouvoir et l'argent... la vraie puissance et une énorme fortune. Moi, je n'avais rien et j'ai édifié mes propres règles. Et tu découvriras un jour que c'est très souvent indispensable.

— Mais qui es-tu pour créer tes propres règles? Qui es-tu, Grandmelia? »

Sa question resta sans réponse. « Je crois que j'aimerais rester seule pour finir ce que j'ai à faire ici. » Elle fixa Grandmelia, lisant sur son visage les émotions contradictoires qui s'y succédaient : elle voulait se défendre, se justifier; la colère faisait place à la frustration, puis elle eut un regard pathétique. Finalement, Amelia se leva. Elle haussa les épaules puis, s'appuyant au rocking-chair qui se balançait toujours, elle posa la main sur l'épaule de Kate et attendit. Kate ne releva pas les yeux, mais elle perçut le silence lorsque Amelia sortit et referma la porte derrière elle.

43

Ils étaient rentrés au motel à midi. Caroline s'était attaquée à sa bouteille de scotch et Maggie à la piscine; elle avait fait cinquante longueurs sans s'arrêter, tournoyant dans l'eau à l'en faire bouillonner.

Alfred avait passé l'après-midi au téléphone avec Clayton

Benedict pour négocier ce qu'il appelait le sursis de Maggie. Le temps qu'elle enlève son maillot de bain et se change, il était à sa porte et l'attendait.

« Allons découvrir le Texas, belle enfant.

— Il n'y a rien à voir.

— Si, si. Allons-y. »

Elle suivit d'abord Main Street; les murs blancs se dressaient au loin comme une forteresse. Puis elle bifurqua et s'engagea dans les collines boisées.

Ils roulèrent pendant une heure environ. La terre était sèche et les routes poussiéreuses et, lorsqu'elle s'arrêta devant le cimetière qui dominait la ville, le soleil disparaissait à l'horizon. C'était un coucher de soleil du mois d'août; tout était comme dans ses souvenirs : entre ciel et terre, rouges et pourpres embrasaient l'horizon et tout en haut, le firmament brillait toujours d'un bleu intense. Cependant, au Texas, la voûte céleste n'avait pas de sommet : le ciel était infini. Parfois, au couchant, on voyait les étoiles lorsque le ciel était dégagé et ce soir-là, on les distinguait parfaitement, là-haut, juste au-dessus d'eux. Elle coupa le moteur et ils restèrent un moment assis dans la chaleur du crépuscule. Puis ils sortirent de la voiture et foulèrent le chaume dans la pénombre.

Les deux sépultures se dressaient côte à côte : Bliss Houston Harlow et sa sœur, Eleanor Austin; les fleurs disposées sur la tombe d'Eleanor étaient déjà presque fanées à cause de la canicule.

« Tu crois qu'un jour cela ne me touchera plus? demanda-t-elle enfin.

— Tu veux dire... sa mort?

— Oui, et le fait que j'ai dû partir.

— Tu as déjà surmonté ce cap, Maggie; mais tu ne le sais pas encore, c'est tout. Ce n'est qu'une toute petite ville et le monde est immense. »

Ce soir-là, ils dînèrent dans une brasserie sur la R.30. Le serveur sourit en hochant la tête quand il apporta leurs boissons. « Mais c'est miss Maggie? dit-il. Je pensais bien vous avoir reconnue. »

Elle leva les yeux vers le Noir et découvrit un visage inconnu.

« Vous ne vous souvenez sûrement pas de moi, dit-il avec un large sourire. Mais moi, je me souviens bien de vous. Je vous ai vue grandir ici, dans cette ville. Et j'avais entendu dire que vous étiez de retour.

— Oui, répondit-elle. Je suis juste de passage. »

Ils rentrèrent au motel vers minuit. Elle tenta de trouver le sommeil, mais des images de son enfance dans cette ville tournoyaient dans sa tête. Les visions semblaient plus lointaines maintenant, elles étaient comme effacées : des images statufiées sorties de la vie de quelqu'un d'autre. Seule, Caroline était parfaitement distincte... toutes les Caroline. Elle voyait une jeune Caroline dans une voiture d'un jaune éclatant sous le radieux ciel cubain et une autre Caroline, plus âgée, au teint gris et au regard perplexe dont les lèvres prononçaient ces quelques mots : « Bliss Harlow est mort. » Et enfin, une dernière Caroline s'élevait pour prendre sa défense face à Amelia. Ce soir-là, lorsque Maggie s'endormit, pour la première fois de sa vie elle éprouva de la reconnaissance envers Caroline qui, à sa façon, avait toujours été là. Une heure plus tard, elle fut réveillée par un coup frappé à sa porte.

Elle plongea dans ses oreillers pour se boucher les oreilles, mais les coups redoublèrent. « Merde », grogna-t-elle en allumant la lampe de chevet, puis elle se traîna jusqu'à la porte.

De prime abord, elle trouva bizarre de la découvrir là, sur le pas de sa porte. Puis cela lui parut tout naturel. « Salut, lança Maggie.

— Salut. »

Elles restèrent ainsi un moment à se regarder dans la chaleur de cette nuit d'août sous la lumière aveuglante de l'enseigne au néon, puis Maggie ouvrit franchement la porte et Kate entra. « Il faut que je te parle », dit-elle.

Maggie referma la porte et alla s'asseoir sur son lit. Kate s'installa dans le fauteuil. Elle portait des bijoux qu'elle n'avait pas ce matin et elle jouait avec ses clés de voiture qu'elle tripotait sur ses genoux.

« Je suis désolée pour tout ce gâchis.

— C'est un peu tard, tu ne crois pas ? »

Kate hocha la tête et fixa ses clés. « Je voudrais arranger tout cela. » Elle prit une profonde inspiration et releva les yeux. Elle parlait d'un ton assuré. « Grandmelia peut te coincer, mais elle ne peut rien faire contre moi. Tu as autant de droits que moi sur ces actions. Et j'aimerais que tu aies ta part.

— C'est très gentil. » Maggie alluma une cigarette et souffla un rond de fumée qui s'éleva en volutes vers la lampe. « Ça fait combien de temps? Quinze, seize ans et tout d'un coup quelqu'un finit par se rappeler que moi aussi j'étais la fille de Bliss Harlow. » Elle se renversa contre les oreillers. « La part que tu me cèdes ne change pas grand-chose en fait. Mais je l'accepterai quand même.

— Je préfère qu'il en soit ainsi.

— Moi aussi », répliqua Maggie et elle eut un sourire.

Il semblait qu'elles n'avaient plus rien à ajouter. Kate se leva et se dirigea vers la porte. Puis elle s'arrêta et se retourna. « Je t'ai vue un jour.

— Je sais.

— Tu es dans le cinéma, non?

— Oui, effectivement. »

Kate hocha la tête, puis elle ouvrit la porte. Elle retrouva la lumière aveuglante du néon et, au loin dans la cour du motel, elle perçut un rire. Le bruit se dissipa. « Maggie, je voudrais que tu saches que tu m'as manqué.

— Ah, vraiment? demanda Maggie. Alors, pourquoi as-tu fait cela, Kate? Pourquoi es-tu restée? »

Kate ne répondit pas aussitôt. Quand elle reprit enfin la parole, elle parla d'une voix atone. « Je croyais qu'elle l'avait tué. » Elle haussa les épaules en un geste d'impuissance. « J'étais petite. Et je souffrais tant. »

Maggie écrasa sa cigarette et regarda la fumée se dissiper. Kate avait déjà franchi la porte lorsqu'elle la rappela. « Attends, lança-t-elle. Ta mère est à côté. Je crois que tu devrais aller lui dire bonjour.

— Une autre fois peut-être.

— Je vais l'appeler. Je pense que tu lui dois bien ça. » Elle décrocha le téléphone.

Un instant plus tard, Kate découvrit Caroline dans l'embrasure de la porte.

Elle portait un déshabillé de soie bleu rehaussé de rayures pâles et Kate eut l'impression qu'elle était très lasse : elle avait perdu son éclat de ce matin; l'angoisse et les mouchoirs en papier avaient eu raison de sa beauté. Elle paraissait aussi très vulnérable et Kate éprouvait la même fragilité en ce moment.

C'était sa mère. D'autres femmes parlaient de leur mère, mais elle jamais. La femme, qui se trouvait en face d'elle, ne semblait pas à sa place dans cette chambre avec ses murs en stuc vert pâle, son couvre-lit écossais dans les tons orangés et la moquette orange foncé où traînaient les vêtements de Maggie. Elle ne songea pas au fait qu'elle était sortie de ce corps, que ces seins l'avaient nourrie. Elle garda ces pensées enfouies tout au fond d'elle-même. Elle pensa seulement que Caroline était une étrangère ici et qu'un fossé immense les séparait.

« Bonjour, Kate.

— Bonjour. »

Ne sachant que dire, elles restèrent ainsi en silence.

Caroline regarda ce visage qui ressemblait tant au sien. Elle n'avait pas pu voir le visage de Kate changer avec les années. Elle avait connu une frimousse d'enfant et aujourd'hui elle découvrait une figure d'adulte. Il n'y avait pas d'années entre ces deux images, aucun souvenir, juste un grand vide. Elle était une étrangère aux yeux de sa fille. Elle réalisa soudain, et en fut peinée, qu'elle était affreusement mal coiffée, qu'elle n'était absolument pas maquillée, qu'elle n'était pas préparée et qu'elle ne savait que dire.

« Je ne sais pas comment t'appeler, dit Kate.

— Appelle-moi Caroline si tu veux. Comme Maggie. »

Kate effleura le collier de perles qu'elle portait. « Je ne t'ai jamais remerciée, Caroline. Je voudrais le faire maintenant. »

Caroline jeta un coup d'œil sur le rang de perles, le cœur en or et la bague rehaussée d'un saphir. Finalement, cela valait la peine, pensa-t-elle, cela valait la peine de lui avoir dit qu'elle l'aimait à travers tous ces cadeaux, de l'avoir répété année après année sans savoir qu'un jour elle se retrouverait enfin dans la même pièce qu'elle, sans savoir qu'aujourd'hui elle allait enfin pouvoir le lui dire de vive voix.

Elle se rappela alors le joaillier de Rome, les cafés et les jeunes gens. « Je suppose qu'elle t'a dit que j'étais une putain. »

Kate la fixa d'un regard stupéfait et hésitant. « Non, elle n'a jamais dit cela. Nous n'avons jamais parlé de toi. » Kate s'arrêta un instant, puis reprit. « Pourquoi aurait-elle pu dire de toi que tu étais une putain ? »

Maggie sourit et repoussa ses cheveux en arrière. « Maman était très vilaine, dit-elle. Il y a eu un charmant petit ménage à trois, ici à Earth. Et maman s'est fait surprendre.

— C'était après la mort de ton père, Kate. Je... Je me sentais très seule ici. » D'une main tremblante, Caroline attrapa une cigarette dans le paquet de Maggie. « Je n'ai aucune excuse. J'étais très bête et trop gâtée. » Elle s'assit au bord du lit. « Je vous aimais Maggie et toi. Vous étiez mes enfants et je t'ai perdue. »

Dans un geste maladroit, Maggie posa la main sur l'épaule de Caroline et lui prit des mains sa cigarette qu'elle n'avait toujours pas allumée.

« Je ne sais pas ce que j'aurais fait sans Maggie. Je ne sais pas comment j'ai pu vivre sans toi, Kate. » Elle chercha nerveusement un mouchoir dans sa poche. Elle n'en avait pas et Maggie lui tendit un mouchoir en papier.

Kate s'approcha de Caroline. « Ce n'est pas de ta faute. C'est de la mienne. Je le sais. Je... Il faut que je partes maintenant, dit-elle. Je vais arranger les choses, je vais essayer de me rattraper. » Elle souhaitait désespérément connaître leurs vies, mais elle voulait plus encore être seule.

Elle leur demanda leurs adresses. Elles trouvèrent du papier et un stylo, notèrent les quelques renseignements et la regardèrent partir.

Au bout d'un moment, Maggie sortit de son lit et traversa la pièce pour aller fermer la porte que Kate avait laissée entrouverte. Elle alluma une cigarette pour elle et une autre pour sa mère. Elles restèrent assises à fumer un moment en silence, puis Caroline se pencha vers Maggie pour l'embrasser et lui souhaiter bonne nuit. Elle regagna sa chambre et finit par s'endormir.

Kate quitta sa mère et sa sœur et se retrouva dans la chaleur de cette nuit d'août. Elles ne s'étaient fait aucune promesse. Kate ne leur avait rien promis et elles ne lui avaient rien promis, mais elle savait qu'elles se reverraient. Elles déjeuneraient ou dîneraient ensemble et peut-être même un jour deviendraient-elles amies. Elle avait leur adresse, mais elles ne pourraient trouver la sienne. Elle n'habitait plus ici; elle ne savait pas où elle vivait.

Elle se dirigea vers sa voiture d'un pas de plus en plus rapide, puis elle se mit presque à courir. Elle s'arrêta devant la Porsche et aspira l'air frais à pleins poumons.

« Il est bien tôt pour être dehors. »

Elle se détourna et découvrit Nicholas Reece qui traversait le parking.

« Ou tard », dit-il en plongeant la main dans la poche de son jean. « Voilà le dollar que je vous dois. » Il le lui tendit et elle se mit à pleurer.

Je n'ai jamais pleuré, songea-t-elle, pas une seule fois... au cours de toutes ces années, ni même aujourd'hui. Je ne vais pas me mettre à pleurer maintenant. Je vais m'arrêter. Mais elle ne pouvait rien arrêter, ni le flot de ses larmes qui coulaient sur ses joues ni le sentiment de soulagement qu'elle éprouva soudain lorsqu'il la prit dans ses bras. Il la tint contre lui, lui caressa les cheveux, la calma et lui murmura des paroles réconfortantes.

« Allez, venez, dit-il enfin. Vous avez besoin d'un verre. » Il l'entraîna dans sa chambre et la poussa gentiment dans un fauteuil. Il versa une rasade de whisky dans un petit verre et le lui donna. « Ça va vous faire du bien. Allez, buvez. Ça vous soulagera. »

Elle sentit la chaleur de l'alcool parcourir son corps et ses sanglots s'apaisèrent. Elle retint son souffle un instant. « Merci », dit-elle en tendant son verre pour qu'il la reservît.

La main qui tenait la bouteille était mince, délicate et couverte d'un léger duvet brun. Elle sirota un nouveau verre et Nicholas s'assit par terre à ses pieds. Il lui prit son verre et posa sa main sur la sienne. « Vous n'êtes pas obligée de me dire quoi que ce soit, Kate, mais ça vous aiderait peut-être.

Je ne suis pas votre ennemi et je ne souhaite pas l'être.
— Je le sais », dit-elle. Puis elle se remit à sangloter et il la
prit dans ses bras. Il resta longtemps ainsi, la tenant contre
lui, tandis qu'elle lui parlait tout en pleurant. Ses propos
n'avaient pas grand sens à ses yeux. Il comprit tout simplement qu'elle était meurtrie et perdue, que sa Grandmelia
l'avait trahie et que son père était mort. Il la tint ainsi
jusqu'à ce que le torrent de mots et de larmes s'apaisât enfin
tout en lui caressant les cheveux, puis ses mains douces et
puissantes partirent à la découverte de son corps. Et ses
lèvres se retrouvèrent sur les siennes en un baiser fait de
douceur et d'infinie tendresse.

Il s'allongea par terre et l'attira, puis chacun déshabilla
l'autre. Elle se blottit contre lui et sentit sa toison sombre sur
sa peau satinée. Elle était épuisée et elle le savait, mais son
corps ne suivait pas ses pensées : il était bien vivant et
brûlait de désir pour cet homme. Elle se serra plus fort
contre lui et il la pénétra. Elle sentit son désir qui répondait
au sien : il bougeait en elle et la comblait de sa virilité. Des
vagues de plaisir déferlaient en eux et ils se rejoignirent en
une extase partagée.

Quand elle se réveilla, Nicholas la regardait, appuyé sur
un bras. Il lui sourit. « Qu'allons-nous faire maintenant,
Morning Glory ?

— Personne ne m'appelle comme ça. » Elle sourit. « Jamais.

— Eh bien, moi si. » Il désigna la fenêtre d'un signe. « Il
fait presque jour, dit-il en caressant son visage. Et tu es très
belle.

— Je ne sais pas ce que je vais faire.

— Alors, viens avec moi, Kate. Viens à New York. Et
épouse-moi. »

Elle le fixa. « T'épouser ?

— Épouse-moi, Kate. » Il se pencha vers elle, ses lèvres
chaudes et humides se posèrent sur les siennes et elle
s'abandonna à son baiser.

44

Matty ne savait au juste combien de tasses de café elle avait préparées chaque matin, jour après jour depuis plus de cinquante ans, pour Amelia Harlow. C'était la seul tâche qu'elle avait refusée de confier aux nouveaux domestiques qui l'avaient remplacée quand elle s'était retirée pour se reposer sur son fauteuil à bascule à l'ombre du porche de la maison que les Harlow avaient fait construire pour Duke et elle quand ils étaient arrivés à Earth. Tous les matins, à sept heures et demie, elle se trouvait dans la cuisine de la grande maison blanche et préparait quatre tasses dans la cafetière électrique. Elle en buvait une avant de monter au premier ; il y en avait deux pour Mrs. Harlow et elle en laissait une au chaud qu'elle prenait lorsqu'elle redescendait.

Ce matin, il en était tout autrement. Pour la première fois depuis tant d'années durant lesquelles elle avait préparé des milliers de tasses de café, Matty ne prenait aucun plaisir à son travail.

Elle prit le plateau en argent dans le placard et posa dessus un napperon en lin. Puis elle sortit un soliflore du buffet, coupa une rose pour qu'elle fût à la bonne taille, la mit dans le vase et la posa sur le plateau. Et elle versa le café dans la cafetière en porcelaine de Chine qu'elle remplit aux trois quarts. Elle suivit le long couloir qui menait au pied de l'escalier, monta au premier et rejoignit la chambre de Mrs. Harlow.

La pièce était plongée dans l'obscurité. Matty posa le plateau sur la table à côté de la porte et traversa la pièce pour aller ouvrir les volets. Le soleil inonda la chambre et, le temps que Matty reprît le plateau et le posât sur la table de nuit, Mrs. Harlow s'était réveillée.

« Bonjour, Matty.

— Elle est partie », dit Matty ; sa voix grondait d'indignation et de colère.

« Que veux-tu dire ? » Amelia se redressa péniblement et

s'assit sur son lit. A la lumière du jour, on découvrait ses traits tirés.

« Miss Kate. Elle est partie. Elle a fait ses paquets il y a deux heures et elle est partie... comme ça. Avec le jeune Mr. Reece. »

Les mains croisées sur le ventre et les yeux fixés sur Amelia Harlow, Matty attendit qu'elle réalisât vraiment ce qui arrivait. Matty aurait voulu ajouter quelque chose ou lui témoigner un geste d'amitié, mais ses lèvres restèrent scellées et ses mains figées; seul son cœur se portait tout entier vers cette femme qu'elle contemplait, cette femme qui semblait soudain vieillie.

« Ce sera tout, Matty. » Amelia prit la cafetière et se versa une tasse de café.

Elle se versa une première tasse de café noir et le but à petites gorgées. Puis elle se servit une seconde tasse. Elle se fit ensuite couler un bain. Puis elle enfila un tailleur de lin noir et un chemisier bleu lavande, mit un chapeau de paille à larges bords et descendit.

George franchit la haie de peupliers et les grilles en fer forgé et la conduisit au journal. Il était juste neuf heures et elle travailla toute la journée sans relâche : elle passa des coups de fil à St. Louis et à Austin, dicta quelques notes concernant un contrat provenant d'une société new-yorkaise et se rendit au déjeuner que Kate avait fixé avec un éditeur de Chicago. La pile de papiers et de problèmes à résoudre qui envahissaient son bureau diminua progressivement. A quatre heures cet après-midi-là, elle avait pratiquement tout réglé; il ne restait plus que les fiches roses des messages qu'on lui avait laissés aujourd'hui : Clayton Benedict avait appelé, puis Ben, Benedict de nouveau et enfin Jay.

Elle supposait qu'ils voulaient tenter de la réconforter ou lui dire : « C'est une erreur. Elle va revenir. Laissez faire les choses et elle comprendra. Elle ne peut pas tout abandonner ainsi, son travail et sa place ici. » Mais ils auraient eu tort s'ils lui avaient tenu ce langage. Et Amelia le savait. Kate s'était déjà créée son propre univers une première fois et elle était capable de refaire ce parcours. Elle jeta les fiches dans la corbeille à papier.

Il était sept heures lorsque Jay frappa à la porte de son

bureau. « Tu n'as pas répondu à mes coups de fil, Grand-melia. »

Elle repoussa son fauteuil de sa table de travail et le fit pivoter pour se tourner vers la fenêtre. « Je n'avais pas envie d'en parler aujourd'hui.

— J'ai quelque chose à te dire, Grandmelia. » Il attendit qu'elle se retournât vers lui ou qu'elle lui fît un signe. Quand elle se manifesta enfin, il lui dit :

« J'ai un fils. »

Il semblait qu'il avait répété ces mots des millions de fois et que rien désormais n'aurait pu l'arrêter. Il parla long-temps, sa fierté lui imposant de rester sur la défensive et, lorsqu'il eut terminé, elle ne dit pas un mot. Elle n'avait entendu que les noms. Bliss. Et Benaros. Elle n'était pas étonnée, elle était juste un peu triste du sentiment de revanche que trahissaient ses paroles où se mêlaient haine et amour.

Il avait les mains dans les poches et les yeux rivés au sol. « Je suppose que tu sais que Kate va donner sa part à Maggie. Je pense que Maggie va revendre ses actions et je voudrais les racheter pour mon garçon. J'aimerais faire ça pour mon fils. » Il leva les yeux vers elle. « Si tu n'y vois pas d'inconvénient.

— Non, cela ne m'ennuie pas. Et j'aimerais bien voir ton fils un jour, Jay. »

Puis il partit et elle se retrouva seule dans la pièce gagnée par la pénombre. Elle se tourna de nouveau vers les baies vitrées.

« Qui es-tu, Grandmelia ? Qui es-tu ? » lui avait demandé Kate la nuit dernière. Cette question, qui avait surgi de l'ombre tout d'un coup, l'avait stupéfiée. Elle y repensa tout en fixant les lumières rouges de la tour de la radio qui clignotaient sans arrêt, s'allumant et s'éteignant inlassable-ment.

Captain Jack était dans sa chambre et enfilait sa toute petite chemise et sa queue-de-pie miniature. Les filles descendaient l'escalier en sautillant ; leurs bas à rayures rouge et blanc scintillaient sous l'éclat du grand lustre. Dehors, dans Bienville Street, la nuit était tombée et le Professeur descendait la rue d'un pas alerte... il descendait la rue, montait les quelques marches et se retrouvait dans le salon où trônait le piano. Il portait un costume gris perle et un canotier. Des diamants étincelaient dans sa mâchoire et il se mettait à jouer, le regard pétillant et sa grosse tête noire rejetée en arrière. Ses mains se déchaînaient sur le clavier, martelant un ragtime endiablé, passant prestement de l'aigu au grave. « Ma puce, ma puce, lançait-il. Viens t'asseoir à côté de moi. Viens taper sur ce bon vieux *do*. Allez, viens, ma puce. » Toutes ces images commencèrent à s'estomper et bientôt il ne resta plus que l'écho d'un ragtime qui résonnait dans sa tête.

Elle pensa alors que si elle avait raconté tout cela à Kate, elle aurait compris. Si elle lui avait dit : voilà, c'était comme ça, voilà d'où je viens et voici qui je suis. Une enfant naturelle sortie de nulle part et qui s'est fait sa place. C'était la guerre. Une épidémie de grippe sévissait. Et je ne suis pas morte parce que je voulais vivre. Mais les rues de cet endroit baptisé Storyville et l'existence de cet homme qui était éditeur et s'appelait Carter Harlow, c'étaient ses secrets. C'était sans doute stupide, pensait-elle, de les avoir gardés enfouis au fond d'elle-même durant toutes ces années.

Son regard se perdit dans l'obscurité, la mélodie n'était plus qu'un vague écho. « Ma puce, ma puce... » la voix se fit plus faible, puis se tut.

Après un moment, toujours plongée dans le silence, elle décrocha le téléphone et demanda qu'on vienne la chercher pour la ramener à la maison.

Il faisait presque nuit lorsque George, au volant de la voiture, descendit tranquillement Main Street. Au coin de la rue, le vieux pompiste de la station d'essence porta la main à son chapeau puis se perdit dans l'obscurité. La limousine traversa la voie ferrée en cahotant, reprit de la vitesse en montant la colline et disparut derrière les grilles en fer forgé qui se dressaient sous l'imposante coupole de l'immense ciel texan.

Table des matières